皇女の霊柩

内田康夫

目次

プロローグ

1

濃尾《のうび》平野を木曾《きそ》川沿いに遡《さかのぼ》ると、平坦《へいたん》路の最奥が岐阜県中津川《なかつがわ》市。そこから先はもう木曾路である。かつての落合《おちあい》宿から右へ、国道一九号と分かれ、旧中山道《なかせんどう》をしばらく行くと、斜面の中腹辺りで視界がひらける。純日本風を模した大きなドライブインや土産物屋が建ち、広い駐車場もある。目の前には、胸突き八丁の石畳の坂道が、ほぼ一直線に、はるか峠へ向かい、その両側には、宿場らしいおもむきの家々がひしめきあうように並んでいる。ここが木曾路のとっかかり、馬籠《まごめ》の宿場跡である。

明治二十五年に、馬車が通れるように、中山道に代わる新しい道（後の国道一九号）が木曾川沿いに作られると、馬籠宿は隣の妻籠《つまご》宿とともに、宿場としては廃止される憂《う》き目をみた。馬籠も妻籠もその後、大火などもあって凋落《ちょうらく》の一途を辿《たど》り、住民の多くがこの土地を離れた。

しかし、このことは馬籠、妻籠の近代化を遅らせた反面、古い民俗をそっくりそのまま残し、観光資源として脚光を浴びさせる結果にもなった。とくに妻籠は早い時期から文化財保存の動きを見せ、昭和五十一年に全国で初めて、重要伝統的建造物群保存地区に指定された。古い家並みはそのままの状態で保存することが義務づけられ、電柱は集落の裏手に移された。おおげさにいえば、石垣の石一つ、一木一草にいたるまで、みだりに移動させてはならないとされた。

国鉄（現JR）のディスカバージャパンのキャンペーンもあって、旅行ブームが到来すると、妻籠宿の古い町並みに観光客の人気が集まった。妻籠・馬籠——と対《つい》のように言われる二つの旧宿場町だったが、妻籠だけが繁栄を先取りした恰好《かっこう》になった。

妻籠は長野県木曾郡南木曾《なぎそ》町、馬籠は長野県木曾郡山口村に属している。山口村は文字どおり、中山道を京都方面から来て、木曾の山に入る口という意味からのネーミングで、中津川市と境を接する。

馬籠はもと馬籠村であったのが、明治七年に湯舟沢《ゆぶねざわ》村と合併して神坂《みさか》村となった。ところが、昭和三十二年、神坂村に岐阜県中津川市と合併しようとする動きが起こった。地理的にいっても、峠の西側にある神坂村は経済圏が中津川に属しているのだから、そういう気運がおこっても不思議はない。

しかし、馬籠地区はその動きに真っ向から反対した。馬籠が「信州」でなくなることに、危機感を抱いた。あの島崎藤村が「信州の藤村」でなくなっていいのか——という、悲鳴のような主張が馬籠全住民を団結させた。結局、総理大臣裁定によって神坂村は二分され、馬籠側は隣の山口村に編入されることになった。

馬籠は島崎藤村の故郷である。火災のために生家は失われたが、その跡が藤村記念館になっている。妻籠の繁栄には後れをとった馬籠だが、村おこし町おこしの風を受け、藤村記念館をはじめとして、かつての宿場町のイメージをあざやかに再現した。『夜明け前』のモデルになっている茶店や旅籠《はたご》、民家などがきちんと修復され、あるいは新築されて、中山道の往来が殷賑《いんしん》をきわめた当時の馬籠宿を美しく蘇《よみがえ》らせたのである。

妻籠が古い建物や文化財を古いまま残しているのに対して、馬籠は徹底的にすべてを新しくした。きわめつきは宿場を貫く道を石畳にしたことだ。道の端から端まで、隙間なく石畳が敷きつめられ、妻籠の味気ないアスファルト道路に圧倒的な差をつけた。妻籠の素朴に対して、馬籠は作られすぎたと批判する声もあるが、快適さという点では観光客に人気がある。とくに雨降りの日など、泥しぶきのはねない石畳道には、長崎の坂道をゆくような風情さえ感じられる。

七月はじめのことである。ことしの梅雨は荒れぎみという天気予報が当たって、昼過ぎから強い雨になった。石畳の坂道に、まるでせせらぎを思わせるほどの流れができた。盛りを過ぎた紫陽花《あじさい》が雨に打たれ、紫の花弁を散らしている。

坂道を女が一人、急ぎ足で登って行った。紫陽花色の小さな柄のある傘を斜めにして、肩をすぼめるように歩いてゆく。周囲の風景には似つかわしくない、ややフォーマルな感じのブルーのスーツ姿で、タイトスカートの裾《すそ》が雨に濡《ぬ》れて歩きにくそうだ。ヒールのそう高くない靴が、石畳の小さな窪《くぼ》みに溜《た》まった水をはね上げている。

午前中はかなりの賑《にぎ》わいだったが、雨足がしげくなるのと同時に、新しい客の訪れはちらほらといったところ。どの客も店の中や軒下に入って、雨が小やみになるのを待っている。それだけに、たった一人、濡れそぼつようにしてゆく女性の姿は印象に残った。

えびす屋の池本広一《いけもとこういち》もその女を見ている。池本家は馬籠では脇本陣をつとめたほどの旧家で、広一はその十六代目にあたる。馬籠宿の再現を推進した旗振り役の中心人物だ。いまは他の元旅籠と同様、土産物を商い、蕎麦《そば》や五平餅《ごへいもち》などを供する店を経営している。

広一はちょうど客を送って店先まで出たところだったので、目の前を通りすぎる女性の横顔を間近に見た。三十代なかばぐらいだろうか。色白の顔が傘の色に染まって、病的に青白く見えた。

何気なく見送って、女性が永昌寺《えいしょうじ》へ行く角を曲がるところまで見て、池本広一は店の中に戻った。ただそれだけのことで、その時点では何も、とりたてて異変の起こる兆候などはなかった。

2

サッポロビール恵比寿《えびす》工場が「恵比寿ガーデンプレイス」に生まれ変わって、周辺の風景も一変した。

東京都渋谷区の地名であり、山手線の駅名でもある「恵比寿」は、明治二十年に設立された日本麦酒醸造有限会社（サッポロビールの前身）の工場がここに設立されて、そのビールのブランドが「恵比寿」だったことから命名されたものだ。ちなみに、恵比寿駅はもともとはビール工場専用の引き込み線駅だった。

ビール工場のおかげで発展してきた街ではあったが、工場があるために、それ以上の発展が阻害されていた面もいなめなかった。それを経営者の英断なのか、時流に押されたせいなのか、工場倉庫のすべてを解体して、高層住宅とホテルとショッピングプラザの街に変えてしまった。いま、恵比寿ガーデンプレイスは東京でもっともトレンディな街として、若者や高級志向の人びとの人気の的になっている。

周辺の街から眺める風景も、ビール工場時代の、威圧するような、黒っぽい、さびついた建物に視界を遮られていたのにとって代わって、広々とした空間が誕生し、とたんに街の雰囲気が明るくなった。しゃれた建物の淡いグレーや褐色の壁面に映えて、空の色までがみずみずしい青さを取り戻したような気がする。

川上啓子《かわかみけいこ》は長者丸《ちょうじゃまる》の街から見上げる、その風景が好きだ。

「長者丸」というのは、昭和四十二年までは「品川区上大崎長者丸」とよばれていた町の名で、住居表示が「上大崎二丁目」になってからは俗称としてその名が残った。たぶん伝説だろうけれど、鎌倉から南北朝時代のむかし、芝白金《しばしろかね》村には白金長者というのがいて、その長者の館《やかた》か何かがあった土地ではないかという。古くからの住宅地で、区域は狭いが高級な邸宅がならぶ閑静な街である。塀越しに枝の張った大きな樹木も多く、路上から見上げると、緑の谷間の向こうに広がる空とビルとのコントラストが美しい。

川上啓子はここから七百メートルほど離れた芝白金に住んでいるが、夫と息子を送り出して、時間に余裕があると、この街まで犬のアルファを連れて散歩する。メインの通りから離れ、袋小路《こうじ》もある入り組んだ道だけに、車はもちろん人通りもほとんどなく、のんびりと散歩ができる。アルファはシルキー種特有の臆病《おくびょう》な犬で、ほかの犬や人に会っただけでしり込みするほどだから、この人けのない町並みは散歩にうってつけだ。

天気予報が梅雨の中休みといっていた七月はじめの朝、雲の切れ間の青空にひかれるように、啓子はアルファを遊ばせながら、長者丸の路《みち》を歩いていた。突き当たりが崖《がけ》のように落ち込んでいて、車は通り抜けられない路地に入ると、アルファの引き綱をはずす。この袋小路は左右が古い邸宅だが、いつ来ても人っ子一人出会うことがない。行き止まりの草むらがアルファのトイレだ。例によってアルファは一目散に走って行く。その後をのんびりした足取りでついて行き、ビニール袋で後始末をするのが、この散歩の最大の目的である。

いつもなら啓子がそこに辿り着く前に、トイレを終えて喜々として飛び出して来るはずのアルファが、大きなシイの木の根元に鼻を突っ込む恰好で、何やら興奮している。「しょうのない子」と呟《つぶや》きながら、啓子はアルファに向かって屈《かが》み込もうとして、木の向こうの茂みの中に、女性が仰向けに倒れているのを見た。五、六メートル離れた位置からだったが、凄惨《せいさん》な表情をひと目見ただけで、すでに死んでいるのが分かった。啓子は悲鳴を上げるどころか、喉《のど》が詰まった。あやうく尻餅《しりもち》をつきそうになるのを堪《こら》え、震える腕でアルファを抱え、よろけるような足取りで走って、最寄りの邸宅の呼び鈴を押した。

一一〇番通報で駆けつけた警察の調べで、女性の死因は絞殺による窒息死であることが分かった。死後十時間程度を経過しているというから、昨夜遅くから未明にかけて殺され遺棄されたものらしい。この付近の所轄《しょかつ》は五反田《ごたんだ》駅の南側にある大崎署。啓子の調べに当たったのは伊藤《いとう》という、川上夫婦がいつも行く恵比寿の寿司《すし》屋の大将によく似た、人の好さそうな中年の刑事だった。

伊藤は丁寧な口調だが、第一発見者の啓子をかなり念入りに調べた。パトカーの中でアルファを抱きながら、ずいぶん長い事情聴取であった。もっとも、啓子はただ死体に遭遇しただけで、何も知らない。

まったく、とんだ災難であった。野次馬が遠巻きにこっちを見ているし、知らない人は私を犯人か何かかと思いはしないかしら――と気が滅入《めい》る。ただ、こういう体験はしたくてもできるものではないと、開き直った気持ちもあった。内側から刑事や鑑識の連中の動きを見るのは、得難い経験ではあった。パトカーの無線にひっきりなしに入ってくる無線の交信にも興味を惹《ひ》かれた。

「いや、どうもご苦労さまでした」とようやく帰宅を許され、パトカーを出るとき、無線のマイクに向かって若い刑事が報告しているのが聞こえた。どうやら、被害者の女性の身元が確認できたようだ。刑事は「長野県木曾郡……」と言っていた。啓子は信州の山深い街道を思い浮かべた。

第一章　寒冷前線の夜

1

皇女和宮《かずのみや》の行列の京都出発が、十月十八日から二十一日までの四日間におよんだと知って、美雪《みゆき》はいきなり（なぁーんだ——）と思ってしまった。おまけに、全員が集結して大津を発《た》つときには、京都側の人数一万人に江戸からのお迎えが一万六千人、合計二万六千人の大行列になったのだそうだ。それでまた（なぁーんだ——）になった。

和宮に関しては「悲劇の人」という固定観念のようなものが、美雪には出来上がっていた。天皇の息女に生まれながら、心ならずも都を離れ、遠い江戸の将軍家に嫁いで行かなければならなかった和宮のことは、いろいろな本でいろいろな紹介のされ方をしているが、そのどれにも、判でついたように「悲劇の皇女」といった形容がつきまとう。

子供の頃から、わりと身近に感じていながら、きちんと和宮のことを知っていたわけではないが、なんとなく「かわいそうな女性」というイメージを植えつけられてきた。それが、本格的に和宮の研究を始めようと手にした書物で、和宮の降嫁《こうか》に従う大行列の具体的な数字を見たとたん、いっぺんに崩れ去った。この人のどこが悲劇なのよ――と思ってしまった。

美雪の生まれた木曾の馬籠では、皇女和宮はまさに神格化された存在であった。いや、馬籠ばかりではなく、隣の妻籠宿はもちろん、中山道沿いの木曾の村や町、どこへ行っても、「皇女和宮」の言い伝えは大切に扱われているといっていい。七十歳をすぎた老人の中には、いまだに「宮さん」と呼ぶ人がいるほどだ。

美雪の気持ちのどこかに、そういう保守的な空気の満ちわたる土地柄に対する、漠然とした反発があったから、和宮降嫁の行列の大仰な人数をみて、自分のそういう批判的な考えの正当性に、妙に納得できたような気になったことはたしかだ。

ところで、木曾のもうひとつのシンボルである島崎藤村については、まだしも素直に、同じ馬籠から出た先輩に対する畏敬《いけい》の念を抱いていた。藤村の生家は美雪の池本家のほんの隣といっていいところであった。『夜明け前』の主人公・青山半蔵は藤村の父親島崎正樹だといわれている。島崎家と脇本陣だった池本家とは近所付き合いをしていたわけで、美雪の曾《そう》祖父は藤村と遊び仲間だった――といったような自慢めいた話を、祖父や父からずいぶん聞かされた。

その島崎藤村の代表作『夜明け前』の、とくに有名なあの「木曾路はすべて山の中である。」で始まる冒頭の一節は、ほんとうに木曾の風景を的確にとらえているなあ――と感心していたのだが、じつはその名文には出典があることを知って、これまた（なぁーんだ――）とがっかりした。その事実を知ったのも、和宮の「真実」に触れたのと同じ日の出来事だったから、美雪は同時に二重の幻滅を味わうことになった。藤村が模倣《もほう》した（としか思えない）出典は『木曾路名所図会《ずえ》』という本で、それぞれの文章を対比させると、その模倣ぶりがよく分かる。

　木曾路はすべて山の中である。あるところは岨《そば》づたひに行く崖の道であり、あるところは数十間の深さに臨む木曾川の岸であり、あるところは山の尾をめぐる谷の入口である。　（夜明け前）

　木曾路はすべて山中なり。名にしおふ深山幽谷にて岨づたひに行かけ路多し。――略――此間左は数十間深き木曾川に――略――山の尾崎を廻りて谷口へ入、また先の山の尾崎をまはる所多し。　（木曾路名所図会）

　道の狭いところには、木を伐《き》つて並べ、藤づるでからめ、それで街道の狭いのを補つた。

　（夜明け前）


　路の狭き所は木を伐わたして並べ、藤かづらにてからめ、街道の狭きを補ふ。

　（木曾路名所図会）


　じつはこのことを発見して、美雪に教え、「なんやねん、そのまんまやないか」と言ったのは、大学の同期で、二つ歳上の大杉幸仁《おおすぎゆきひと》である。美雪が大学の図書館で資料漁《あさ》りをしているとき、頼まれもしないのに手伝いをしていた大杉が、偶然のようにその記述のある本に出くわした。

「いいじゃないの、文献を引用したって」

たしかに大杉の言うとおりだが、美雪は口を尖《とが》らせて、いちおう、反論を試みた。こういうときに、はしなくも郷土愛が出てしまう自分が、少し好きでない。

「引用いうても、これやったら古語を現代語ふうに書き直したのと、ちっとも変わらへんで。それも大作の小説の書き出しに、そっくりそのまま使うなんて、藤村も大したことないのとちがうか」

　京都人の大杉は遠慮がない。美雪は反射的に閲覧室の中を見回してしまった。木曾でこんな、藤村を冒瀆《ぼうとく》するような発言をしたら、慌てて口を覆ってやらなければならないところだ。

　夏休み直前とあって、図書館はガランとしていた。たいていの学生は、夏休み中のバイトや遊びのスケジュールをたてるのに忙しい盛りだろう。

　美雪は皇女和宮の、おもに江戸下りにまつわる事蹟《じせき》を卒論のテーマにすることに決めて、急遽《きゅうきょ》、資料集めにかかったところだ。来年のいまごろは就職活動に飛び回っているだろうから、この夏休みにひととおりの準備を整えておかなければならない。

　もっとも、同じ条件であるはずの大杉のほうは呑気《のんき》なものだ。用もないのに図書館についてきて、「手伝うたるがな」と、資料本の中から木曾路にまつわる部分を拾い出してくれた。その結果、島崎藤村の「模倣」を発見したというわけだが、自分の勉強をそっちのけでそんなことをやっていていいのかな——と美雪は他人事《ひとごと》ながら心配してしまう。しかし、大杉に言わせれば美雪のほうがふつうじゃないのだそうだ。

「だれかて、夏は遊ぶもんと決めているで。あと一年あるんやし、卒論なんか、後期に入ってから始めたらええやないか。美雪はせっかちすぎるわ」

　そうかもしれない。たしかに、美雪にはそういう、先へ先へと段取りよくしておかないと気がすまないところがある。

　しかし、にわかに卒論のテーマを決め、資料集めを急ぐことになったのには、それとはべつの理由があった。一週間前、父親の広一から電話で「夏休みに入ったらすぐに帰ってこい」と言ってきた。いつもと様子の違う、ちょっと深刻そうな声音だったから、軽口で「何よ、お見合いだったら断ってよ」と返す言葉もわざとらしく上擦った。広一も面白くもなさそうに、「見合いなんかじゃない。ちょっと折入って相談したいことがあるんだ」と言った。

「相談て?」

「いいから、とにかく帰ってこい。それから、私が電話したことは、母さんには内緒だから、そのつもりで」

逆らえない、重いひびきがあった。母親の志保《しほ》に内緒というのが気になった。

そのとき、美雪は(ガンかな?——)と、すぐに思った。

志保は娘の美雪の目から見ても、美しい女だ。きめこまかで色白の肌は、その点だけでも、木曾の女たちとは異質で、さすがに京女——と思わせる。能面のような瓜実《うりざね》顔《がお》に、いくぶん目尻《めじり》の上がった黒目がちの目は涼やかそのものだ。若いころはさぞかし美しかったにちがいない。中学まで、PTAや学校で何かの催しのあるときは、母が決まって出席してくれて、そんなとき、級友たちが「きれいね」と言うのを聞くのが、美雪には何より心地よかった。

父と母にラブロマンスがあったのかどうかは聞いたことがないが、広一のような真面目一徹の男が、どうやってあんな美しい女性を射止めたのか、美雪はいちど問いただしてみたいと思っている。

佳人薄命というけれど、これまでのところ、志保は大きな病気ひとつせずに、家業の采配《さいはい》をふるっている。それだけにかえって、ガンかな——という連想がはしった。いろいろな病名がある中で、ガンを思いついたのは、去年の秋に、母の妹——つまり美雪からみると叔母がガンで亡くなっているからである。叔母も志保に似て美しかったが、美しい花は、いのち尽きるとき、ポキッと折れるものかもしれない。父親の電話の深刻ぶりが、いっそうその懸念をつのらせた。

そのことがあるから、美雪は「和宮」を卒論のテーマに選んだのだ。和宮降嫁の大行列にとって最大の難所といえる木曾路が、まさに美雪の帰省先である。これなら一石二鳥、夏休み期間を丸々、調査に利用することができる。

じつを言えば、六月に母からの電話で、夏休みの予定を訊《き》かれた頃には、美雪は北海道へ行くつもりでいたし、母にもそう言っておいた。

「そう、それがええわねえ。うちはゴチャゴチャしてるし、帰ってきても店の手伝いをさせられるのがオチだわ。そのことを勧めよう思うて電話したの」

志保はそう言って賛成した。

そんなやりとりがあったのに、にわかに予定を変更して帰省するのは不自然に思われるにちがいない。卒論のためという大義名分があれば、説明しやすくていい。それにしても、いま思うと、あの電話はなんだか意味ありげだった。志保には、ひょっとすると美雪が帰ってくるのを阻止しようという気持ちがあったのかもしれない。

2

大杉は、美雪がいつだったか、北海道独り旅の話をしたときから、一緒にくっついて行く計画を練っていたらしい。もちろん、美雪は了解したおぼえはないのだが、和宮の資料探しに図書館に行く途中、ばったり出会って、北海道行きを止めたと言うと、「なんや、せっかく親父のセフィーロを借りて、ええドライブができる、思うたのにな」と、しきりにぼやいた。「期待権の侵害やで」と意味不明のことも言った。

美雪の側には、そのつもりはさらさらなかったから、「そんなの勝手よ」と言ったのだが、諦《あきら》めきれないらしい。図書館への道すがらはもちろん、資料漁りに飽きるころになっても、仏頂面で煙草をふかしながら、「北海道でなくてもええけど、どこか旅せんか」と言っている。

「だったら、私を木曾まで乗せて行ってくれたら？　馬籠はいいところよ」

「ふーん、そしたら、美雪の家におれ、泊めてくれるんか？」

期待感のある目で美雪を見つめた。

「だめよ、うちは商売やってるし、スギさんを泊めるような部屋もないわ。どこかの旅館に泊まればいい。夏休みで混んでるけど、旅館の紹介ぐらいはしてあげる」

「なんや、それやったら、まるっきりアッシー君やないか」

大杉は自嘲《じちょう》するように笑ったが、「ま、ええか……」と頷《うなず》いた。

大杉幸仁のことは嫌いではないけれど、京都の男は遊び上手で危なっかしいような気がして、美雪はいちどだって警戒を解いたことはない。大杉が不承不承、アッシー君を引き受けたときだって、どうせそれだけですむとは思っていなかった。

雑誌か何かで見たのだけれど、統計によると女子大生の七十パーセント以上がすでにバージンを失っているのだそうだ。美雪はそのどちらに属すか誰にも話したことはないが、大杉はちゃんと見抜いていて、「いつまでもさらのまんまの美雪でいてくれや」と、ずいぶん露骨なことを言い、その舌の根も乾かないうちに、ドライブ旅行へ行こうと誘う。何を考えているのか、魂胆は分かったものではない。

京都を発《た》つ日、美雪はだから、ジーパンに長袖《ながそで》の白いブラウス、それにつばの広い紺色の帽子という、農作業のアルバイトみたいな恰好《かっこう》をしていた。これでガードは万全だ――と思ったら、案の定、大杉はひと目見て、眉《まゆ》をひそめた。

「どこぞへ、イモの買い出しにでも行くんかいな」

リュックスタイルのバッグを指さして、言った。そういえば、両手に衣類と資料でふくれあがったボストンバッグを下げている恰好は、下宿先である祖父の家にときどき来る、行商のおばさんと似ていないこともない。出掛けに伯母も、「ちょっと地味とちがうかしら」と言っていた。

伯母の真紀《まき》は、男子のいない牟田部《むたべ》家の三人姉妹の長女で、銀行員の婿を取り、牟田部家を継いでいる。どういうわけか伯母夫婦には子が出来ず、美雪が京都の大学に受かって、下宿すると決まったとき、伯母はずいぶん喜んでくれた。それはいいのだが、ときどき「このまま、うちの子になってしもうたらええのに」などと、半分以上、本気とも取れることを言う。厄介になって、二年以上も経つと、冗談でなく、牟田部家の一員になってしまったような、居心地のよさを感じたりもする。

伯母の連れ合いの牟田部克之《かつゆき》は、美雪の父親をもっと四角四面にしたような、ほんとうに典型的な銀行員タイプの男である。仕事の能力は優秀らしいのだが、家にいるときは無口で、いつも穏やかな笑顔しか見せない。伯母とは対照的に、美雪のプライベートなことにもいっさい干渉しないかわりに、自分のことも話したがらない。

何かの話のはずみのように、伯母の口から、克之が岐阜県恵那《えな》の生まれだというのを聞いたことがある。

「あら、だったら木曾からそう遠くないんですね。恵那のどこですか?」

美雪が親しみをこめて訊くと、困ったように首を振って、「いや、子供のころに一家で東京へ移転して以来、父親の郷里に戻ったことがない」と言って、余計なことを

――という目を伯母に向けていた。そういえば伯父がむかし話をするのを聞いたことがないと、そのとき美雪はあらためて気がついた。

梅雨明けはしていないのだが、朝から天気がよかった。雨上がりに太陽が出ると盆地の京都は蒸し暑い。まだ早朝といっていい時間だが、荷物を持って表通りまで出て、道路脇に佇《たたず》んでいるだけで、汗が滲《にじ》んできていた。ブラウスの袖が肩や腕にペタリと貼りついて、気持ちが悪い。冷房の効いた車の中に入って、美雪はほっとした。

「助かったなあ。スギさんが送ってくれるって言ったとき、ほんと、嬉《うれ》しかったのよ。信じられないくらい」

「ほんまかいな」

大杉は照れたように「へへへ」と笑って、ハンドルを叩《たた》いた。

「ほんとよ、車ならモロ中山道を通って帰れるじゃない。和宮の泊まった宿場宿場に寄り道もできるし、写真も撮れるし」

「なんや、そういうことか」

あほらしい――と、つまらなそうな顔をしてみせる。そのわりに機嫌は悪くないのが見え見えだ。そういう、柔軟でめげないところが、京都の男の特徴で、大杉もその典型だ。決して無理押しはしないが、胸の内では、そのうちなんとかなるやろ――と思っているにちがいない。

京都から木曾まで、高速道路を使えば、木曾路に入る中津川のインターまで、ほんの二時間ちょっともあれば行ってしまうのだが、旧中山道を——というのが美雪の注文だから、とりあえず国道一号で大津へ出た。

ウィークデーだが、たいていの大学はすでに夏休みに入っているのだろう、美雪たちのような若いカップルの乗った乗用車がふだんより多く、京都から琵琶湖周辺にかけての道路は渋滞していた。

「この調子やったら、夕方しか着かへんのとちがうかな」

「うちには、夜になるかもしれないって電話しておいたから、平気よ」

大杉は肩をすくめて、お手上げの恰好をしてみせる。

「ちゃんと前を見て運転してね」

美雪は真顔で注意した。大杉の運転がうまいのか下手なのか分からないが、父親の車だそうだから、慣れていないかもしれない。それに、大杉には少し軽薄なところがあって、走行中にハンドルを両手で叩いたり、美雪の顔を覗《のぞ》き込むようにして話す。

栗東《りっとう》のインターチェンジ近くで、直進する東海道（国道一号）と分かれ、左の中山道（国道八号）を進む。和宮の大行進は京都を出たあと、大津に二泊したのを皮切りに守山、愛知川、柏原、赤坂、加納、大久手、中津川に泊まり、十一日目に木曾に入っている。美雪は街道筋の要所要所で車を停めさせ、写真を撮りまくった。それぞれの宿場跡には本陣、脇本陣などが残っていたり再現されていたりして、けっこう被写体には事欠かない。

「それ全部、写真撮ったりするわけ？」

最初は面白そうに協力的だった大杉も、しだいに飽きてきたらしい。すっかりだれきって、生あくびをかみしめながら車を走らせている。途中、昼食休憩をしながら、それでも四時前には中津川に入った。ここでちょっとした事件が起きた。本陣跡を尋ねて馴《な》れない道を走っているとき、渋滞で停まった前の車に軽く追突したのである。原因は脇見運転。美雪の不安が的中したといってよかった。

3

姪《めい》の智美《さとみ》から「叔父さんに折入ってご相談したいことがあるんですけど」と、あらたまった口調で言われて、浅見は少しうろたえてしまった。いつまでも子供だと思っていた智美が、急におとなびて見えた。考えてみると智美も高校生。恋を知り始める歳をとっくにすぎていて、不思議はないはずだ。ただし、智美の相談はそういうロマンチックなものではなかった。

「同じクラスに川上君ていう子がいるんですけど、その子のお母さんが警察に呼ばれたんですって」

「ふーん、どうしたの?」

警察と聞くと、浅見は条件反射的に好奇心をくすぐられる。その叔父の悪癖を見抜いたような自信に満ちた態度で、智美は話の先をつづけた。

「殺人事件に関係してるんです。といっても、川上君のお母さんが殺人を犯したってことじゃなくて、死体を見つけた——つまり第一発見者になっちゃったんです」

死体だの第一発見者だのという言葉が、可憐《かれん》な少女の口からスムーズに出るのは、あながち、彼女が警察庁刑事局長の娘だからというわけではない。たぶん、「事件好き」の叔父の影響を受けている部分が多いのだろう。そう思うと、浅見としては忸怩《じくじ》たるものがある。

川上君の母親が死体を発見したのは、ほんの偶然の出来事だった。むろん事件には何の関わりもない。だが、警察は何度も川上家を訪れ事情聴取をするし、報道関係者も玄関前で待ち伏せしたりするので、近所の手前もあって、母親はいささかノイローゼぎみなのだそうだ。事件以来、犬の散歩にも出られないありさまで、そのとばっちりが川上君にも向かっているらしく、このところまったく元気がない。ついては、叔父さんの力でなんとかしてあげてください——というのが智美の頼みであった。

「なんとかしてくれって言っても……」

浅見は難しい顔で腕組みをした。

浅見光彦《みつひこ》、当年とって三十三歳。すでに一家をなしていていい歳だが、結婚どころか、生まれた家を出るに出られぬ高級居候暮らしがつづいている。原因は主として、フリーのルポライターなどという定収入のない仕事をしているせいだ。おまけに、安い原稿書きで得た僅《わず》かばかりの収入のほとんどを、ソアラのローンの支払いと、やむにやまれぬ「探偵ごっこ」に費やしてしまう。

浅見家の当主であり警察庁刑事局長である兄の陽一郎《よういちろう》も、兄弟の母親である雪江《ゆきえ》未亡人も、次男坊の厄介な「悪癖」には神経を尖《とが》らせている。探偵ごっこはもろに警察の業務に抵触する。明治以来三代つづいた高級官僚の家系が、この次男坊のお道楽によって、いつ危殆《きたい》に瀕《ひん》するかしれないのである。神経質になるなというほうが無理だ。

しばらく天井に目を向けて考えてから、おもむろに腕組みをほどいて、浅見は囁《ささや》くように言った。

「この話、お父さんは知ってるの?」

「ううん、内緒です」

「じゃあ、おばあちゃまは?」

「もちろん」

智美は片目をつぶり、大きなジェスチャーで頷《うなず》いて見せた。おばあちゃまが、光彦叔父さんの最大の天敵であることを、賢い姪はちゃんと弁《わきま》えている。浅見もウインクを返して「オーケー」と言った。

次の日の午後、浅見は芝白金の川上家を訪ねた。都ホテルと八芳園《はっぽうえん》のあいだの、瀟《しょう》洒《しゃ》なマンションの四階にある。マンションとはいえ、浅見には羨《うらや》ましいほど豪勢な住まいだ。玄関に臆病《おくびょう》そうな犬が出迎えて、しばらく様子を窺《うかが》ってから、浅見の差し出す手に鼻面をつけてきた。川上夫人は「あら珍しい、アルファが気を許すなんて。よほど犬がお好きなんですのね」と感心した。

川上夫人には、智美から川上君を通じて、素人探偵の叔父さんのことは、かなり大げさに伝えてあるらしい。

「ずいぶん優秀な探偵さんでいらっしゃるのだそうですわねえ」

川上夫人が目を輝かせ、いくぶん上擦ったような声で言うのには、浅見は照れた。

「いや、ほんとうはただのルポライターにすぎません」

「ええ、そのことも息子から聞きました。表向きはルポライターで通していらっしゃるから、そのつもりでお話しするようにって。でも、その実体は——なのでしょう?」

「とんでもない、その実体は、しがない居候です」

「まあ、ご冗談ばっかし……」

おかしそうに体を捩《よじ》って笑う。見た感じ、警察の執拗《しつよう》な事情聴取に滅入《めい》っているようには思えない。どうやら智美に一杯食わされたかな――と浅見は気がついた。

しかし、白金長者丸の閑静な街の、袋小路《こうじ》の先の草むらに、女性の死体が転がっていた――という事件それ自体はたしかにシリアスなものであった。川上夫人は、発生以来の事件の記事を、あちこちの新聞から切り抜いてスクラップブックに貼っていて、浅見探偵に得意そうに広げて見せた。もっとも、新聞記事はどれも似たりよったりで、それほど詳しいことは報じていない。近頃は、背後に宗教や暴力団でも絡んでいないかぎり、人一人殺された程度では、大したニュースにはならないもののようだ。

それによると、死体の主は東京都調布市に住む大学職員の大塚瑞枝《おおつかみずえ》（三十六歳）で死因は絞殺による窒息死。頸部《けい》にロープ様のもので絞められた痕《あと》がある以外には、これといった外傷はなく、衣服の乱れも、暴行を受けた形跡もない。背後からふいに襲われ、ほとんど何の抵抗をすることもできずに死亡したものと考えられる。

死亡推定日時は七月五日の午後九時から十一時ごろにかけて――ということだ。川上夫人が死体と遭遇したのが翌日の十時ごろだったから、死後およそ十二時間を経過していたものと推定される。警察の捜査は「強盗か変質者による犯行」という線で進められたらしい。ただし、大塚瑞枝がいつも持っているはずのバッグがなく、暴行もされていないことから、警察は強盗の可能性が強いと見ているのだろう。

「この女性はなぜこんなところを歩いていたのですかねえ?」

浅見は首を傾げた。大塚瑞枝の勤め先であるN大学は都心の水道橋にある。調布の自宅に帰るには中央線の新宿経由だから、品川区上大崎二丁目——通称「長者丸」付近にはまったく関係がないはずだ。

「大学の先生のお宅がこの近くにあって、そこからの帰り道だそうですよ。山手線の目黒駅まで歩いて十分ぐらいかしら。広い通りを行くよりはずっと近道なんです。でも、あの辺は昼間から人通りがないんですもの、夜は怖いくらいですわ、きっと。その方、ご存じなかったのねえ、お気の毒に」

川上夫人は同情つきで解説した。

それ以上のことは夫人には分からないらしい。ただ最後に「その方、信州の木曾のご出身みたい」と付け加えたのは、新聞発表にはない部分であった。

「パトカーを出るとき、お巡りさんのやりとりをチラッと耳にしましたの」

木曾は浅見の知らない土地であった。日本全国股《また》にかけているようだが、まだまだ歩き残している土地はあるものだ。絵や写真で見たことしかない、御嶽山《おんたけさん》や檜《ひのき》の美林、筏流《いかだなが》しの風景が脳裏に蘇《よみがえ》り、ふっと旅情をそそられた。

4

大崎警察署の刑事課の隣にある会議室の入口には、「長者丸殺人事件捜査本部」の貼り紙が出ていた。伊藤部長刑事は、歳は三十代なかばといったところだろうか。浅見とそれほど違わないが、慎重な物言いや、日焼けして傷んだ顔面を見ると、浅見よりはずいぶん〝おじさん〟の印象がある。

浅見が肩書のない名刺を出して、「フリーのルポライターをやってます」と言ったときは、さほどでもなかったのだが、川上啓子の名前を聞くと、とたんに警戒の色を見せた。何か川上夫人にたきつけられて、警察に難癖をつけにでも来たのではないかと思ったようだ。「ちょっと、あっちへ行きますか」と、取調室と大して変わらないような粗末な応接室に案内したのは、刑事課の部屋で妙なことを言い出されるのを恐れたのかもしれない。浅見の用件がそうでないと分かってからも、あまり愛想はよくなかった。

「ルポライターってことは、何か、雑誌にでも書こうというのですか？」

「はあ、それもありますが、それよりも、純粋に事件の解決にご協力したいのです」

「は？　捜査に協力？」

伊藤は呆《あき》れたように口を開けた。

「ええ、川上夫人がひどく気にしてまして、犯人が捕まらないと、気が休まらないのだそうです。遺体を見つけた人間に、被害者の祟《たた》りがあるのじゃないかなどと、怯《おび》えていました」

「ははは、ばかばかしい。いや、祟りっていうのもばかげてるが、おたくが捜査に協力するってのもね」

「そうでしょうか。警察に協力するのは、むしろ市民の義務だと思いますが」

「それはそうだけど……で、何をどうやって協力してくれるんです?」

「まず、事件の詳しい内容を、時系列を追って教えてくれませんか」

「なるほど、時系列っていうんですか。マスコミの人たちは難しい言葉を、うまいこと使うもんですな」

皮肉なのかもしれないが、妙なところで感心して、それでも差し障りのない程度に、捜査の経過を教えてくれた。

事件当夜、被害者の大塚瑞枝は、現場と同じ町内の、品川区上大崎二丁目にある八《や》木沢俊夫《ぎさわとしお》邸を午後九時ごろに出ている。

「八木沢さんというのは、どういう人なのですか?」

浅見は訊《き》いた。

「被害者の勤め先であるN大学の教授です。その家で、N大の元学部長で、現在は名誉教授である瀬戸原道造《せとばらみちぞう》という人の誕生会がありましてね、大塚さんはそれに出席した帰り道に襲われたってわけです。現場は八木沢家から目黒駅へ行く途中ですよ」

地図で見ると、八木沢家から山手線の目黒駅まではほぼ一キロ。そのちょうど中間辺りに殺害現場がある。

「あの辺りはけっこうでかい屋敷ばっかりだが、その教授の家もでかい。あんな家に住むなんてことは、われわれ風情には想像もできませんなあ」

部長刑事は面白くなさそうだ。

「被害者は、その八木沢さんのお宅から、一人で帰ったのですか？」

「もちろん」

「あの辺は夜は人通りがなくて、物騒なんじゃありませんか？」

「よく知ってますね。おたく、土地鑑があるんですか？」

言葉尻《じり》を捕らえたように、上目遣いに、試すような視線を送ってきた。まったく、刑事の疑り深いのは油断がならない。

「いや、川上夫人に聞いただけですが」

「あ、そう。たしかに物騒っていえば物騒ですよ。先月も、お使いに行ったお手伝いさんがひったくりに遭ったくらいです。しかし、歩いて通る人は滅多にいないってことは、待ち伏せするようなやつもいないってことに通じるわけでしてね。今回の事件も、被害者を襲ったやつは、どこかからつけてきたんじゃないですかね」

「それにしても、そんな危険性があるのに、夜道を女性一人で帰るなんて、不用心じゃないですか」

「その点についてはまったく同感ですな。警察の標語にも、気をつけよう甘いことばと暗い道っていうのがあるくらいですからね。しかし、一人で帰ったのは本人の意志だそうです。ほかの人たちの中には、もう少しいれば車で自宅まで送って行ってやるという人もいたのだが、本人がどうしても帰りたいときかなかったらしい」

「なぜですかねえ？」

「そりゃご本人に聞いてみないことには分かりませんがね。とにかく、雨が降りだす前に帰りたいと言っていたことはたしかです」

そういえば、あの晩は夜半になってから、かなりの雨が降ったのだった。

「それで、遺留品など、犯人の手掛かりはあるのですか？」

「それはマスコミに発表したとおりです。要するに、直接犯人と結びつくような手掛かりは、目下のところ発見されていないということですよ。ま、現在は前歴者や変質者でリストアップされている者の中から、事件当日の行動に不審な点のあるやつはいないかどうか、洗い出しにかかっているところです」

よほどの手掛かり難なのだろう。話しているうちに、伊藤部長刑事の口調が、だんだん憂鬱《ゆううつ》そうになってきた。

「怨恨《えんこん》のセンはないのでしょうか？」

「怨恨？　いや、それはないですな」

言下に否定したが、多少は気になるのか、「そんなことを言うところを見ると、何か、浅見さん、知っているんじゃないでしょうね？」と訊いた。


「そうじゃありませんが、警察が最初から、単純に物取り目的の犯行とだけ決めつけているはずはないと思ったものですから」

「ああ、それはもちろん、当初はあらゆる角度から捜査をしましたよ。しかし、状況から見て、物取り目的のセンがもっとも強いと判断したわけで、それ以外の、とくに怨恨なんかはもっとも考えにくいですな」

「なぜですか？」

「なぜって、誰に聞いてみても、あの被害者にかぎって、他人に恨みを抱かれるようなことは絶対にないと保証していますからね。第一、かりに怨恨関係だとしてもですよ、そんなふうにずっと付け狙っているほどの人間がいれば、周囲の人間が誰も知らないわけがないでしょう」

「たしか、被害者は独身でしたね」

「そう、調布のマンションで一人暮らしでした」

「信州の木曾の出身だと聞きましたが」

「ん？　さすがによく知ってますなあ。そうです、本籍地は長野県木曾郡南木曾町妻籠。ほら、観光地として有名な宿場町ですよ。妻籠で生まれて、大学に入ったときから東京に出てきたようです」

「結婚歴はないのですか?」

「ああ、ありませんよ」

「異性関係はどうだったのでしょう?」

「それがねえ、どうも真面目な人だったみたいですな。瀬戸原さんという先生が、まだ大学の学部長をやっていた頃から、引退して名誉教授になったいまに到るも、ずっと変わらず、よく仕えているそうです。瀬戸原なんて、セクハラみたいな名前だが、実際はこの老先生は仏様みたいな人でしてね。その先生が保証するのだから、間違いない」

伊藤部長刑事は、警察官にしてはあまり上品でないジョークを言った。

「真面目だとしても、三十六歳の独身女性が、まったくボーイフレンドもいないということはないと思いますが」

「まあ、それはボーイフレンドくらいはあったかもしれないが、しかし、だからって事件に関係があるってことにはならんでしょう。それとも何か、あるとでも?」

「べつにあるわけじゃないですが、ただ、なぜ一人だけ九時に帰ったのか、やはりそれがちょっと引っかかるのです」

「引っかかるって、何がどう引っかかるんですか？」

「お仕えしている名誉教授のせっかくの誕生会でしょう。たぶん九時ごろといえば、盛り上がっている最中ですよ。それなのになぜ一人だけ先に帰ったのか、不思議じゃありませんか。家に誰か待っている人でもいたとか、誰かと待ち合わせでもしていたのなら納得できますけどね」

「ふーん、あんたも妙なことにこだわりますなあ。いっそのこと、刑事になればよかったかもしれない。しかし、われわれがいろいろ調べた結果、そういう人間は一人もいなかったのだからしようがないでしょう。とにかくきょうの会議でも、警察としては、あれは強盗殺人事件として捜査を進めるという方向で意見が一致しました。その方針に変わりはないと思いますよ」

結論を言って、伊藤部長刑事は立ち上がった。この面倒な客に、さっさと帰ってもらいたい様子が露骨に出ている。

5

浅見は礼を言って部屋を出かかったが、ドアのところで立ち止まった。

「そうそう、一つお訊きしようと思って忘れていました。死亡推定時刻ですが、午後九時から十一時までと、かなり幅をもたせているのですが、何か理由でもあるのですか?」

「ああ、それは当初の段階での話で、その後調べた結果、九時少し過ぎごろから十時ごろまでのあいだの一時間に特定しました。まあ、常識的にいえば八木沢家を出た直後の、午後九時過ぎに襲われたと考えるのが妥当でしょう。少なくとも十時より遅いことはないです。というのは、現場付近は事件当夜、午後十時ごろから雨が降りだして、死体はびしょ濡《ぬ》れだったのだが、死体の下はほとんど乾いた状態だったのです」

「雨が降りだした時刻ははっきりしているのですか?」

気象庁をあまり信用していない浅見は、念のために訊いた。

「ああ、それは間違いないですよ。八木沢家に残った人たちが、雨音に気づいて、やっぱり早く帰って正解だったと言ったのが、午後十時少し前だったそうですから」

伊藤部長刑事はそう言うと、もうこれ以上は付き合いきれないというように、素っ気なく背中を向けた。

その足で浅見は事件現場を訪れた。しかし現場はただの草むらで、これといってめぼしい物は何もなかった。よく、交通事故現場などに飾ってある花束などもない。もっとも、近所の住人にとっては迷惑この上もない事件で、なるべく早く忘れてしまいたいのだから、そんなものがあったとしても、さっさと片付けたにちがいない。

草むらといっても都会の真ん中である。丈の高い雑草が生い茂っているというほどではなく、やや傾斜した小さな原っぱといったところだ。道路の端から二十センチほどの段差があるので、少し離れたところからだと、道路の縁石が邪魔になって見えないが、五メートル以内に近づけば、死体が転がっているのがもろに見えただろう。

犯人は比較的無造作に、死体をそこに置いて行ったにちがいない。真昼の日差しを受けて、夏草が勢いよく伸びてはいるけれど、気のせいか、草むらの一部が人間の形に沈み込んでいるようにも見えた。

浅見はその辺りに向けて合掌して、そそくさと現場を離れた。無宗教、不信心でありながら、怪談ばなしなどにある「魂魄《こんぱく》この世にとどまりて、恨み晴らさでおくべきか……」みたいな台詞《せりふ》が気になる、臆病《おくびょう》な性格なのである。

伊藤部長刑事がしきりに憤慨していたとおり、八木沢家は大きな邸《やしき》だった。角地にあって、コンクリート塀がL字型に連なっているのが、いっそう広壮な印象を与える。正面の門のほかに脇の勝手口があるのも、いまどきの東京では珍しい。

八木沢教授は自宅にいた。浅見の兄よりいくぶん年長の五十歳ぐらいだろうか。広い額や遠近両用の眼鏡が、いかにも学者らしい聡明《そうめい》さを感じさせる紳士であった。何度か警察の取り調べや、マスコミの取材を受けているらしく、浅見が来意を告げると、迷惑そうではあったが、拒否はしなかった。

「玄関先でいいですか。これから家族と軽井沢の別荘へ出掛けるところなもんで」

弁解がましく言ったが、嘘ではなく、たしかに背後の家の中では、旅行の準備をしているらしい人びとの気配があった。それを強調するかのように、話の途中、夫人らしい女性が顔を覗《のぞ》かせ、「あなた、そろそろ」と催促がましい声をかけた。

「いや、じつは家内と娘たちは、ひと足先に軽井沢に行っていたのですがね、私は瀬戸原先生の誕生会の主催者だけに、そうもいかなかったのです。あんなことがあったものだから、家族もいったん引き揚げてきて、きょうから再出発というわけですよ」

八木沢は笑顔とも泣き顔ともつかぬ、なんとも複雑な表情を浮かべた。学者としては立派なのかもしれないが、どうやら夫人の尻《しり》に敷かれているらしい。

浅見はとりあえず、事件当夜のお客の顔ぶれを聞いた。客は主賓の瀬戸原のほか、八木沢同様、瀬戸原の教え子ばかりが六人。それに大学職員で公私にわたり瀬戸原の世話をしている大塚瑞枝の、合わせて九人が参加したパーティであった。

「瀬戸原先生とおっしゃる方は、どういう学問の先生なのですか？」

浅見が訊《き》くと、八木沢は「えっ、あなた、ご存じないの？」と、出来の悪い学生を見るような目をした。

「瀬戸原先生といえば、わが国人類学の泰斗《たいと》として有名な方ですよ」

「申し訳ありません。なにしろ無知な人間なもので」

浅見は潔く頭を下げた。

「それで、人類学というと、どういった研究をなさっていらっしゃるのでしょう？」

「困りましたな、そこから説明させるのですか。まあ、かなり広範囲ではありますがね。人類の発生および発達に関わるすべてと言っていい。とりわけ瀬戸原先生は骨相学的な分野でのご研究に独自の理論を展開されていますね。そうそう、これなら新聞やテレビで大々的に報道されたから、素人のあなたでもご存じでしょう。皇女和宮の遺体発掘調査において、瀬戸原先生が大胆かつ鋭い推論を発表されたことは」

「あ、そういえばいつか聞いたような気がしますが、どうも、詳しいことは……」

八木沢教授は露骨にお手上げのポーズをした。浅見はこれ以上聞いても恥をかくばかりなので、話題を変えることにした。

6

「事件の夜、大塚さんはほかのお客さんたちよりもひと足先に、先生のお宅を出られたのだそうですね」

「そうです」

「夜道の一人歩きは物騒ですが、引き止めることはしなかったのですか？」

「おっしゃるとおり、まことに痛恨のきわみです。むろん、われわれも引き止めたのですが、彼女はどうしても帰らなければならない用事があると言いましてね」

八木沢教授は辛《つら》そうに顔をしかめた。

「それに、天気予報で、寒冷前線の通過にともなう雨が東京地方では夜半からかなり強く降るであろう――と予測していたので、その前には駅まで着きたいということもあったようですな。実際、雨は間もなく降りだしたので、その意味では正解だったことになるのですが……」

八木沢の話によると、そのとき、八木沢と客の三人が玄関まで出て大塚瑞枝を見送ったのだそうだ。

「大塚君は、三十メートルほど先の暗い街灯の下で振り返り、ペコリとお辞儀をしましてね。それに向かってわれわれが手を振り、彼女も手を振った。それが、私が生前の彼女を見た最後になったのです」

八木沢は目を閉じ、天を仰いだ。しばらくは軽井沢行きのことも忘れた様子だ。

その後、大塚瑞枝は犯人以外の人の目に触れることなく、次に発見されたのは草むらの中だったのだ。あれほど濡れるのを厭《いと》うていた彼女が、予報どおりに降った雨でびっしょりと濡れていたのは、皮肉というには、なんとも痛々しい。

もういちど催促にきた夫人に追い出されるように、浅見は八木沢家を出てソアラに戻った。

どうも、八木沢の話の印象では、伊藤部長刑事に聞いた警察のこれまでの調べを裏付ける要素しかないように思える。やはりこの事件は行きずりに近い強盗の犯行なのだろうか――。

だとすればもはや浅見の興味の対象外である。これも浅見の「悪癖」のひとつというべきだが、浅見は強盗だとか通り魔、暴力団の抗争、変質者、喧嘩《けんか》――といった、目的や動機の単純な殺人事件にはまったく興味を惹《ひ》かれない。むしろ吐き気がするような嫌悪感ばかりがつのって、目を背けたくなる。

しかし、一見単純そうに見えて、どこかちょっとしたところに、妙に気にかかったり引っかかったりする部分のある事件に出くわすと、今度は蟻地獄にとっつかまった蟻のように、そこから抜け出ることができなくなってしまう。

長者丸殺人事件が、まさにその典型的な例といってよかった。なんの変哲もない、ありふれた強盗殺人事件のようだが、たったひとつだけ、「なぜ大塚瑞枝は早く帰ったのか――」というところに引っかかるものを感じる。

雨が降りだす前に――という理由は、必ずしも説得力があるとは思えない。現に、もうちょっと待てば車で送って行ってもいいという客がいたのだ。パーティの盛り上がりを白けさせることを思えば、かりに二時間程度遅くなったとしても、そのほうがよかったのではないかと、常識的には考えそうなものだ。聞いたかぎりでは、大塚瑞枝という女性は、真面目で従順な性格だったようだ。先輩や先生が引き止めるのを押し切ってまで帰ることはなさそうなものである。

だが、それでも大塚瑞枝は帰った。帰らなければならない、強い理由なり目的なりがあったにちがいない――と浅見は思う。当然、考えられるのは、誰かに会うためだったということだ。それも、あまり人には言いたくない人物――恋人、男、不倫――と、つぎつぎに連想が走る。しかもその人物が事件後、いまに到るも名乗りを上げていない。そのことにいっそう、秘密めいたものを感じないわけにいかない。

もっとも、これはあくまでも浅見の勝手な想像――というより願望に近い。そうであって欲しいと、気持ちのどこかで願う不純なものがあるのを、浅見は否定しない。実際にはそんな愛人めいた人物は存在しないのであって、大塚瑞枝が帰宅を急いだ理由は、誰もが言うように、単純に、雨が降りだす前――ということだったのかもしれない。

しかし浅見はもう後戻りしない。誰も知らないのは、知らないのではなく、気づかなかったにちがいない。真面目で従順というイメージの裏側には、ほんとうの大塚瑞枝の姿が潜んでいたはずなのだ。第一、人間がそんな単純な生き物だとしたら、なんと味気ないことだろう――と、浅見の脳細胞は事件への強い好奇心を加速度的に増殖させていった。

誰も知らない大塚瑞枝の素顔とは、どのようなものだろう――。

会ったこともなければ、写真さえ見たことのない女性の、三十六年の人生に、浅見は猛烈な興味をそそられた。そのちょうど半分にあたる十八年を過ごした信州木曾での、彼女の生い立ちのことを思った。もしかすると、彼女に帰宅を急がせた「人物」は、その生い立ちの中にいたのかもしれない。

(木曾か——)

またしても、山深い木曾の風景が、どこかで見たことのある写真の断片を継ぎ合わせたような、あいまいな映像で浮かんだ。今度の映像には、妻籠宿のうら寂しい風景も混じっている。大塚瑞枝はその妻籠宿で生まれ、はるか東京の草むらで果てた。浅見はぼつぜんと怒りを覚えた。(神は何を見ていたのか——)と思った。

七月なかば、浅見は木曾路への長いドライブに出発した。

7

木曾の馬籠は、中央自動車道の中津川インターで下りておよそ三十分ほどのところにある。東京から中津川までは三百キロ弱、順調に行けば約四時間の距離だ。

あまたあるハイウェイの中で、中央自動車道は山岳路を行く変化に富んだドライブコースだが、走りにくいことでも知られている。「魔のカーブ」だとか「魔の坂道」とかいう異名のついた箇所がいくつもある。東名や名神に較べると通行量が少なく、走り易いはずなのだが、その割りに事故が多く、気疲れのするルートである。長野・岐阜県境の、長大で真っ暗な恵那山トンネルを抜けると、ほっとする。ここから長い坂道を下りきった辺りが、中津川のインターだ。

浅見は料金所を出ると、まっすぐ馬籠へ行くコースをはずれ、中津川市内に入った。どうせついでだから、中津川の本陣跡を取材しておこうと思った。

島崎藤村の『夜明け前』に「浅見景蔵」という人物が出てくるが、この人物は中津川本陣の市岡殷政《いんせい》がモデルになっている。もちろん浅見家とは何の関係もないのだが、同じ名前の人間が小説の中に出てくると、なんとなく他人のような気がしないものだ。

ガイドブックの地図には、ちゃんと「中津川本陣跡」という文字があり、イラストまで描いてあるのだが、いざ探してみると、どこにあるのかさっぱり分からない。だいたい中津川市の中心街は細い道がむやみに入り組んでいて、つっかえつっかえ走った。後で考えてみると、そこは宿場町特有の「枡形《ますがた》」の辺りらしい。枡形というのは、城の一の門と二の門とのあいだに設けた四角形の空間で、ここで敵の攻撃をくい止める効果があった。それと同じ目的をもって、宿場にも枡形が設けられたのだそうだ。

何度も同じ場所を行ったり来たりして、いいかげんイライラがつのったとき、後ろについていた車が軽く追突した。こっちも前の車が急に停まったので、ブレーキを踏んだ瞬間だった。

（おいおい、おれの愛《いと》しいソアラ嬢をどうしてくれるんだ——）

浅見は頭にきて振り返った。向こうはきざったらしいセフィーロである。しかも若い学生風のアベックだ。そもそも学生の分際でセフィーロなんかに乗るのが生意気なのだ。もっとも、こっちも居候の分際でソアラなんかに乗っているから、偉そうなことは言えないが。

枡形を過ぎて少し行った先に、いくぶん広くなった場所がある。そこまで行って、車を道路脇に寄せた。先方も浅見に倣《なら》って車を停め、運転席から男が降りてきた。柄は大きいが、痩《や》せ型の気のよさそうな青年だった。少し遅れて助手席の女性もついてきた。こっちのほうは中肉中背で、顔も体型も引き締まった、見るからに健康そうな娘である。

「すんません、ちょっとうっかりして」

青年は早速、頭を低くして謝った。

「そうなんです、この人、キョロキョロしてばかりいて、危ないなと思ってたんです。そしたらやっぱり……スギさん、ちゃんと弁償しなきゃだめよ」

娘は自分の連れに対して、言うことが手厳しい。

「分かってるがな。だいたい、ここの道は狭うて、あぶなっかしゅうてあかんわ。あの、車のキズ、どんなです？」

「いや、大したことはないですよ」

浅見は苦笑して、被害に遭った部分を指さした。ソアラのバンパーは一体成形だから、まともに追突されると、総取っ替えしなければならないのだが、幸い接触が軽かったのと、相手のセフィーロの車高が低かったので、見た目にはあまりひどい損傷を受けていない。むしろ、セフィーロのほうが被害甚大な感じがした。

「そっちのほうがひどいですね」と言うと、青年は「ほんまや、参ったなあ、親父に怒られる」と泣きそうな顔をした。これでは弁償しろとも言えない。

「京都から来たのですか？」

ナンバーを見て、浅見は言った。

「そうです、けさ早うに京都を出て、ずうっと一般道を走って来たもんやから、ええかげん注意力散漫になっとったんやと思います。みんなこいつのおかげです」

青年は娘に責任転嫁するようなぼやきを言った。

「わざわざ一般道を来たのですか」

「そうです。中山道の宿場を写真に撮りながら来たもんで、こんなに時間がかかってしもうて……あれ、なんや、ここやないか」

突然、青年は右側の建物を指さした。浅見もその指先を見て、「あっ」と言った。写真本陣跡を示す案内の看板が、古い酒蔵のような木造の建物の壁に貼ってあった。写真やイラストで見ると、独立して遺跡風に建っているような印象を受けるが、実物は街の風景の中に埋没した、ただの古い建物でしかない。二度も前を通りながら気がつかなかったのも無理はない。

「これやったら、分からんわけや。本陣いうから、どんなに立派なもんかと思うたら。あほくさ」

「ははは、あなたたちも本陣跡を探していたのですか。僕も同じですよ。たしかにこれじゃ分かりませんよねえ」

浅見は笑い、釣られて青年も笑いだした。娘だけが面白くもない――という顔で、カメラを構え、しきりにシャッターを切った。

車をそのままにしておいて、すぐ近くの喫茶店に入った。青年は「お金は必ず送ります」と言うのだが、なんだか可哀相になって、コーヒー代だけで、事故の弁償は許してあげることにした。打ち解けて話すと、二人とも悪い人間ではなさそうだ。

「フリーのルポライターをやっています」と浅見は名刺を渡した。青年は大杉幸仁、娘は池本美雪と名乗った。京都の大学で同級だというのだが、それにしては青年のほうがおじんくさい。

「ルポライターっていうと、浅見さんも取材ですか？　私も、卒論のために皇女和宮の降嫁の事蹟《じせき》を調べているんです」

池本美雪は勢い込んだ口調で言った。

「ほう、和宮の……」

浅見は、ついこのあいだ、八木沢教授との話に「和宮」の話題が出ていたので、ちょっと興味を惹《ひ》かれた。

「和宮の何を調べているんですか？　やはり遺体の発掘とか？」

「えっ、遺体の発掘？」

美雪は（どこからそんな発想が出るのかしら？――）という顔をした。

「まさか、そんなのは知りませんよ。私はただ、和宮が徳川家に降嫁したときのことを調べているだけです」

「あ、そうですか」

「そんなんじゃ、つまらないでしょうか」

「いや、そんなことはない。卒論のテーマとしてはいいんじゃないですか。面白いところに目をつけましたね」

「たまたま、うちが馬籠ですから、夏休みに帰るのに都合がよかったんです。だけど、子供の時から聞いて知っていたわりに、私って何も知らないんですよね。一から勉強しなきゃなんなくて、たいへん。それに、調べたって、ほんとにまとまるのかどうか、自信がないんです」

目をクリクリさせながら、ポキポキした喋《しゃべ》り方をするのが、じつに感じがいい。

「浅見さんは妻籠へ行くって、馬籠には行かないんですか？」

「いや、そういうわけじゃないですが、妻籠も馬籠も似たようなものでしょう」

「あら、違いますよ、ぜんぜん違う。妻籠へ行くのなら、馬籠へ来なくちゃだめです。妻籠のどこに泊まるんですか？」

「まだ宿は決めてません。いつも行き当たりばったりで泊まるんです」

「だったら馬籠に泊まってください。うちの親戚《しんせき》の旅館——といっても昔の旅籠《はたご》か民宿みたいなもんですけど、お蕎麦《そば》は手打ちの、本物です」

「あ、それはいいですね」

蕎麦に目のない浅見はすぐに話に乗った。大杉の仏頂面には、気づかなかった。

第二章　木曾街道馬籠宿

1

馬籠の「宿場町」は、浅見が想像していたより、はるかに整備され美化された観光地であった。もちろん、原型は昔の宿場の佇《たたず》まいに拠《よ》っているのだろうけれど、敷石道の美しさや、軒を連ねる宿や店の風趣ゆたかなことといったら、もはやテーマパークそのものといっていい。旧《ふる》いものを旧いままで残すのがいいのか、それとも現代社会にマッチした形に改造するのがいいのかは、いつも問題になるところだが、馬籠の場合にはこれでよかったのじゃないかなと浅見は思った。

たとえば小樽《おたる》の運河を改修する際も、強い反対運動があった。浅見は改修前と後、両方の小樽を訪れたが、改修以前の悪臭漂う運河より、新しい清潔な運河のほうがはるかにいいに決まっている。「兎追いしかの山」や「小鮒《こぶな》釣りしかの川」「松原遠く消ゆるところ」といった自然を破壊するのは慎重でなければならないが、人為的に造られたものは、古く使用に耐えなくなったら、改むるに憚《はばか》ることはないのだ。

というわけで、馬籠の宿場町風景はよかったのだが、旅館の中は、必ずしも満足できるものではなかった。外観まではなんとか整えたが、中身のほうにまでは手が回らないというのが実情らしい。「旅籠か民宿のようなもの——」と池本美雪は言っていたが、まったくその通りの宿であった。各室、廊下と障子一枚隔てただけの畳の部屋で、まさに昔ながらの旅籠風である。二階の窓から見下ろすと、石畳の街道が左上がりに登って行く。日が落ちて、目の前に立つ恵那山が暮れてくると、家々の軒先に行灯《あんどん》が灯《とも》り、旅路を急ぐ三度笠《さんどがさ》でも通り過ぎそうな気がしてくる。

風情があると思えば、何とか我慢もできるが、設備関係や居住性に関しては、現代生活の快適さとは相当に縁遠い。トイレももちろん共同だし、テレビはいまどき珍しい、百円玉一個で一時間観られる有料テレビだ。これでは、若い人に限らず、旅行慣れした最近の観光客には馴染《なじ》めないだろう。ひと昔前なら、学生の宿といえば、どこもこんなものだったのだが、いまはその学生のほうがむしろ高級志向なのだ。トイレが水洗でないとか、風呂《ふろ》に一緒に入るのがいやだとか、生意気なものである。

おまけに部屋の余裕がないという理由で、四畳半の部屋に大杉と一緒に押し込められる羽目になった。浅見はそれでも構わなかったが、大杉は大いに不満そうだ。「これやったら、ほんまのアッシーや」と、しきりに泣き言を呟《つぶや》いていた。

その大杉への罪滅ぼしのつもりか、池本美雪は夕食には付き合うと言っていたのだが、約束の六時半を過ぎても現れない。

宿の女性が「ご飯の準備ができてますよ」と催促しに来た。食事は、ほかのお客と一緒に、一階の広間ですることになっている。ともかく、三人分の用意の整ったテーブルの前に胡座《あぐら》をかいて、お預けをくらった恰好《かっこう》で二十分ほど待って、やっと美雪は現れた。

「ごめんなさい、遅くなって」

詫《わ》びを言い、料理が並んだテーブルの前にペタリと坐《すわ》ったものの、美雪の顔色が冴《さ》えない。大杉がビールを注いでやったのにも気がつかないほど、ぼんやりしている。

「どないしたん?」

大杉が心配そうに、美雪の顔を覗《のぞ》き込んで、ようやく我に返ったように顔を上げた。

「家で何かあったんか?」

「ううん、大したことじゃない」

美雪は空元気を出して、「さ、乾杯しましょう」とビールのグラスを掲げた。そのくせ、半分も飲まないでグラスを置いて、「刑事が来てたの」と、ほとんど聞き取れないほどの声で言った。

「刑事?……」

大杉は驚いて、浅見の顔にチラッと視線を走らせた。浅見はその前からずっと、美雪の表情を興味深く見つめている。

「私もはじめて聞いたんだけど、半月ばかり前、馬籠で殺人事件があったんですって」

美雪は少し前かがみになって、言葉の効果を確かめるように、二人の男の顔を等分に見ながら言った。

「すぐそこに、永昌寺っていうお寺があるんだけど、そこの島崎藤村のお墓の前で、女の人が死んでいたの。死体を最初に見つけたのが母だったんですって。つまり第一発見者っていうの？　あれなの。それで……」

「ちょっと」

浅見は右手を上げて、美雪を制した。

「その話、あとで聞きましょう。ここでは相応《ふさわ》しくない」

「あ……」

美雪も周囲を見回して、口を押さえた。美雪の背後の、それほど離れてないテーブルには、家族連れの五人と、その隣には女性ばかり四人の客が食事をしていた。いくら小声で喋っていても、殺人事件だとか死体だとかいう話題は、人の耳を驚かす。

それからしばらくは、黙々と食べることにのみ専念した。といっても、料理はとっくに冷めてしまって、天麩羅《てんぷら》の衣はベチャベチャだし、味噌汁《みそしる》の味噌は沈殿、自慢の蕎麦はのび放題、といった具合で、最悪のディナーになった。

食事を早々に切り上げ、飲み残しのビールとグラスを抱え、二階の部屋に上がった。食事をしているあいだに部屋に夜具が敷かれ、足の踏み場もない状態だ。べつに艶《いろ》っぽくもなんともない、ただのせんべい布団だが、美雪はさすがにギョッとして、廊下でたちすくんだ。男どもが急いで夜具を片隅に寄せ、部屋の真ん中にテーブルを据えると、遠慮がちに入ってきた。

部屋に戻ったとはいっても、障子一枚で廊下に話は筒抜けになる造りだ。やはり顔を寄せ合うようにして、声をひそめて話さなければならなかった。

事件は、七月のはじめ頃の雨の日に起こった。気象庁が「冷夏」の長期予報を出していた時期のことだ。その日も梅雨寒だったし、ときどき土砂降りのように降る雨のせいか、観光客もまばらだった。黒い雲が低く垂れ込めて、まだ午後三時過ぎだというのに、夕方のような天気だったそうだ。

「母が発見したとき、その女の人は死んでからすでに一時間ぐらい経っていたらしいんです。だから、見てすぐ、死んでいるなって思って、母は住職さんに知らせて、警察に連絡してもらったんです」

「その永昌寺というのは、どこですか？」

浅見は訊《き》いて、テーブルの上に馬籠周辺の地図を出した。美雪が「ここです」と指で示したところに、なるほど「永昌寺」の文字が印刷されていた。馬籠の宿場の坂を登ってきて、町の真ん中辺りで左に折れ、小さな谷に下り、向かい側の斜面を上がったところが永昌寺の森である。ガイドブックにも解説と見取り図が載っている。それによると、永昌寺は禅宗の古い寺で、藤村の島崎家の菩提寺《ぼだいじ》として知られているという。寺へ向かって坂道を登って行く途中、石段の手前に、森の中を左へ行く細い道がある。その辺りはすでに墓地の中で、道を五十メートルほど行ったところに島崎藤村の墓がある。

「そんなに大きなお墓じゃなくて、墓地もあまり整備されていないし、道は舗装されてないし、観光シーズンでも訪れる人は少ないんです。その日は強い雨が小やみなく降っていたそうだから、誰も行く人がなくて、死体の発見が遅れたのじゃないかしら」

美雪の母親が発見したとき、その女性は、藤村の墓にひざまずくようにして、雨に打たれ、死んでいた。後に警察が調べた結果、死因は刺し傷による失血死だったそうだ。

2

「刺殺?」

浅見は目を大きく見開いた。

「ええ、そう聞きました。ナイフか何かで刺されて亡くなったみたいです。それにしても、母が第一発見者になったのは、不運としか言いようがないと思うんですよね」

美雪は悔しそうに唇を歪《ゆが》めた。

「そのことですが」と浅見は首を傾げながら訊いた。

「その日は土砂降りのような雨が降っていたのでしょう？　なのにお母さんは、一人でお墓参りに行ったのですか？」

「いえ、そうじゃなくて、たまたま通りかかっただけなんです」

「通りかかったって、墓地の中をですか？　この地図で見ると、墓地を通り抜けてどこかへ行くようなところは見当たらないけど」

「母は、お寺の観音堂に行っていたんです」

「えっ、正面の石段ではなく、わざわざ墓地の中を遠回りしてですか？」

「ええ、そうですよ。いつも行き帰りには、そうしていたんだそうです。なぜかっていうと、あまり住職さんなんかに見られたくなかったからです」

「見られると具合が悪いのですか？」

「ええ、まあ……」

美雪は表情を曇らせ、なんだか煮え切らない返事をした。

「ふーん、なるほど、分かりましたよ」

浅見は美雪の様子を興味深く眺めながら、言った。

「分かったって、何がですか？」

「池本さんの憂鬱《ゆううつ》の原因がです。お母さんは警察に疑われていますね？」

「えっ、どうして……どうしてそんなことが言えるんですか？」

美雪は唇を尖《とが》らせて抗議した。

「それは、僕が抱いたのと同じような疑問を、警察も抱いたと考えられるからです。お母さんが死体と遭遇したのが、単なる偶然だとは、警察には信じられなかったのじゃないかな。いや、事実はそうであっても、ちょっとでも不自然な部分があると、警察は大喜びで容疑の対象にしちゃいますからね」

美雪は沈黙した。どうやら図星だったらしい。大杉が心配そうに、美雪と浅見の顔を交互に見て、言った。

「そやけど、お寺さんに行った帰りに、墓地を通ったいうのが不自然いうことはないと思うけどなあ」

「いや、たぶん不自然なのだと思いますよ。雨の中だというのに、わざわざ道の悪い墓地の中を通ったのはなぜなのか、とか、観音堂にいたのはなぜなのかとか――警察は僕と同じように疑問を感じて、いろいろ怪しんでいるのでしょう」

「観音堂におったらあかんのですか？」

「僕は実際に見ているわけじゃないから、どんなところか知らないが、観音堂というのはたぶん、お寺の境内にある小さなお堂だと思うんです。ふつうのお寺参りでは、そんなお堂に籠《こ》もったりしないはずでしょう」

「えっ、籠もったって、ただのお参りと違いますの？」

「少なくとも一時間以上はお堂の中にいたことは確かでしょう。行きに通ったときには、まだ死体がなかったのですから」

「あ、そうやねえ、ほんまや。浅見さんはよう気がつきまんなあ。刑事か探偵にでもなったらええんとちがいますか」

「ははは、そんなこと、誰だって気がつきますよ。だから刑事も、しつこく事情聴取をしに来るのでしょう。もっとも、何度も同じ質問をしてくるようだと、よほど捜査が難航しているのでしょうけどね。ただ……」

浅見は少し気掛かりそうに美雪を見て、言った。

「もしかすると、お母さんの答え方にも、何か問題があるのかもしれない。たとえば、刑事の質問にはっきり答えなかったり。その点はどうなんですか？」

美雪はしばらく沈黙してから、浅見と大杉の視線を払いのけるように首を振って、

「ええ」と頷《うなず》いた。

「警察にだけでなく、母は家の者にも言いたくないみたいなんです」

「言いたくないって、何をやね？」

「…………」

黙っている美雪に代わって、浅見が答えを言った。

「それはあれでしょう、観音堂に籠もる理由でしょう」

「ふーん、そうなんか」

無言で頷く美雪を見て、大杉はまた目を丸くした。

「こんなこと、他人に話すべきじゃないのかもしれませんけど」

美雪は躊躇《ためら》いながら言った。「他人」という言葉に傷ついたのか、大杉は大げさに顔をしかめている。

「母は精神的にちょっとおかしいみたいなんです。父の話によると、五月頃から様子がおかしくなって、ときどき永昌寺に行くようになったんだそうです。そういえば、電話で話すとき、なんとなく変だなって思うこともあったのですけど」

「おかしいって、それ、ノイローゼか何かいうことか？」

大杉が訊いた。

「たぶんそうじゃないかと思うけど、父がお医者へ行けって言っても、そんな心配することはないって言って、絶対、言うことをきかないんだって。実際、ふだんの生活には、それほど問題ないみたいだけど」

「原因は何やろ?」

「分からない。帰ってきてから、刑事がいたりして、まだ、ついさっき話を聞いただけだもの」

「ああ、そういえばそうやったな」

大杉は時計を見た。そろそろ九時になろうとしている。

「そしたら、早うに帰ってあげて、相談に乗ってやらなあかんな」

「うん、そうします」

美雪は腰を上げて、膝《ひざ》をついた恰好《かっこう》でテーブルに手をついて、浅見に言った。

「もしかして、浅見さんも相談に乗っていただけますか?」

それに浅見が答える前に、大杉が「そうやな、それがええわ。浅見さんなら頼りになるもんな」と言った。

3

翌朝、浅見は散歩がてら永昌寺まで行ってみた。昨日はどうにか晴れていたのに、梅雨はまだ明けないらしい。しとしと雨が未明から降りだしていた。

永昌寺は宿場の石畳から歩いて、ほんの十分ほどのところにある。細いがきちんと舗装した小道をいったん下り、小さな沢を渡って、反対側の斜面を登ると、こんもりした檜《ひのき》の森の中に入る。真っ直ぐ行くと石段を上がって山門をくぐるのだが、石段の手前に、左へ行く、杣道《そまみち》のようなか細い道があった。雨で緩んだ土の中に靴が少し沈むほどだ。こんな道をわざわざ遠回りするのは、やはりおかしい。美雪の母親が住職に見られたくなかったから——と言っているのは、相当シビアな理由があったにちがいない。

なるべく水たまりを避けて歩いたが、それでも靴は泥にまみれ、ズボンの裾《すそ》にははねが上がった。檜の枝から落ちる雫《しずく》が、時折、傘にパラパラと音を立てる。

島崎一族の墓は、固まって建っていた。どの墓石も意外なほど質素で、小さい。御《み》影石《かげいし》を磨き上げたようなのは一つもなく、素朴な水成岩を粗削りに彫ったようなヒョロッとした墓碑ばかりである。馬籠随一の家柄でこの程度なのだから、昔の人の質素を尊ぶ気風が、あらためて感じ取れる。藤村の墓も例外ではなかった。天下の大作家といえども、先祖代々の墓石を凌駕《りょうが》するような、破格の墓碑を建てることは許されなかったのだろう。ただ、墓碑とはべつに、通路に面して「島崎藤村の墓」と看板があるから、すぐに目につく。

浅見は墓の正面に立った。被害者はこの墓の前で殺されていたという。どういう状態で犯行が行われたのかを考えた。

その日は雨が強く降っていた。被害者の女性は傘をさして佇んでいたのだろう。反対の手にはバッグがあったにちがいない。ほとんど無防備の体勢といっていい。そこに何者かが近づいてきたら、彼女は当然、傘を傾け、身を脇によけて、その人物をやり過ごそうとするはずである。その時、相手は思いもよらぬ挙に出た。突き出されたナイフに、避ける間もなかったことだろう。

刺殺ということは、犯人には最初から犯行の意志があったことを意味する。つまり、行きずりや思いつきでない、計画的犯行と考えていい。あらかじめ凶器を用意し、ことによると、被害者をこの場所に呼び出しておいたのかもしれない。

事件に対する浅見の関心は、急速に膨らんできた。

被害者の素性は？ ここに来た目的は？ 犯人との関係は？ 殺害の動機は？ 方法は？……と、次から次へ、知りたいことが浮かんでくる。

浅見が木曾に来た本来の目的は、東京の長者丸殺人事件の被害者、大塚瑞枝が妻籠の出身だからということだったのだが、それはそれとして、また新しい興味の対象に出くわして、背筋がゾクゾクしてきた。もちろん、それは梅雨寒のせいなどではない。

本来の参道を真っ直ぐに石段を登ると、左右に塀を連ねた山門を潜って、本堂の正面に出るのだが、墓地の小道を行くと、森を迂回《うかい》して、左手から寺の境内に入って行くことになる。本堂に向かって右側に庫裏《くり》や寺務所などがあり、反対の本堂の左側に少し離れて観音堂がある、そのさらに裏側から来る道に合流して、観音堂の前に行くコースだ。これならば、庫裏から見られずに、観音堂に入ることができるかもしれない。

観音堂の中は三畳ほどの板敷きの空間があり、正面に阿弥陀如来《あみだにょらい》の木像が立つ。かなり古いもので、ひょっとすると県の重文指定ぐらいは受けているのかもしれない。阿弥陀如来像の脇につき従うように、粗削りの木像が立っているのは、まぎれもなく円空の手になる観音像である。それぞれ立派な仏像だが、観音堂の入口に鍵《かぎ》はかけてなかった。住職が人間を信じているのか、それとも、盗まれるほど価値のある仏像ではないのだろうか。

「どうぞ、中に入ってご覧なさい」

後ろから声をかけられて、振り向くと丸顔の若い坊さんが笑顔で佇んでいた。作務《さむ》衣《え》姿で、傘をさして、どこかへ用足しにでも出掛けるところのようだ。

「立派なお仏像ですねえ」

浅見はお辞儀をしながら言った。

「はい、私にはよく分かりませんが、専門家に聞くと、なかなかの仏様のようです」

「それなのに、自由にお堂の中に出入りしても構わないのですか？」

「いっこうに構いません。仏の慈悲は広大無辺です」

三十そこそこの納所坊主《なつしょぼうず》みたいだが、言うことは立派だ。

「宿で聞いたのですが、島崎藤村のお墓のところで、人が殺されたそうですね」

「そうです、まことに仏を恐れぬ非道であります」

坊さんは合掌して、「南無阿弥陀仏」と頭を下げた。

「発見者は、えびす屋の池本さんの奥さんだったそうですね。なんでも、このお堂にお参りした帰り道だったとか。警察にいろいろ調べられて、ずいぶん迷惑していると言ってましたが」

「ああ、えびす屋さんから聞きましたか。そうですね、被害に遭われた方にはお気の毒だが、おたがい迷惑なことでした」

「池本さんの奥さんは、こちらのご住職に知らせて、一一〇番をしたとか。できれば、その時の状況をおききしたいのですが、ご住職はおいででしょうか」

「住職は私です」

「えっ、あ、そうだったのですか。これはどうも、お見逸《みそ》れしました」

浅見は慌てた。

「いやいや、まだ隠居した親父の跡を継いだばかりの新米ですから、そうは見えないと思いますよ。せいぜい納所坊主みたいなものでしょう」

まるでこっちの心を読み取ったようなことを言う。浅見は冷や汗が出た。人間、外見だけで判断してはいけないものだ。

浅見はあらためて名刺を出して、事件発生時のことを訊《き》いた。しかし住職は事件については、美雪の母親の知らせを受けるまで、それらしい女性がここに来たことさえ、まったく気づかなかったそうだ。

「確か、池本さんのご主人が、その女性が店の前を通るのを目撃していたそうですよ」

「あ、そうだったのですか」

浅見の気持ちは、いっぺんに、美雪の両親の方向へ向かった。雲が切れて、雨は上がりそうな気配であった。

4

馬籠宿の坂道は、雨上がりを待っていたように観光客で賑《にぎ》わっていた。切れ切れの雲間から射し込む陽光は、完全に夏の到来を思わせるが、標高が高いせいか、気温はあまり上がらず、初夏の爽《さわ》やかさがあった。

馬籠の宿場町は麓《ふもと》から頂上まで、およそ一キロほどだろうか、散策には手頃な距離だし、街道沿いの店や宿の間隔もほどほどにゆとりがあって、うるさくもなく、飽きることもない。

坂の中腹の辺りで、老人が店の人間に何か文句を言っていた。どうやら、老人はこの宿場の肝煎《きもい》りといったところで、商品を道路に突き出して並べるのは困ると、小言を言っているらしい。大抵の店は控えめに、屋内に商品を並べているのだが、中に二、三、道路に陳列台をはみ出させている店がある。せっかく、建物の外観を揃え、宿場町のイメージを醸《かも》し出そうとするのを、売らんかなの精神がぶち壊しにして、見苦しい。

おそらく、商店会の申合せで規制しているのに、それらの店だけが申合せに背いているのだろう。平和でのどかに見えても、その風景の裏側には、存外、厄介な人間関係や軋轢《あつれき》が潜んでいるものだし、それはそれで面白いものである。

浅見は馬籠の石畳の坂を往復してから、えびす屋に入った。

えびす屋の店先は十人ばかりの客が土産物の品定めをしていた。池本美雪は若い女性店員と二人、慣れない様子で客の応対をしている。ちょっと声をかけられるような雰囲気ではなかった。

浅見は売り場の隣にある、居酒屋のような造りの喫茶室に入って、空いたテーブルに坐《すわ》った。ほかに三人連れのおばさんふうの客がコーヒーを飲んでいた。店員の姿を探していると、調理場へ通じる口から思いがけず大杉が現れた。

「手伝い、やらされてますねん」

ひしゃげた顔をして、言った。アッシー君の後はウエイターのアルバイトでは、踏んだり蹴《け》ったりというところだろう。

浅見はコーヒーを注文した。

「まさか、大杉さんがいれるわけじゃないでしょうね」

一応、たしかめた。

「違いますよ。ここのご主人――つまり、彼女の親父さんです」

いったん引っ込んで、コーヒーを捧《ささ》げ持って出てきた。ほかに新しい客がいないのをいいことに、浅見の前に坐り込んだ。

「バイトの学生があと二、三日せんと来んのやそうです。それと、おふくろさんが休んでいるさかい、人手が足りんいうて、手伝わされてます」

コーヒーはなかなか美味《うま》かった。同じ宿場町でも、隣の妻籠では、長いあいだ飲食店でコーヒーを出すことを禁じていたそうだ。昔の宿場にはコーヒーなんてものはなかった――というのがその理由だ。それはそれなりに説得力があるが、〝文明開化〟の世の中、そう言ってもいられなくなったらしく、最近は注文すればコーヒーも出る。

「お母さんはだいぶ具合が悪いのかな？」

浅見は声をひそめて訊いた。

「いや、病気いうわけやないいうてますけどね。やっぱし、ショックがきつかったんとちがいますか」

土産物売り場の客が、波が引くように、ザワザワと引き上げて行った。手空《てす》きになった美雪が顔を見せて、「父を紹介します」と調理場に入って父親を呼んできた。

池本広一は紺色のストライプの入ったワイシャツに黒いチョッキという、小粋《こいき》な恰好《かっこう》をしていた。大柄で、細縁の眼鏡がよく似合う。土産物屋の亭主というより、雑誌社の編集長にいそうなタイプだ。

「何かとお世話になります」

浅見に向かって、丁寧に挨拶《あいさつ》した。美雪から「頼りになる相談相手」ぐらいなことを吹き込まれているにちがいない。

「いいえ、お役に立ててますかどうですか」

浅見もそれに合わせて、しかつめらしく対応した。

「ちょっと中にお上がりください」

池本は大杉に「あと、よろしく頼みます」と言い、浅見と美雪を連れて奥へ向かった。

「お客さん見えたら、どないしたらよろしいですか?」

大杉は慌てて訊いた。

「朝のうちはどうせ飲み物だけですから、適当にお願いします」

この後コーヒーを注文するお客は災難だろうな——と、浅見はおかしかった。

店先は新しく改造したが、住居部分は以前のままだそうだ。黒光りした柱や、重そうな板戸、白い壁などが、旧家の風格を感じさせる。池本が書斎に使っている北向きの部屋には、ひんやりとした空気が閉じ込められていた。

池本と浅見は部屋の真ん中にある文机《ふづくえ》のようなテーブルに向かいあいに坐り、美雪がお茶を運んできた。馬籠名物の栗を練った菓子も添えてある。

しばらくはとりとめのない話をした。馬籠宿を観光地にふさわしく整備したころの苦労話も聞かされた。馬籠には藤村記念館という目玉があるとはいえ、妻籠に追いつけ追い越せの努力も工夫も、並大抵のものではなかった——といったことを、池本はあまり熱意なく語った。

「刑事がよく来るそうですね」

浅見は話題を急転回させることにした。それはむしろ、池本にとってもいいきっかけだったらしい。「そうなんですよ」と、ほっとしたように頷《うなず》いた。

「家内がたまたま第一発見者になったもんで、何度も何度もやって来ましてね。おかげで家内はノイローゼ気味です。まったくしつこいのだが、あれはなんとかならないもんですかなあ」

「刑事がしつこいのには、二つ理由がありそうですね」

「はあ、二つというと？」

「一つは、ほかに手掛かりがなくて、捜査が難航しているのですね。それから、もう一つはたぶん、いくら訊いても、奥さんが観音堂に行かれた理由をお話しにならないからではないでしょうか」

「ほう……」

池本は意表を突かれたように、感嘆の声を発した。美雪が（ほらね――）という、得意そうな目を父親に向けた。

「よくお分かりですなあ。じつはそのとおりでして、家内は永昌寺さんに行く理由――というか、観音堂にお籠《こ》もりしている理由を、いっさい話したがらないのです。亭主にも話さないのだから、刑事さんに話さないのは当然とも言えるのですがね」

「じゃあ、ご主人も理由をご存じないのですか？」

「ええ、知りません。一応、訊いてはいるのですが答えないのです。まあ、夫婦とはいえプライバシーは尊重する主義でして」

「それにしても、奥さんが何か悩みをお持ちであることは事実でしょうから、ご主人としては相談に乗って上げるべきなのではありませんか？」

「しかし、いやがるものを、強引に聞き出すわけにもいかないでしょう」

池本は眉《まゆ》をひそめた。妻に夫にも言えないような悩みがあるということだけでも、愉快ではないのだろう。それを第三者の浅見にとやかく言われるのは、さらに不愉快かもしれない。

「浅見さんから訊いてもらったらどうかしら？」

美雪が提案したが、それは浅見が断った。

「お母さんがお話しする気になるまで、そっとしておいたほうがいいでしょう」

少し素っ気なく言って、腰を上げた。美雪はもちろん、池本も心残りな顔をしていたが、あえて無視した。

5

馬籠の駐在所は宿場町から少しはずれたところにある。事件後、真先に現場にかけつけたのはここの巡査だが、被害者の死亡を確認した以外、現場にはほとんど手をつけず、野次馬の近づくのを阻止するのに手一杯で、ひたすら応援を待ったそうだ。

「詳しいことは、南木曾の派出所か、捜査本部のある本署のほうへ行ってもらわないと、ここでは分かりません」

巡査は浅見の名刺を眺めながら、迷惑げに言った。本署というのは木曾福島町にある福島警察署のことである。馬籠からだと五十キロ近い。「うわー、遠いんですねえ」と浅見が悲鳴を上げると、「もう少しすると、捜査員が来ると思いますが」と言う。

毎日一度、捜査員が来て、波状的に聞き込み捜査をつづけているのだそうだ。

「被害者の身元などは分かっているのでしょうか？」

「そら分かってますけど、自分からは何も教えられません」

「しかし、マスコミには発表しているのじゃありませんか」

「それでも、やっぱしだめです」

巡査はまだ二十代と思える若さだ。規律を守る朴訥《ぼくとつ》な好青年といった感じで、無理強いするのは気の毒な気がした。

刑事はたった二人が午《ひる》近くなってやって来た。四十歳前後の痩《や》せたのと、二十七、八歳ぐらいの健康そうなのとである。年配のほうは、印象からいって、たぶん部長刑事ぐらいだろう。横柄な口調で、駐在巡査に何か変わったことはないかと訊《き》き、折り畳み椅子を引っ張り出して坐《すわ》り、煙草に火をつけた。

駐在巡査が浅見を紹介すると、「ああ、ブンヤさんですか」と、ものなれた様子だ。

「東京から来たのですなあ」

名刺の住所に気がついて、少し驚いたらしい。

「事件から半月経って、地元の新聞社もさっぱり現れなくなったが、いま頃になって、それも、わざわざ東京から来るとは……どういうことです？」

刑事は急に探るような目つきになった。

「じつは、こっちの事件のことは、昨日、ここに来てはじめて知ったのです。本来は、東京の品川区で起きた殺人事件のことを取材するのが目的でした」

「ああ、それはあれじゃないかな、妻籠出身の女性が殺されたっていう」

「そうです、その事件です」

「それだったら、一週間ばかり前に、警視庁の捜査員が来て、うちの署でも協力して、いろいろ調べてましたよ。たしか、夜道で襲われて絞殺されたとか言ってたが、ひどい野郎がいるもんだなあ」

「こっちの事件も、ずいぶん乱暴な犯行だそうですね」

「そう、いきなり刃物でズブッとやったらしい。それも、雨が降っていて、暗いことは暗かったが、まだ日のあるうちだからねえ」

「被害者はどこの人なのですか？」

「ん？　おたく、知らないの？」

「ええ、知りません」

浅見は当然、首を横に振ったが、刑事はしばらく疑わしそうな顔をしてから、ようやく信じてくれたらしい。

「東京ですよ、東京。だから、おたくが来たのは、何か向こうで聞き込んで、それで来たのかと思ったのだけどね」

「ほう、東京ですか。なんだか不思議な話ですねえ。妻籠の女性が東京で殺され、東京の女性が馬籠で殺された……しかもほんの三日違いの出来事です」

「そうだねえ、偶然とはいえ、たしかに符合するものはありますね」

「まさか、偶然ではないなどということはないのでしょうね」

「ははは、そんな推理小説みたいなことはないだろうけど……しかし、そういえば、歳恰好《かっこう》も似たようなもんじゃなかったかな」

「東京の被害者は三十六歳だそうです」

「こっちのは三十七歳。これも偶然といえば偶然だが……念のためということもある。あんた、そっちの事件はどういうものか聞かせてくれませんか」

ふつうはそれほど興味を惹《ひ》きそうにない話だが、よほど手掛かり難なのだろう。刑事は駐在巡査に「奥、ちょっと使うよ」と断って、浅見の背中を押すようにして、ドアの向こうの休憩室のような部屋に入った。

刑事はあらためて「福島署の大石《おおいし》です」と自己紹介をした。〝大石和男《かずお》〟の名刺に印刷されている階級は巡査部長——つまり部長刑事である。部下の若い刑事は「山田《やまだ》です」と名乗った。

浅見は長者丸の殺人事件について、概略を話した。大石はふんふんと頷きながら聞き、山田が手帳にメモを取った。

「これだけだと、べつに関係があるようには思えないな」

聞き終わった感想がそれだった。それから大石は、お返しのように、永昌寺の事件のことを話してくれた。

永昌寺で殺された女性は「弘田裕子《ひろたゆうこ》」、住所は東京都稲城《いなぎ》市東長沼——同じ東京でも、浅見が住む北区西ケ原とは正反対の、多摩川を西へ渡った地域だ。浅見にもあまり馴染《なじ》みはない。昔は梨畑が広がっていたところで、子供のころ、観光梨園に梨もぎに行った記憶がわずかにある程度だ。

弘田裕子は独身で、職業は会社員——そういう点も長者丸の被害者・大塚瑞枝と似た境遇といえる。

大石は聞き込み用に持って歩く被害者の写真を見せてくれた。スナップ写真か何かの、彼女の部分だけを拡大したものと思われる、やや不鮮明な写真だ。それほどの美人ではないが、微笑を浮かべ、いくぶん憂《うれ》いを含んだような表情には、人の気持ちをひきつける優しい雰囲気があった。三十七年の人生がどのようなものだったかは推し量るすべもないが、彼女にとつぜん与えられた理不尽な死に、浅見は強い憤《いきどお》りを感じた。

「刺殺されたと聞きましたが、犯行の目的は何だったのですか？」

「被害者の物と見られるバッグが少し離れた畑の中で見つかっているので、物取り目的の犯行と考えられますな」

「バッグの中身はどうだったのですか？」

「中に何が入っていたかは、はっきりしないが、財布が見当たらなかったから、たぶん抜き取って行ったのでしょう」

「そういう状況も東京の事件とよく似ていますねえ」

「なるほどなあ、聞いているうちに、だんだん妙な気分になってきました」

大石は深刻そうな顔をしたが、それは浅見も同感だった。

「警視庁の捜査員は、そのことは気づいていないのでしょうか？」

「そりゃ、気づいておらんでしょう。こっちの事件が起きたばっかしで、捜査本部がゴタゴタしていたが、何も訊きもしなかったですよ。自分もいままで、考えてもいなかった。もっとも、じつはぜんぜん関係のない話かもしれませんがね」

そう言いつつも、大石部長刑事は鋭い目つきを窓の外に向けている。

6

「ところで、被害者の女性——弘田裕子さんでしたか、彼女には同行者はいなかったのでしょうか？」

浅見は訊いた。

「いまのところ、いなかったと考えてよさそうですな。中津川からバスで来たことは分かっているのだが、バスの運転手が、被害者が馬籠で降りて、一人でどんどん坂道を登って行ったことを憶《おぼ》えていました」

警察はやるべきことはやっているといってよさそうだ。

「それから、馬籠の中を彼女が通って行くのを、住人が二人、目撃していましてね、雨の中を傘をさして一人で歩いて行ったそうです。目撃者の一人であるえびす屋の主人は、軒下に出ていて、女性が永昌寺のほうへ曲がって行くところまで確認しています」

「そしてその後、女性が殺されているのを、えびす屋の奥さんが発見したというわけですか。これも妙なめぐり合わせですね」

「そう、それですよ、それ」

大石はがぜん力を得たように、浅見に向き直った。

「そこがどうも、出来すぎた感じがするもんで、自分は気になっているのだが、おたくもやっぱしそう思いますか」

「えっ、いや、僕はべつに……」

浅見は慌てて手を振りながら、そうか、刑事が池本夫人をしつこく調べるのは、そのこともあるのだな——と思い当たった。

「それより、弘田さんが島崎藤村の墓に行った目的は何だったのですかねえ？」

「は？　そりゃあんた、見学でしょう。観光客の中には、熱心な文学愛好者がいて、藤村記念館に行ったついでに、お墓を拝みに行く者もたまにあるみたいですよ」

「しかし、その日はかなり強い雨が降っていたそうではありませんか。さっき見て来ましたが、あの墓地は舗装もされていないし、長靴でも履いていないと、ちょっと行く気にはなれそうにないところです」

「まあ、それはたしかにそのとおりだが、しかし、それでも行きたい者は行くんじゃないですかね。それに、舗装されてないことを知らなかっただろうし」

「えっ、知らなかったのですか？　どうしてそれが分かるのでしょう？」

「いや、分かるわけじゃないが、観光客はたいがい、そんなことは知らないんじゃないかと思うのですよ」

「しかし、弘田さんが藤村の墓に行ったのははじめてではないでしょう」

「その点については、まだ分からないが、たとえばその舗装してないことを知らなかったのだとすると、はじめてだと考えていいんじゃないですかね」

「そうでしょうか？」

浅見は首をひねった。

「さっき、僕は永昌寺へ行ってきましたが、永昌寺もそうですが、藤村の墓にいたっては、まったく分かりにくい場所でした。ところが、いまお聞きした大石さんの話だと、弘田さんは坂道を歩いてきて、躊躇《ちゅうちょ》なく永昌寺のほうへ曲がって行ったのでしょう。途中で、店や宿の人に道を訊《き》いた気配はなかったのではありませんか？　だとすると、地理に詳しく、藤村の墓のことも知っていたと考えたほうがよさそうに思えますが」

「なるほどねえ。たしかにそうかもしれないが、しかし、どっちにしても大したちがいはないんじゃないかな」

「いや、それはちがいますよ、大ちがいです」

浅見は思わず声を張った。

「もし土地鑑があって――つまり、ぬかるんだ道を承知で、あの雨の中、藤村の墓に行ったとすると、何か特定の目的があったと考えるべきです」

「特定の目的というと？」

「少なくとも、単に藤村の墓参りが目的だったわけではないでしょうね」

「それで？」

「たとえば、誰かに会う約束があったとか、です」

「そんなこと……」

否定しかけて、大石は絶句した。もしかすると、その可能性もありかな――と思ったにちがいない。しかし、しばらく間を置いてから、「それはないな」と言った。

「待ち合わせするなら、もっとましなところがいくらでもありますよ。たとえば、早い話、バス停のすぐそばにはレストランも喫茶店もあるしね」

「しかし、そういう場所は人目につくじゃありませんか」

「なるほど、つまり不倫ですか」

「かどうかはともかく、あまり人に見られたくない相手同士だったかもしれません」

「それにしたって、東京からはるばるここまで来て、そんな変な場所で待ち合わせることはないんじゃないですかねえ」

「勤め先ではなんて言っているんですか？　当日はウィークデーだったわけだし、どういう事由で休んだのですかねえ？」

「ただ旅行に行くとだけ言っていたそうですよ。行く先は言わなかったらしい」

「家族か友人か恋人か、誰かに話していたということはないのですか？」

「家族は千葉県のほうに住んでいて、被害者は独り住まいだったし、親しいともだちっていうのも、勤め先以外にはいないみたいだし、恋人もいないんじゃないかというのが、会社の人間の話ですけどね」

「それが事実なら、弘田裕子という女性は、写真のイメージどおり、ずいぶん寂しい生活をしていたことになりますね」

「そうだねえ……ただし、東京のほうの調べは始まったばかりだから、これから何か出てくるのかもしれませんがね」

大石部長刑事は、多少、言い訳がましく言った。

「それはそうと、警察はえびす屋の奥さんにかなり関心を抱いているようですね」

「ん？　それ、誰に聞きました？」

「えびす屋——池本さんの娘さんです」

「ふーん、おたく、えびす屋の知り合いだったのですか」

大石は警戒する目つきになった。

「知り合いというほどのことはありません。彼女のボーイフレンドに車を追突された関係です。さっきえびす屋に寄ったら、ご主人がそう言ってこぼしてました。しかし、あそこの奥さんは事件とは関係ないのでしょう？」

「それはどうか分かりませんよ」

「観音堂にお籠《こ》もりする理由を言わないからって、べつに問題にするほどのことはないと思いますが」

「問題ないかどうか、これから調べを進めるところです。それより浅見さん、おたく、その理由を知っているんじゃないの？」

「いや、誰にも言わないのだそうですよ。ご主人が訊いても言わないとか、憂鬱《ゆううつ》そうな顔をしていました」

「そうなんだよねえ。だけど、身内にも言えないような理由っていうのは、いったい何なんだろう」

大石は腕組みをして天井を見上げた。

ちょうど正午に浅見は駐在所を出た。「これから妻籠へ行きます」と言うと、大石は嫉妬《しっと》深い亭主のような目をして、「私も行きたいのだが、よそのヤマに首を突っ込むわけにもいかんし……何か収穫があったら教えてくださいよ」と言った。東京の事件との関係が気になっているらしい。それは浅見も同じ気持ちだ。べつに確たる理由があるわけではないのだが、なぜか気にかかる。これをインスピレーションと呼ぶなら、大石のは刑事特有の第六感というやつかもしれない。

第三章　和宮の祟《たた》り

1

妻籠は馬籠から峠を越えてきた中山道が、木曾谷に下りきったところにある山峡《さんきょう》の宿場である。現在は木曾川に沿って国道一九号が通っているので、妻籠を通る中山道は枝道になってしまったが、街道の往還が華やかなりし時代は、木曾谷へ下りきった最初の宿場町として栄えた。

すぐ脇を蘭《あららぎ》川の急流が流れている。わずか十数キロばかりの木曾川の支流だが、この川は洪水被害を引き起こす川として有名だ。いまも梅雨の長雨のせいか、激流が岩を押し流す勢いを見せていた。

蘭は「あららぎ」と読む。蘭は植物の名称だが二種の意味がある。一つは「野蒜（ノビル――ユリ科ネギ属）」の古名。もう一つは「イチイ」の別名だ。短歌の「アララギ」はたぶん「イチイ」のほうの意味だと思うのだが、この川には「ノビル」のほうが、名称の由来としては相応《ふさわ》しいかもしれない。野蒜は天然の葱《ねぎ》のようなもので、細い茎のわりに球根が大きく、おひたしや酢味噌《すみそ》あえなどにすると、すこぶる美味である。春先、この谷のそこかしこに、ノビルの強い芳香が溢《あふ》れるに違いない。

馬籠もそうだが、宿場町の中は車の通行は禁止されている。川べりの大きな駐車場に車を置いて、宿場の中に入って行く。観光バスも何台か停まっていた。

馬籠が胸突き八丁の坂道であるのに対して、妻籠はゆるやかな登り下りがダラダラと続く。馬籠が観光に供することを意識して、各家の造りや道路を整備したのに較べると、妻籠では、建物の改造はともかく、道路の簡易舗装など、素朴な部分が目立つ。なんとなく埃《ほこり》っぽく、馬小屋の臭いが漂ってきそうな佇《たたず》まいだが、それだけに宿場町のイメージはかなり忠実に残されているといっていい。

ところで、大崎署の伊藤部長刑事に大塚瑞枝の本籍地が「長野県木曾郡南木曾町妻籠――」であると聞いてきたのだが、じつは住所表示に「南木曾町妻籠」というのはなく、妻籠の宿場町は「南木曾町吾妻《あづま》」の「妻籠地区」というのが正確な表示なのであった。そのことは妻籠にある派出所に行ってはじめて分かった。ここの派出所も「吾妻警察官派出所」であった。

東京人である伊藤部長刑事にしてみれば、吾妻より妻籠のほうが通りがいいから、どっちでも同じような、軽い気持ちで言ったのだろう。まさか浅見がはるばる木曾まで、被害者の本籍地を訪ねて行くとは思っていなかったにちがいない。

ちなみにこの地方の歴史に触れておくと、明治の初めごろ、現在の松本市を中心とする長野県の西部と飛驒《ひだ》地方にかけては「筑摩県《ちくま》」と呼ばれていた。後に筑摩県は長野県と岐阜県に分割され、長野県に属していた木曾地方のほとんどが「西筑摩郡」となる。そこには「妻籠」「蘭」の二つの村があった。蘭川の上流地域が蘭村、下流が妻籠である。明治七年に両村が合併して吾妻村になり、さらに昭和三十六年に「読書《よみかき》」「田立《ただち》」両村と合併して「南木曾町」になったのである。

派出所は二人勤務で、「小林」と名乗った巡査長は五十歳前後の、痩《や》せ型で、見るからに苦労人然とした男だった。最初は胡散臭《うさんくさ》そうな目をして、闖入者《ちんにゅうしゃ》を眺めていたが、浅見が大石の名刺を示すと、とたんに好意的になった。

「このあいだ、警視庁の捜査員が来て、やっぱしあなたと同じように、妻籠と吾妻をごっちゃにしてましたよ」

小林巡査長は苦笑してそう言った。

「東京の事件の被害者である大塚という女性の実家は、元は妻籠にあったが、現在は蘭地区のほうに住んでいます。ここから国道二五六を飯田方面へ向かって、少し行ったところです。木地師《きじし》の里の近くで聞いてもらったほうがいいですな」

親切に教えて、木地師の里の地図まで書いてくれた。

国道二五六は別名を「清内路道《せいないじ》」という。名称の由来は「背伊那路（伊那地方の背後という意味か）」のほか、「清内」という人物が造った道だという説などがある。峠越えの名うての難路で、車の転落事故も多い。

「木地師の里」は、正しくは漆畑《うるしばた》という地名で、清内路峠のトンネルにかかる手前にあった。道路の両側に木工の工場と直売の店が並んでいる。これほど多くの木地師が集落を作っているところは、宮城県鳴子《なるこ》のコケシの里など、ごく珍しいのだそうだ。

さすがに「木の国」木曾だけのことはある。

店に寄って「大塚瑞枝さんの……」と言うと、すぐに分かった。地元署の刑事に案内された警視庁の刑事が、聞き込み捜査でこの辺一帯を歩き回ったらしい。

大塚家は国道に面した大型の木工場の裏手にあった。大塚瑞枝の兄が、その木工場の職人として働いているという。工場からはロクロを回す音が甲高く聞こえていた。

浅見は仕事の邪魔になるのを避けて、自宅のほうを訪ねた。こぢんまりした平屋で、玄関にはチャイムも呼び鈴もない。仕方がないのでドアを開けて、隙間から「ごめんください」と声をかけた。ドアに鍵《かぎ》もかかっていないのだから、よほど治安のいいところなのだろう。

玄関ドアの内側は土間になっていて、その奥にもう一つドアがある。どうやらここは寒冷地によくある風除室《かぜよけ》のようなものらしい。思いきって、土間に入って、大声で「大塚さん」と呼んでみた。たぶん台所と思われる辺りで「はーい」と女性の声がして、間もなく奥のドアが開いた。線香の匂いと一緒に、女性が現れた。

2

女性は浅見を見て「あら」と意外そうな顔をした。手にシャチハタの印鑑を摘《つま》んでいるところを見ると、どうやら宅配便か何かと、早合点したらしい。

大塚瑞枝と同じ三十代なかばぐらいの印象だが、瑞枝の兄嫁だとすると、もう四十歳は越えているのかもしれない。少し太りぎみで、頰のあたりがポッテリとしている。目がむやみに大きく、丸い鼻や受け口の唇とともに、愛らしい表情を作って、年齢よりも若く見えそうな感じだ。

「奥さんですか？」

浅見は訊《き》いた。

「はい、そうですけど」

大塚夫人は、今度は相手を刑事と見たらしく、警戒した姿勢になった。そういう感情の動きが手に取るように分かるから、たぶん正直な性格にちがいない。

浅見は肩書のないほうの名刺を出した。

「東京で、大塚瑞枝さんにお世話になった者です。このたびは、大塚さんがとんだ災難に遭われて、なんと申し上げていいか……残念でなりません」

沈痛な面持ちを作って頭を下げた。夫人は相手の素性が分からないから、応対のしように窮して、「はあ」とだけ言って、お辞儀を返した。

「先日、東京の大塚さんのお住まいのほうへ行ったところ、すでに引き払われたあとでした。お葬式もこちらでなさったと伺いましたが、せめてお線香でも上げさせていただきたいのですが」

「まあ、それでわざわざ……」

夫人は大いに恐縮して、「どうぞお上がりください」と言ってくれた。

「いま主人を呼んできます」

「いや、お仕事中でしょうから、ご主人とは後ほどご挨拶《あいさつ》させていただきます」

風除室の奥に、小さいが本来の玄関というべき部分があった。建ってから五、六年といったところか。そう上等ではないが、いかにも木曾らしく、檜材《ひのき》をたっぷり使った造りである。居間の隣の部屋に案内された。小さな部屋に似つかわしくない大きな仏壇が設《しつら》えられてある。正面の新しい位牌《いはい》のほかに、両親や先祖のものらしい位牌がいくつか見える。線香を絶やさないようにする風習なのか、短くなった線香の隣についさっき立てたばかりの新しい線香が、さかんに煙を上げている。

浅見は殊勝げに手を合わせ、かなり長く時間をかけて亡き大塚瑞枝の霊に祈り、それからおもむろに向きを変え、彼女の兄嫁に丁寧にお辞儀した。こういう作法をきっちり落ち着いて行うのが、相手の信用をかちとる秘訣《ひけつ》である。

「大塚さんはよく、妻籠の話をしていましたが、十八年前に妻籠を出られてからは、あまり帰っておられなかったようですね」

むろん、そんな事実を聞いたわけでなく、まったくの当てずっぽうだが、的はずれではなかった。

「ええ、学生時代は休みごとに帰ってましたけど、お勤めするようになってからは、忙しいとかで、ごくたまにしか帰って来ませんでした」

「しかし、大学にお勤めでしたら、夏休みなど、かなり長いはずですが」

「それはそうですけど……」

「何か、帰りたくない特別な理由でもあったのでしょうか？」

「さあ、どうですか、よく分かりません」

分からないと言いながら、彼女の表情には屈託した気配が浮かんだ。兄嫁である自分の存在が、義妹の帰省の障害になっていたのではないか——と、気に病んでいるのかもしれない。

「失礼ですが、ご結婚されてから何年でしょうか？」

「え？　うちですか？　はあ、うちは十七年になりますけど」

「と言いますと、瑞枝さんが東京へ出た翌年ですね」

「その頃はまだ、ご両親もご健在だったのですね？」

「ええ、義父《ちち》が亡くなったのは八年前です。義母《はは》のほうは一昨年で、この秋に三回忌を迎えます。瑞枝さんも、そのときには帰って来るって言っていたのですけど」

「瑞枝さんには、ご縁談はなかったのでしょうか？」

「いえ、それはいくつもありました。両親も瑞枝さんの結婚のことを心配していて、帰ってくるたびにお見合いを勧めたりしていました」

「瑞枝さんはなんておっしゃっていましたか？　つまり、結婚する気はないとか、そういうことは……」

「いいえ、そんなことは言ってませんでした。最近はともかく、若い頃はそれなりに結婚の意志はあったと思います。でも大学のお仕事が忙しくて、なかなかそういうチャンスに恵まれなかったんじゃないでしょうか」

「東京に恋人がいたとか、そんな感じはありませんでしたか」

「さあ、この春、主人が東京で会ったときには、そういう話は聞いてなかったみたいですけど……それより、東京のことでしたら、浅見さんのほうがご存じなんじゃありませんか？」

「ええ、そうです」

不思議そうな顔をされた。

「いや、僕はそういうプライベートなことはぜんぜん知らないのです。ただ、大塚さんは仕事一途《いちず》の真面目な人だという印象しかありません」

「ええ、私もそう思います。どういうお仕事なのか知りませんけど、瑞枝さんは大学のお勤めに身も心も捧《ささ》げ尽くしたっていう感じなのじゃないでしょうか」

「なるほど……」

身も心も捧げ尽くした——という、当たり前のような常套句《じょうとうく》だが、当の大塚瑞枝が死んでしまっているだけに、妙に実感がある。いろいろな職種に就いてみたものの、結局、どれも長続きせず、フリーのルポライターという根なし草のような生活をしている浅見にしてみれば、「身も心も捧げ尽くす」という状況は、新鮮で神聖なものに思えた。

大学に勤めていると言っても、職員は一般の企業の勤め人とそう大して変わらないだろう。むしろ、給与などの待遇面だけを比較すれば、あまり恵まれているとは言えないかもしれない。大塚瑞枝がどういう条件で、どういう仕事内容だったのかは知らないが、大学を卒業して十数年間、身も心も捧げ尽くしてきたことは奇跡に近い偉業だ。

浅見はこのときはじめて、大塚瑞枝という女性を生身の人間として意識した。それまでは単に殺人事件の被害者——という認識を、ばくぜんと抱いていたにすぎないと言ってもいい。

「大塚さんは、小さい頃から勉強の出来る子だったそうですね」

「ええ、そうでした。私より四級下でしたから、小学校しか一緒じゃなかったですけど、中学でもクラスでトップだったみたいです。高校は越境して、岐阜県の中津川の高校へ行って、進学コースに入ってました。うちの主人は工業高校に入って、早くから木地職人になるつもりだったそうですから、両親も瑞枝さんだけは大学に行かせたかったのじゃないでしょうか」

「つまり、大塚家の期待の星だったというわけですね」

「そう、かもしれません」

夫人はかすかに笑った。

3

南木曾の「ロクロ細工」は国の伝統工芸品に指定されているそうだ。とくに漆畑地区には、明治期の中頃から多くの木地師が住みつき、たがいに切磋《せっさ》琢磨《たくま》、技術の向上と継承に努めてきた。その結果、日本最大規模といわれる「木地師の里」が生まれたのである。

大塚瑞枝の兄は一心不乱にロクロに向かっていた。手にしたノミの先で、白い生地の材木が、魔法にかかったように形を変えて椀《わん》になる。頭に手拭《てぬぐ》いを姉さんかぶりのように載せて、まさにわき目もふらない。夫人が浅見を連れて、作業場の隅に佇《たたず》んでも、まったく気づかない様子だった。夫人が呼びに行こうとするのを浅見は制した。

「もうしばらくお待ちしましょう」

あそこまで仕事に没頭できることが、浅見には羨《うらや》ましくもあり、神聖にして冒すべからざるもののように思えた。大塚瑞枝が「身も心も捧げた」ことといい、そういうのが大塚家の体質なのかもしれない。

ようやくひと区切りついたのか、ふと目を上げた夫に、夫人が手を振って合図した。木地師は面倒くさそうに立ち上がって、手拭いのかぶりものを取りながらやって来た。夫人が浅見の名刺を渡して、東京からわざわざお悔やみに来たことを説明すると、「それはどうも、兄の大塚一男《かずお》です」とお辞儀をしたが、笑顔は見せなかった。

「じつは、折入ってお話ししたいことがあるのです」

浅見は夫人には見せなかった硬い表情で言った。

作業場には大塚のほかにもう一人、まだ見習いのような若い職人がいて、おぼつかない手つきでロクロを回している。その音がときどき会話を聞き取りにくくした。大塚はガラス戸で仕切られた事務室を指さして、黙って歩きだした。大
塚は粗末な応接セットに坐《すわ》ると、大塚は煙草を取り出して、浅見にも勧めた。相変わら

ず無表情だが、客を嫌っているわけではないらしい。浅見が煙草を一本貰《もら》うと、ライターを差し出して火をつけてくれた。

「話っていうのは、何です？」

「妹さんの事件のことですが、警察の説明は聞きましたか？」

「ああ、聞きました。通り魔みたいな強盗にやられたとか言ってました。まったく、ひどいことをしやがる」

眉間《みけん》に皺《しわ》を寄せて、陰惨な目つきで煙草の火を見つめた。

「そのことですが、強盗かどうか、じつは疑問に思っているのです」

「ん？　というと、違うんですか？」

「か、どうかは分かりませんが、もしかすると、そういう単純な事件ではないのかもしれません」

「ふーん……」

大塚はあらためて浅見の名刺を眺め、裏返したりしている。裏返しても肩書はない。

「えーと、おたく、何屋さんですか？」

「フリーのルポライターをやっています。旅行の記事を雑誌に書いたりするのが、主な仕事ですが、たまには事件記者みたいな真似もすることがあります」

「そしたら、瑞枝の事件で、何かそういう、強盗に襲われたのではないとか、そういう話があるのですか？」

「いや、いまのところ、警察は強盗の線で捜査を進めているようです。しかし、僕はもしかするとそうではないのではないかと思っているのです」

「どうしてそう思うんです？」

「どうしてというほどの根拠があるわけではありませんが……強いて言うならば勘でしょうか」

「勘？……」

大塚は疑わしい目になった。

「単に勘というだけでなく、一つ気になるのは、事件の夜、瑞枝さんがなぜか、一人だけ早く帰ったという点です」

浅見は八木沢宅で行われた瀬戸原の誕生会の話をした。

「瀬戸原先生というと、瑞枝がお世話になっていた偉い教授先生ですね」

「あ、ご存じでしたか」

「そりゃ、名前ぐらいは瑞枝から聞いて知ってます。このあいだ東京で瑞枝に会ったときも、あいつは瀬戸原先生の話をしていましたしね」

「瑞枝さんは、瀬戸原さんについてどんな話をされたのでしょうか？」

「ですから、お世話になっている先生だっていうことです。なんでも、人類学とかいう分野で、世界的に有名な先生で、尊敬しているとか言ってましたよ」

「それ以外に、何か事件に関係するようなお話は出ませんでしたか？」

「事件にですか？……いや、べつにそんな話は出ませんでした。ただ大学のこととか、アパート代や食料品なんか、物価が上がって困るとか、そんな話をしていました」

「結婚に関する話題は出なかったのでしょうか？」

「ああ、それはもちろん私のほうから言いました。結婚はどうするんだってね。だけど、あいつはその気はないみたいでした。一生、いまの仕事をつづけるつもりだとか言ってましたよ。尊敬する教授先生のために尽くすのが、自分の生き方としていちばん似合っているってね。本人がそういう気持ちなら、仕方がないかなと思ったのだが……」

大塚一男は沈痛な面持ちで言葉をとぎらせたが、ふと思い出したように言った。

「さっき、あんたが言ったこと——瑞枝が教授先生の誕生会から、一人だけ早く帰ったことが気になるとかいう、あれはどういう意味です？」

「その言葉どおりの意味です。会が盛り上がっている最中に、なぜ瑞枝さんは帰らなければならなかったのか、不思議ではないでしょうか。いまのお話にあったように、瀬戸原名誉教授のために尽くしたいと言っていた言葉を考えると、なおのこと不自然です」

「けど、何か用事があったのなら、仕方ないんじゃないですかね」

「尊敬する先生の誕生会を蹴飛《けと》ばしてまで、ぜひとも行かなければならない重要な用事とは、いったい何だったのでしょうか？　しかも、夜も更《ふ》けたあの時刻にです」

「デートとか、そういうことじゃないんですかね。瑞枝だってそう若いわけじゃない、一人前の女なんだから」

「ところがですよ、警察の話によると、誰に訊《き》いても、瑞枝さんにボーイフレンドや恋人のたぐいはいないというのです」

「だったら、そういうことでなくて誰かに会う、本当の用事があったのでしょう」

「そういう人がいるならいるで、会う予定だったその人から警察に、何か言ってきそうなものです」

「関わり合いになるのがいやなんじゃないですかね」

「なぜでしょう？　べつに疚《やま》しいことがなければ、尻込みする理由は何もないと思いますが」

「そんなことは、当人でなければ分からないんじゃないですかねえ」

大塚は、客のあまりの執拗《しつよう》さに、呆《あき》れたように眉《まゆ》をひそめた。

「あんたの言うとおり、誰かと会う約束になっていたかもしれないけど、どっちにしたって、瑞枝は強盗に殺されたのだから、その人には関係のないことでしょう」

「そうですね、犯人が強盗だとするならば、ですね」

しかし、もし強盗でないとすれば——と、浅見は堂々巡りのように思ったが、それ以上は言えなかった。

4

昼下がりのいっとき、えびす屋の店先から客の姿が途絶えた。

昼食をとる大杉と交替に、美雪が喫茶室へ行くと、広一が調理場から怖い顔を覗《のぞ》かせておいでおいでをした。客はいなかったが、売り場にいる店員に聞かれては具合の悪い話のようだ。

「母さん、何か言ってなかったか」

美雪が調理場に入るとすぐ、広一は押し殺したような声で訊いた。

「何かって？」

「いつだったか、志保が京都のおまえのところに電話してただろう。何か言ってたんじゃないのか」

「ああ、ことしの夏は帰って来なくてもいいって」

「ふーん、どうしてだ？」

「理由は聞かなかったわ。先に私のほうが、北海道かどこか、旅行に行くかもしれないって言ったから、お店のこと、心配ないって言いたかったんじゃないのかな」

無意識に母親を庇《かば》うような言い方をしていることに、美雪は気がついた。

「それより父さん、電話で相談があるって言ってたの、あれは何だったの？　母さんに内緒だとか」

「ああ」

広一はしばらく黙ってから、言った。

「だから、例の永昌寺の観音堂に行く、そのことだ」

「それって、何なの？　母さん、何か願掛けでもしてるの？」

「それが分からないから心配なのだ。もしかして、美雪には何か言っているんじゃないかと思ったが……何も聞いてないのか？」

「聞いてないって。でも、母さんが帰ってこなくていいって電話で言ってきたのは、たしか六月なかば頃じゃなかったかしら」

「その六月なかば頃からなんだよ、観音堂参りを始めたのは。しばらく経って気がついて、何をしているのか訊いたのだが、教えないって笑うばかりなんだ。まあ、何かの願掛けだとすると、ひとに話しちゃいけないことになっているらしいのだが……しかし、亭主に内緒で願掛けしているっていうのは、それだけでも穏やかじゃないだろう。なあ、そう思わないか」

ダンディな父親が、これまで見たこともないような情けない表情で娘に訴えるのには、美雪は驚いてしまった。

「そうかしら、いいじゃないの、不倫してるわけじゃないんだし」

「ばか、なんてことを言うんだ。こっちが真剣になって話しているのに」

美雪が思わず「ごめんなさい」と肩をすくめるほど、険しい声で叱った。

「でも、私は父さんが電話で相談があるって言ったとき、もしかすると、母さんはガンじゃないのかって思ったわ」

「ガン？」

「ほら、叔母さんがガンで亡くなったし、もしかするとそういう家系かもしれないじゃない。それで、母さんもガンに罹《かか》っていることが分かって、父さんはてっきりそのことを知らせてきたのかと思ったのよ」

「縁起でもないことを……」

「それはそうだけど、でも本当のガンに較べれば、ガンはガンでも願掛けで観音堂に日参するくらい、べつにどうってことないんじゃないかしら」

「ああ、それはまあ、そうだが……いや、しかし、それとこれとは話がべつだ。第一、おまえはこのこと、ぜんぜん気にならないのかね。かりにも自分の母親がだ、何だかわけの分からないことで願掛けに行っているのに、よく平気でいられるな」

「平気じゃないわよ。だけど、そんなことより、いまは殺人事件のことのほうが重大なんじゃない？　母さんだって、もう観音堂へ行く気にはなれないと思うわ」

事実、いつもはそろそろ出掛ける時間だというのに、志保は刑事が引き上げてからずっと、部屋に引きこもったきりだ。

「美雪、おまえ、悪いけど、母さんのところへ行って、それとなく話を聞いてみてくれないかな。ただし私に言われたことは黙っていてくれ」

広一は言いにくそうに頼んだ。

「いいわよ」

軽い口調で引き受けたが、美雪の気持ちは重かった。「願掛け」の理由を訊いたところで、志保がおいそれと話してくれるとは思えない。ただ、殺人事件に遭遇したというショックをやわらげることは、娘の義務だという気持ちはしていた。

寝室で臥《ふ》せっているかと思った志保は、隣の小部屋で文机《ふづくえ》に向かって、何か書き物をしていた。美雪が入って行くと、慌てたように机の上のものを片付けて、振り返った。朝のうちよりは血色もいいが、化粧っけのないせいか、精彩のない顔である。

「母さん、寝てなくてもいいの？」

美雪はわざと陽気を装って、母親の前に横座りに坐《すわ》った。

「大丈夫よ、病気じゃないんだから」

「そんなこと言ったって、ずいぶん青い顔をしてたわよ。いまにも死にそうなくらい。心配しちゃった。心の病気だって病気のうちなんだから、大事にしなくちゃ」

「大げさねえ。でも心配かけてごめん。せっかく帰って来たっていうのにね。それに、ボーイフレンドまで連れて来たのに、悪いことしちゃったわねえ」

「ああ、スギさんならいいのよ。あの人はただのアッシー君」

「どうしてそういう言い方をするの。よさそうな人じゃないの。それに、美雪のこと、好きなんだろ？」

「やめてよ、そういうんじゃないんだって。それより、母さんのほうこそ、何か心配ごとがあるんじゃないの？　毎日永昌寺さんへ行ってたんでしょう？　仏さんもいいけどさ、私にできることだったら何なりと相談してみて。これでも、けっこう、やる時はやるんだから」

志保は「ほほほ」と笑って、視線を巡らせて、机のほうに少し体の向きを変えた。思索する目の動きが、長い睫毛《まつげ》をしばたたかせている。美雪の申し出を頭から拒否するのではなく、成長したわが子を認めて、気持ちが揺れているように見えた。

「私ね、ほんとのこと言うと、夏休みの北海道行きをやめて、家に帰ることにしたのは、母さんのことがちょっと気になったからなのよ」

美雪は正直な気持ちを言うことにした。

「気になったって、何が？」

　志保は探るような目を美雪に向けた。

「べつに何っていう理由はないんだけど、なんだか気になって仕方がなかったの。でも当たったわけでしょう。母さんは永昌寺さん通いをしていたんだし、それに殺人事件まで起きたんだもの」

「あれはただの偶然の出来事じゃないの」

「偶然でもなんでも、当たったことは当たったわ。やっぱりそういうのってあるのよ。虫の知らせっていうのか、それとも、そうだ、一心同体っていうじゃない。遠く離れていても通じあう、親子のあいだのテレパシーだわね、きっと」

「テレパシーなんて、そんなもの、あるはずがないわ、ばかねえ……」

　志保は苦笑したが、心を動かされるものがあったことは確かのようだ。しばらく考えてから、「美雪には話しておくわ」と言った。

5

　美雪は緊張した。父親の広一に言われるまでもなく、母親の相談に乗って上げるつもりではいたが、そんな経験はこれが初めてのことである。京都で大学生活を始めて二年半近く。いっぱしのおとなになったつもりではいても、こうして帰省してみると、親は親、子の自分はまだ親の庇護《ひご》のもとにあることを思わないわけにいかない。

志保が何を言いだすのか、美雪は期待よりもはるかに大きな不安を抱きながら、じっと母親の口許《くちもと》を見つめた。

「こんな話、とてもばかげていると思うかもしれないけど、私にとっては深刻なことなんだから、笑わないで聞いてちょうだいね」

志保は自信のなさそうな口ぶりで、前置きをしてから、言った。

「ずいぶん古い話だけど、じつはね、私がこの家にお嫁に来るとき、ちょっといやがらせみたいなことがあったの」

「いやがらせ……っていうと、妨害みたいなこと？」

「そうね、要するに、嫁に来るなっていうことだったんでしょうね」

「誰なの、そんなことをしたのは？」

「分からない。この家の関係者かもしれないし、よその人かもしれない」

「どんないやがらせ？」

「手紙が来たのよ、何通も。もちろん差出人不明の手紙だけど。その手紙にはこんなようなことが書いてあったの。池本家には不吉な過去があるから、嫁には行かないほうがいいって。文面からすると、この家のことに詳しい人が書いたものだと思う」

「不吉なことって、何なの？」

「それがね、私はずっと長いあいだ、それを知らなかったのよ。どうしてかって言うと、来た手紙のほとんどを、私は読んでいなかったの。最初の手紙と、あと一通かそのくらいしか読まなかったと思う。ほかのは、みんな真帆《まほ》ちゃんが仕舞って、私の目に触れないようにしてくれたわけ」

　真帆とは志保の妹、去年の秋に亡くなった美雪の叔母のことである。美しい女性だが、不運な人生を送った。名古屋の生方《うぶかた》という家に嫁いで間もなく、夫に死に別れ、それからずっと未亡人をつづけたあげく、ガンであっけなく、四十三年の生涯を閉じた。

「真帆ちゃんが亡くなって、遺品の整理をしていたら、私に宛てた梱包《こんぽう》が出てきたの」

　美雪は背筋がゾクッときた。叔母の葬儀には、もちろん美雪も参列したが、しかし、志保がそういう「作業」をしていたことも、そういう遺品が出てきたことも知らなかった。その梱包の中身に、何か理由もなく不吉な予感を抱いた。

「その梱包は解かないまま家に送って、お葬式から帰ってからちょっと見たんだけど、若い頃、私が真帆ちゃんに貸した本だとか、古い書類なんかが入っているだけかと思って、あまり詳しく調べないで押入れの奥に仕舞いっぱなしにしておいたの。それを、ことしの梅雨の前に、ほかの物を虫干しするついでに、あらためて調べ直してみたら、思いがけない物が出てきたのよ」

「いやがらせの手紙？」

美雪は先手を打って、訊いた。

「そう、いやがらせの手紙」

志保がおうむ返しに言って、母と子は怯《おび》えた顔を見合わせた。

「その手紙の中にね、とても気になるっていうか、不吉な予言めいたことが書いてあったのよ」

「お嫁に行くと不幸になるっていうこと？」

「うん、それもそうだけど、もっと具体的なことね。人が死ぬこととか」

「いやだ、気色悪い……だけど、そんなの、ただの悪質ないやがらせじゃない。気にすることはないわ。第一、池本家の過去にどんな不吉な出来事があったっていうのかしら。そっちのほうが知りたいな」

「手紙の一つには、明治二十八年の馬籠宿の大火のことが書いてあったの」

「馬籠宿の大火？……」

まさに思いがけない話が出てきたものであった。馬籠に大火があったことは美雪もいつか聞いた記憶がある。馬籠宿のほとんどが焼失したというものだが、明治時代のいつ頃というのも知らないくらい、おぼろげな記憶でしかない。

「その大火がどうかしたの？」

「その火事で、池本家ももちろん焼けたのだけど、そのとき一緒に、和宮の柩《ひつぎ》も焼けてしまったって、そう書いてあったのよ」

「えーっ、和宮の柩？　なんなのそれ？」

「その手紙によれば、この池本家に和宮の柩があったんだそうよ」

「ばっかみたい、和宮のお墓は東京にあるじゃないの。たしか徳川家の菩提所《ぼだいしょ》の増上寺だったと思うけど」

「お墓はそうだけど、柩はここにもあったっていうことよ。もちろん中は空っぽだけど、和宮のために作られた柩だったんだって。つまり、皇女和宮は馬籠で亡くなる可能性があったということなのね」

「まさか、そんなこと、信じられない」

「私だって信じられないわよ。だけど、どこでご病気になって亡くなるかしれないから、脇本陣の池本家に、お棺ぐらい用意してあったとしても不思議はないわ」

「けど、それでなんだっていうの？」

「つまり、不吉な予言というのは、その和宮の柩が焼けた祟《たた》りを言っているの」

閉め切った部屋なのに、蒸し暑くもなく、氷のような風が吹き抜けた。

6

今回の「研究」で、美雪は皇女和宮の降嫁にまつわるドタバタ騒ぎの知識を、ずいぶん沢山、仕込んだつもりだ。とりわけ、江戸へ下る大行列が木曾路にもたらした迷惑と悲劇は、そこに住む者の子孫としては、無関心ではいられない。

島崎藤村は『夜明け前』の中で次のように書いている。

——美濃路から木曾へかけての御継ぎ所で殆《ほと》んど満足なところはなかつた。会所といふ会所は、あるひは損じ、あるひは破れた。これは道中奉行所の役人も、尾州方の役人も、ひとしく目撃したところである。中津川、三留野《みどの》の両宿に沢山な死傷者も出来た。街道には、途中で行倒れになつた人足の死体も多く発見された。——

人足だけでも一万六千人という、途方もない大行列である。前後、いくつかの宿場に分かれて宿を求めたといっても、全員を収容できる施設など、あるはずがない。人足の多くは野宿を余儀なくされただろうから、十月の木曾路の変わりやすい天候の中、行き倒れが出ても不思議はないだろう。

街道筋の家々には道路や施設の改修が命じられ、宿や食料などの提供が求められた。中には威光をかさに、ご祝儀の名目で金品を巻き上げる役人もあったらしい。

しかし、宿場の本陣や脇本陣に、和宮の柩までが用意されていたというのは、美雪には初耳であった。ほんとかなあ——と、眉唾《まゆつば》な話ではある。もっとも、そんな事実があったとしても、公式の記録として残っているはずがない。

有吉佐和子の小説『和宮様御留《おとめ》』では、皇女和宮の替え玉が存在したという、きわめて興味深い想定で、替え玉に仕立てられた女性の悲劇を描いている。学者に言わせれば「愚にもつかない思いつき」でしかないのだそうだけれど、美雪には新鮮な仮説に思えた。その「替え玉事件」に較べれば、和宮の柩が用意されていたことなど、それほど奇異ではないのかもしれない。

「だけど」と美雪は首をかしげた。

「たとえ和宮のために用意した柩が焼けたからって、どうして祟りがあるの？」

「そんなこと、私は知らないよ」

志保は呆《あき》れたような目で娘を見て言った。

「どうしてか知らないし、ほんとに祟りがあるのかどうかだって分からない」

「なあんだ。じゃあ、ないのかもしれないってこと？」

「そうじゃなくて、あるかもしれないということだわね」

「同じことじゃない」

「同じなもんかね。あるとしたら、気味が悪いじゃないの。それに、ことしは和宮さんの柩が焼けた、馬籠の大火からちょうど百年めなんだから」

「えっ、そうだったの？」

明治元年は一八六八年、それから指折り数えると、大火のあった明治二十八年は、まさにいまから百年前の一八九五年なのだ。美雪は思わず首をすくめるほど、背筋が寒くなった。

「ばかばかしい。百年前だからって、そんなの、ただの偶然でしかないわよ」

口のほうは気張って、強がりを言った。

「なによ、さっきは美雪、偶然じゃないようなことを言っていたくせに」

「ん？　そうだっけ」

「そうよ、虫の知らせだとか、テレパシーだとか言ってたじゃないの」

「あれはただ、母さんのことが何となく心配だったっていう意味よ。そんな、和宮の柩がどうしたとか、そんなのは気にすることはないわ」

「そうよ、私だってそう思ったから、父さんやあんたが気にしないように、ずっと黙っていたのよ。でもね、ほんとのことを言うと、私は気味が悪いの。和宮さんの柩が焼けたことを、百年めに知ったのだって、ただの偶然とは思えなかったのよ。それに、あんたが言ったように、現実に私のすぐそばで人が死んだしね」

「うーん、そうかあ。それじゃ、さっき、まずいこと言っちゃったんだ」

美雪はわざとおどけて見せたが、余計なことを言って、母親の気持ちをかえって追い込む結果になったのは否定できない。

「でもね母さん、そんなのはやっぱり、ただの偶然よ。第一、永昌寺で死んだ人って、母さんやうちにぜんぜん関係のない人じゃないの」

「だけど、とにかく私のすぐそばで死んだことは確かだわ。あれがもし、私がこの家にいたときだったら——と思うと、恐ろしくなるのよ」

「え？　それ、どういう意味？」

「だからさ、もし私がこの家にいるとき、ああいう事件が起きたとしたら……」

「つまり、母さんのそばにいる人間——たとえば、私とか父さんとかが殺されていたのかもしれないっていうこと？　ばっかみたいだわ」

あまりのばかばかしさに、美雪は開いた口が塞《ふさ》がらなかったが、志保のほうは大真面目である。

「あんたはそうやってばかにするかもしれないけど、私にとっては真剣な話よ。すべての始まりは、私がこの家にお嫁に来たせいなんだから」

「やめてよ、そんなの、下らない」

「下らなくないわよ。真帆ちゃんがあんな早死にしたのだってそうだし」

「叔母さんはガンで死んだんでしょう」

「直接の原因はそうだけど、そういう運命になったのは、私のせいかもしれない。あんたのお父さんとの結婚に、しんから賛成してくれたのは、真帆ちゃんだけだったのだから。それに、いやがらせの手紙を全部隠して、私の目に触れないようにしてくれたのも真帆ちゃんだったのだしね」

「ちょっと待ってよ。叔母さんまでが祟りのせいで死んだなんて、そんなばかなこと考えるなんて、どうかしてるわ」

美雪は、やっぱり母親の精神状態はおかしいと思った。そういうばかげた思い込みに囚《とら》われることもそうだし、それを夫にも娘にも隠して、永昌寺の観音堂に通ったというのもただごととは思えない。

「美雪は私のこと、頭がおかしいって思っているんだろ?」

志保は、美雪がいままで見たことのないような冷たい目をした。

「そんなこと、思ってないわよ」

慌てて否定したが、内心を見透かされて、美雪はドキリとした。

「思ってはいないけど、そんなことでクヨクヨしてたら、母さん、それこそ病気になっちゃうから」

「そうだね、病気みたいなものかもしれないわね。だけどね美雪、あんたはただの偶然だって言うけれど、ほんとのことは分からないのよ。永昌寺で殺された人だって、ほんとにうちと関係がないかどうか……」

「えっ？　その人、知ってるの？」

「私は知らないけど」

「じゃあ、父さんは知ってるってこと？」

「そうは言ってないよ」

しかし、言いたそうな顔をしている——と美雪は思った。

7

美雪は広一には、志保が言った最後の部分——永昌寺の墓地で殺された被害者が、もしかすると広一の知り合いかもしれないと、母親が疑っているところだけをはずして、ひととおり話した。

「そうか、結婚前にそんないやがらせがあったのか。もう四半世紀になるっていうのに、ちっとも知らなかったなあ」

広一は表情を曇らせて、嘆かわしそうに、しきりに首を振った。いやがらせのあったことよりも、妻が長いあいだ、その事実を秘密にしたままだったことのほうに、無念の思いがあるのかもしれない。

「いやがらせの犯人は誰なのか、父さんに思い当たる人、いないの？」

「いるもんか。その頃は、うちには親父とおふくろと、それに、祖母《ばあ》さんもまだ生きてたが、志保が嫁に来ることを、みんな喜んでいたはずだ」

「八百津《やおつ》の伯母さんはどうなの？」

美雪は、広一のたった一人の肉親のことを訊《き》いてみた。「八百津」というのは岐阜県の、木曾川と飛騨《ひだ》川の合流地点にある、山間《やまあい》の小さな町である。そこの古い造り酒屋に広一の姉のゆかりが嫁いでいる。子供の頃、何度か遊びに行ったことはあるが、美雪はあまり好きになれない相手であった。美雪には優しくしてくれても、なぜか、志保に対しては冷淡で、お世辞を言うのすらも聞いたことがない。

「姉さんだって、そりゃ、喜んでくれたと思うさ」

広一は、鬱陶《うっとう》しそうな口調で言い、眉をひそめて美雪を見た。

「なんだ、おまえ、伯母さんのこと疑っているのか？」

「そういうわけじゃないけど、とにかく、和宮の柩《ひつぎ》が焼けたなんてこと、知っているとしたら、身内の人間しかいないんだし」

「そうとはかぎらないだろう。馬籠の中にだって、大火で焼けなかった家に、その和宮の柩のことを記した古文書が残っている可能性があるしな。たとえば永昌寺なんかにあるかもしれない」

「それ以前に、そんな、和宮の柩みたいなもの、ほんとにあったのかな？」

「ああ、あったらしい。詳しいことは知らないが、子供の頃、そういう話を聞いた記憶がある。彫刻が施された、立派なお棺だったそうだ。祖父《じい》さんか祖母さんか、とにかく、誰かが話してくれたと思うよ」

「だとしたら、よその家の人にも話したかもしれないわね」

「そうだな」

「けど、他人が父さんの結婚相手に余計なお節介を焼くなんて、よほどの理由でもなければ、考えられないじゃない……あ、そうだ、父さんを好きだった女の人、いるんじゃないの？」

「ばか、つまらんことを言うな、そんなものはいなかったよ」

広一は怒った顔を作ったが、娘から視線を逸《そ》らしたところを見ると、それらしい女性がいたように、美雪には思えた。若いときの父親がどうだったのか、あまり聞いたことはないが、娘の美雪から見て、五十歳そこそこのいまも、けっこう男前なのだから、ひそかに想いを寄せる女性の一人や二人いなかったはずがない。だとすると、志保にいやがらせの手紙を送った犯人は、それらの女性の一人だった可能性が強い。

大杉が喫茶室に戻ってきて、父娘《おやこ》の会話は途絶えた。

「僕、明日、京都に帰ろうか、思うてますのやけど」

大杉は遠慮がちに言い出した。

「そうですか、帰られますか。せっかくの休みだというのに、なんだか手伝いばかりさせて、申し訳なかったですね」

広一は気の毒そうに言って、頭を下げた。美雪も「ごめんなさい」と詫《わ》びた。まったく、京都を出てからというもの、大杉には迷惑のかけ通しだ。

「いや、そんなこと、気にせんといてください。それよか、お母さんの具合、どないですか?」

「そっちのほうは大したことはありません。もともと、ああいう事件のショックから来た気の病みたいなものですからね」

「それやったらよろしいけど、もし僕で役に立つことがあれば、もうしばらくは使てもろてもかましまへんのです。バイトの人が来るまで、困るいうのなら」

帰るとは言ったものの、美雪とは離れたくない気持ちがあるような口ぶりだ。そのことを感じたから、美雪は父親に、もう少し手伝ってもらったら——と言いかけたのだが、その前に広一が「いやいや」と手を振った。

「これ以上、大杉さんに迷惑かけるわけにはいきません。あと一日二日すればアルバイト学生が来るし、それまではなんとか、私らだけで繋《つな》げますよ。どうぞ後のことは気にしないで帰ってください。それから、バイト料と言ってはなんだが、失礼ながら宿賃ぐらいのお礼はさせてもらいます」

「そんなん、いりまへんがな」

大杉は悲しそうな顔をした。そういう目的で来たのでもないし、そういう目的で仕事の手伝いをしたわけでもない。金銭で割り切られてはたまらない――と言いたげだ。

（スギさんて、いい人なんだ――）

美雪はあらためてそう思った。

「いいから、貰《もら》っておいて。京都へ戻ってから、奢《おご》ってくれればいいし」

陽気にはしゃいでみせて、それからふと気になって、訊いた。

「あの人も帰るのかしら？」

「あの人いうと、浅見さんのことか？　さあ、どないやろ」

「いまは何してるのかな？」

「朝、ここでコーヒーを飲んで出て行ったきり、どこへ行ったのか知らんけど、何ぞ調べとるんと違うやろか」

「調べるって、永昌寺の事件のこと？」

「たぶんそうやろな。朝早うから、永昌寺へ行ったみたいだったし」

「じゃあ、うちに来る前に永昌寺へ行って来たのね」

美雪は父親と顔を見合わせた。浅見が朝、えびす屋に来たときには、永昌寺へ行った気配など、おくびにも出さなかった。こっちが訊かなかったから、言わなかっただけだと言われてしまえばそれまでだが、なんだか隠密裡《おんみつり》に行動しているようにも思える。

「どうなんだろう、こんなことを言っちゃ、なんだが、あの浅見さんという人は、信用できる人物なのだろうか？　大杉さんはどう思いますか？」

広一は気掛かりそうに訊いた。

「そら、信用でけるのとちがいますか。僕なんかよりはるかに頭もよさそうやし」

「そう、頭がいいことはたしかですな。しかし、それだけにちょっと不気味な感じがしないでもない。何を考えているか分からないような」

「そんなことないわよ。あの人は信用できるし、頼れる人だと思うな」

確信ありげに言う美雪を、大杉は眩《まぶ》しそうに見ていた。

8

日中、かなり気温が上がったが、陽が傾くと馬籠の坂道を涼風が吹き抜けていった。むしろ、宿の小部屋に日盛りの火照りが残っている。

浅見は夕刻近くになって宿に戻り、ひと風呂《ふろ》浴びてから、大杉と美雪と三人で食事をした。冷えたビールが、喉《のど》から背筋へ抜けてゆくように美味《うま》かった。

大杉が明日の朝、京都に帰ると言い、探るような口調で「浅見さんはどないします？」と訊いた。美雪も関心のある視線を浅見の口許《くちもと》に注いでいる。

「僕も帰りますよ」

浅見はあっさり言った。「ほんまでっか」と、大杉の表情に喜色が浮かんだ。対照的に美雪の顔が曇った。

「ええ、永昌寺で殺された女性は東京の人ですからね、彼女の身辺のことを調べなければならない。それに、僕の本来の目的のほうのこともありますからね。いったん引き上げて、また来ます」

「そうでっか、また来るんでっか」

大杉と美雪の表情が微妙に変化する。

「そういえば、妻籠の取材のほうはうまくいったのですか?」

美雪が訊いた。

「まあまあでした。それより、その後、お母さんの様子はどうですか?」

「体調のほうはいいみたいですけど……」

美雪はしばらく躊躇《ちゅうちょ》してから、思いきったように口を開いた。

「じつは、母から妙な話を聞きました」

志保が結婚前にいやがらせの手紙を貰ったことや、馬籠の大火で焼失した和宮の柩の話は、浅見の好奇心を駆り立てた。「ふん、ふん」と頷《うなず》きながら、無意識の裡《うち》に、テーブルの下で両手をこすり合わせていた。

「和宮の柩《ひつぎ》が焼けてから、ことしがちょうど百年めだっていうこと、べつに意味はないのかもしれないけど、ちょっと気味が悪いでしょう？　そんなの気にすることはないって、母には言ったけど、母が祟《たた》りだとか、そういうことを言うのも分かるような気がするんですよね」

「うん、分かる、分かりますよ」

「それで、母にいやがらせの手紙を送った人物っていうのは、その柩のことをよく知っているわけで、そこから推理すれば、誰なのか、だいたいは、その……」

「特定できそうですね」

「ええ、特定って言うんですか、それは可能だと思うんです。といっても、身内の人間ばかりでなく、馬籠で大火に遭わなかった家や、永昌寺なんかに古文書が残っていたりすると、かなり範囲が広くなりますけど」

「いや、それはどうかな？」

浅見は首をひねった。

「その辺の顚末《てんまつ》を記録した古文書が残っているとすれば、おそらく永昌寺ぐらいなものでしょう。それも、和宮のための柩などと記録してあるはずがないから、やっぱり、身内の方の言い伝えが本線だと思いますよ。むしろ、記録があるとするなら、柩を作った職人の家ですね」

「えっ？　あっ、そうか……」

美雪は目を丸くした。

「そうですよね、お棺を作った職人がいるはずですものね。それも、彫刻を施した立派な柩だったというのだから、きっと名のある職人だったにちがいないわ。どうしてだろう、ぜんぜん気がつかなかった。やっぱり浅見さんて頭がいいんですねえ」

美雪に感嘆の眼差《まなざ》しで見つめられて、浅見は大いに照れて「ははは」と笑った。その二人を、大杉は羨《うらや》ましそうに見比べている。

「そういう職人の家系だったら、わりと簡単に遡《さかのぼ》ることができるのじゃないかな。それも、おそらくこの近辺で作られたと考えていいでしょうからね」

「だったら、きっと蘭《あららぎ》の木地師だわ。蘭っていうのは妻籠の隣の集落で、むかしから、木曾の優秀な木地師たちが大勢住んでいるんです。馬籠には大工さんはいるけど、そんな上等な柩を作れるほどの職人さんとなると、蘭しか考えられません」

「蘭ですか……漆畑の木地師の里辺りですかね」

「あら、浅見さん知っているんですか？」

「きょう、行って来ましたよ。なるほど、木地師が作った柩ならさぞかし立派なものだったでしょうね。作る側だって、依頼されたのが皇女の柩となると、相当にリキが入っただろうし、彫刻の下絵なんかも残っているかもしれない」

「考えてみると……」と、美雪がふと思いついたように言った。

「和宮の柩が燃えて、祟りがあるとすると、第一番に祟りがあるのは、うちなんかよりむしろ、その木地師の家であるべきだわ。ねえ浅見さん、そうでしょう?」

「………」

いかにも女性らしい発想だ。浅見は呆然《ぼうぜん》として答えが出なかった。

脳裏にはすぐに、大塚家のことと、長者丸の小さな草むらで死んだ大塚瑞枝のことが思い浮かんだ。和宮の柩が焼けた祟りだなど、ばかばかしいし、第一、その柩を作ったのが大塚瑞枝の先祖だという証拠は何もないが、なんだか、巡る因果を目のあたりにしたようで、不気味だった。

「木地師でも、彫刻の才能があるのは、ごく少ないのじゃないかな。百年もむかしに遡って、そういう人物を見つけることができるかどうか。それに、現在もその職人の家系が続いているものかどうかも問題ですね」

「それ、私、調べてみます」

美雪が勢い込んで言った。

「調べるいうて、どないするんやね?」

大杉がはじめて口を挟んだ。

「そんなこと……分からないけど、何か方法があると思う。とにかくやってみなければ道は開けないわよ」

美雪の瞳《ひとみ》が鋭く光った。大杉は辟易《へきえき》したように、肩をすくめた。

翌朝十時頃、浅見と大杉はあいついで馬籠を去った。別れ際に大杉は、しみじみした口調で、「僕もあと十年経てば、浅見さんみたいになれるやろか」と言った。

「えっ？　それ、どういう意味？」

「浅見さん、頭はええし、かっこええし、男の僕から見ても魅力的やもんなあ」

「ははは、やめてよ、そんな歯が浮くようなお世辞は」

「お世辞とちがいますよ。何物にも囚《とら》われんと、自由な生き方をしてはるのも、僕から見れば憧《あこが》れですよ」

「とんでもない。憧れどころか、いまだに経済的に独立できない落ちこぼれです。うちのおふくろなんか、一日も早く足を洗って出直すことばかり祈っているんだから」

「ほんまですか？　そうやろかなあ……」

首をかしげる大杉の目が、希望を発見したように輝いた。

9

浅見は中央高速の中津川インターへは行かず、清内路道で飯田へ出ることにした。漆畑の大塚家に立ち寄る必要性が生じたからである。途中、男滝女滝《おたきめたき》を見物したりしながら時間調整をして、大塚が昼休みに自宅に帰るタイミングを待って訪問した。

予想どおりというべきか、意外にもというべきか、大塚一男は和宮の柩のことを知っていた。むしろ、浅見が知っていることに驚いて、逆に「そんなに有名な話だったのかね？」と訊《き》き返した。

「いえ、僕も昨日はじめて知ったのです。じつは、明治二十八年の馬籠の大火で、和宮の柩が焼けてしまったという話が、馬籠の脇本陣だったえびす屋さんに伝わっているということが分かりましてね」

「ふーん、えびす屋になあ。そうかね、焼けてしまったのかね」

大塚は少し落胆した様子だ。それを見て、浅見は、当てずっぽうに言ってみた。

「ひょっとすると、その和宮の柩を作ったのは、大塚さんのご先祖では？」

「そうみたいだねえ」

大塚は吐息と一緒に言った。

「えっ、ほんとですか、やはりそうだったのですか」

「ああ、前の家からここに引っ越すときに、長持ちの中のガラクタを整理していたら、古い書きつけが出てきて、それに、そんなようなことが書いてあったんですよ。もっとも、自分にはほとんど読めないような昔の字だったけどね」

「その書きつけ、いまもありますか？」

「ああ、ありますよ。ちょっと待っていてください」

奥のほうでガタガタやっていたが、間もなく一枚の書状を持ってきた。茶色く変色した和紙に、あざやかな達筆で、行書というより草書に近い崩し文字だ。浅見は多少、心得がある程度で、古文書の読解力など、ほとんどないに等しい。大塚も似たようなものだったが、それでも、どうにか読み取れる部分があった。

「京都姫君様中山道筋御通行御触面到来ニ付、別儀下命有シ御柩絵図面差出候様御役所与被仰付候」

たぶんこんなことで間違いないだろう。柩の目的については「別儀」と書いているところを見ると、さすがに「御為和宮様」とは書けず、口頭で用向きを伝えてあったにちがいない。しかし、いずれにしてもわざわざ前もって触れを出して用意させたくらいだから、一般人のための「御柩」でなかったことはたしかだ。

書状の日付は「万延二年二月十八日」となっている。和宮の行列が木曾路を通過するのは、それより八カ月も先のことだ。並の人間のお棺を作るのに、そんな早くから手配するはずがない。

「絵図面はないのですね？」

浅見は訊いた。

「ああ、それはないです」

絵図面は役所に差し出すように命じられているのだから、むしろ大塚家になくて当然だろう。

「大塚さんのご先祖はお棺も作っていたのでしょうか」

「いや、うちは代々、木地師できてるが、お棺を作ったという話は聞いたことがなかったねえ。けど、父親も自分も、細かい細工仕事が得意で、親父なんかは彫り物もよくこなしていましたね。木曾の木地師も大勢いるが、彫り物や細工物をする者はそう沢山はいないから、そういうのはうちの伝統的な特技みたいなもんかもしれないね」

「だとすると、和宮の柩を用意する段になって、役所のほうから、特別などご下命があった可能性は、十分ありますね」

「そうだねえ、あったかもしれないな」

浅見も大塚も、しばらく黙って、テーブルの上の書状を見つめた。二人の胸には百数十年むかし、和宮様御通行のお触れが、野分けのように木曾街道を震わせて奔《はし》っていった当時の有り様が去来した。

「ところで、瑞枝さんはこの書状のこと、ご存じだったのでしょうか？」

浅見は訊いた。

「さあなあ、知っていたかどうか、自分は聞いていないけど、知っていたかもしれない。中学ぐらいの頃から、和宮のことに興味を抱いていたみたいだしね。そうそう、まだ大学生の頃、夏休みに帰省したとき、和宮の遺骨発掘のことを、すごく熱っぽく話してましたよ。ずっと以前に、東京の増上寺というところで、和宮の遺骨の発掘作業があったというの、あんた知ってますか？」

「ええ、知っています」

浅見は思わず声が上擦った。ついこのあいだ、N大学の八木沢教授の口からその話を聞いたばかりだ。

「ふーん、じゃあ、誰でも知っているような有名な話ですか」

「有名かどうかは知りませんが、僕はたまたま知っています。たしか、瑞枝さんが師事していたN大学名誉教授の瀬戸原さんが発掘調査に参加していたということでしたね。瑞枝さんはそのことを話されたのですか」

「そうです。いや、それだけでなくて、じつに不思議なことだけど、その発掘作業が始まった日が瑞枝の誕生日だったというのでしたよ」

「ほう、発掘作業は何月何日に開始されたのですか？」

「八月四日――それも昭和三十三年の八月四日、瑞枝が生まれたのとまったく同じ日だったのだそうですよ」

「…………」

浅見はあぜんとした。

「それだからこそ、瀬戸原先生との出会いは運命的なものだとか、瑞枝はしきりに言ってましたがね。その時は何をばかなことを——と笑ったが、しかし、いまになって思うと、たしかに不思議な話であったのかもしれないなあ。いや、不思議なだけでなく、そういう、和宮の遺骨を掘り出すような、そんなことをした学者先生についたのが、そもそも瑞枝の不運の始まりだったのではないですかね。祟《たた》りだなんてこと、思いたくはないけど、うちの先祖が和宮の柩《ひつぎ》を作っていたとなると、なんだか二重三重に因縁が絡んでいるみたいで、祟《たた》りがあってもおかしくない感じがしてくるものねえ」

大塚一男は、何かに憑《つ》かれたように喋《しゃべ》ったが、浅見の耳はほとんど聞いてないに等しかった。

たしかに、大塚瑞枝自身が言っていたように、彼女と瀬戸原の出会いは、皇女和宮の因縁で結ばれた運命的なものだったと思えてくる。そうして、和宮の柩が焼けてからちょうど百年後の夏、瑞枝を悲運が見舞ったのである。

第四章　人類学研究室

1

馬籠から帰った二日後、浅見はN大学を訪ねた。瑞枝の日常をよく知る、N大人類学教室の助手の足達《あだち》という人物と会えることになった。折悪《おりあ》しく休暇中だったが、自宅に電話すると、足達は大学のほうに来て欲しいということだ。

梅雨が明けたばかりというのに、東京はいきなり猛暑に見舞われていた。N大学の構内は銀杏《いちょう》の木が多いことで有名だが、それ以外にもシイやケヤキの古木も散在する。街よりはいくぶん涼しげとはいえ、風がやむと、むっとするような温気《うんき》が立ち籠《こ》めて、息がつまりそうだ。夏休みの閑散とした構内にはセミ時雨が降り注いでいた。

人類学研究室は8号館の二階にあった。大学は一昨年、創立八十周年を迎えたという。それだけに、どの建物もかなり古いが、その中でも8号館は古色蒼然《そうぜん》として、苔《こけ》でも生えていそうな雰囲気だ。地上三階地下一階のこの建物は、主として生物学関係の施設によって占められているのだそうだ。人類学研究室はそこの借家人然として、ずいぶん肩身の狭そうな気配を感じさせる。本棚や資料棚ばかりがむやみに多く、その隙間を利用して、人類がいかに存在しうるか――を研究するのが、この研究室に課せられた命題であるかのように思える。

人類学というのは、学問の中ではもっとも新しいほうに属す。人類の発生から営みといった、主として生物学的な見地で科学するものと、民族や精神活動といった方面を科学する、いわば文化人類学的なものとに分かれるが、あまりにも広範で漠然としていて、浅見のような門外漢には捉《とら》えどころがない。いや専門家でさえ、じつは戸惑うことが多いのだそうだ。

「現実の問題として、ここを卒業したからといって、就職口はほとんどありません。そんなわけで、毎年志望者が減っていましてね、現時点で人類学専攻の学生数はわずか六人。それに対して職員の数は、教授以下私を含めると五人ですからね、いかに人気のない学科か分かるでしょう」

足達助手は、あっけらかんと笑いながら言った。髭《ひげ》の濃い、肩幅のがっしりした大男である。いまどき珍しい、バンカラ風の学究の徒――というイメージだ。

浅見が電話でアポイントメントを取ったとき、「それじゃ、明日、大学でお目にかかりましょう」と快く応じてくれた。「お休み中なのに……」と恐縮すると、「いや、毎日大学に出ているんですよ。休みっていっても、どうせ行くところもないし、金もありませんから、大学にいたほうがいいのです」と、まるで浅見の述懐のようなことを言った。

浅見は、知り合いである大塚瑞枝の兄に頼まれて、瑞枝の大学での様子などを聞かせてもらいたいという触れ込みで訪れている。挨拶《あいさつ》が済んで、彼女の話になると、足達は顔を曇らせた。

「大塚さんの事件は私にとっても、もちろんショッキングな出来事でした。私は大塚さんより二歳年長の三十八歳ですが、人類学教室に所属したのは六年前。十年近い後輩ですから、彼女のほうがむしろ年上のような貫禄《かんろく》がありました。事務職員だけに、あまりでしゃばったことを言ったりはしませんが、細かいところに気がつくし、仕事の上でお世話になったのはもちろん、社会常識という点でもいろいろと教えられました」

自動販売機で買ってきた冷たい缶コーヒーを浅見に勧め、自分もあおるようにして飲みながら、足達助手は大塚瑞枝の思い出を語った。

それにしても狭苦しい研究室は猛烈に蒸し暑い。休み中は空調設備は働かないのだそうだ。窓は開いていて、けっこう風は吹き抜けて行くのだが、空気そのものが生ぬるい。足達は汗っかきなのか、たえず手拭《てぬぐ》いで顔面の汗を拭っている。

「事件の夜は、足達さんも瀬戸原先生のお祝いの会に参加したのですか？」

浅見は訊《き》いた。

「ええ私も参加しました。もちろん末席に連なったほうですがね」

「末席ということなら、大塚さんのほうがランクが下でしょう」

「まあ、それはたしかにそうですが、大塚さんは瀬戸原先生のお気に入りで、いつも先生の側について、身の回りの世話をしていましたからね」

「なるほど……しかし、その大塚さんが瀬戸原先生をほったらかしにして、先に帰ったというのは、どうしてですかね？」

「それは彼女だって、一人の女性です。彼女なりの予定もあったということじゃありませんか」

「というと、恋人とのデートとか……」

「さあ、プライベートなことは知りませんけどね」

足達は目尻《めじり》に皺《しわ》を寄せ、髭もじゃの顔を歪《ゆが》めて、苦笑した。

「瀬戸原先生の誕生会は、急に決まったものでしょうか？」

「いや、三カ月ぐらい前に決まって、いろいろ準備していたのですよ。本来なら、もっと大きな会場でやりたかったのだが、瀬戸原先生がそういうのはお嫌いでしてね、絶対にやらないとおっしゃるので、じゃあ、内々に、八木沢先生のお宅で——ということになったのです」

「三カ月も前に決まっていた会なのに、大塚さんがあえて予定を入れていたというのは、ちょっと妙な感じがしますが」

「なるほど……そう言われると、たしかにそうですなあ。警察の連中はそんなこと、気にしている様子はなかったが……」

「やっぱり妙でしょうか？」

「そうですね、彼女としては珍しいことでしょうね。しかし、たまたまそういう巡り合わせになったのかもしれませんよ。それに、ひと足早く帰ったといっても、一応、会には出席しているのですから」

「とはいえ、大塚さんの立場や性格からすると、やはり不自然であることに変わりはないわけですね」

「まあ、そうですね」

「そうまでして帰りたかったからには、何か用事があった――それも誰かと約束があったと考えるのがふつうだと思いますが」

「そう、ですね」

「にもかかわらず、事件後、誰もそれらしいことを言って、名乗りを上げてこないのはおかしいと思いませんか」

「…………」

足達は目を丸くした。そんなことはまったく考えもしなかったという顔だ。

いったいこれはどうしたわけなのか？——と、浅見はひそかに眉《まゆ》をひそめた。捜査担当の刑事に訊いても、大塚瑞枝の兄に訊いても、そして瑞枝の日常を知る足達助手に訊いても、彼女があの夜、なぜ一人だけ早く帰らなければならなかったのか、誰も知らないというのだ。

何でもない、ありふれた強盗殺人事件に見える事件だが、この点だけを取り上げてみても、浅見にはどうしても腑《ふ》に落ちない。この素朴な疑問の奥に、じつはまだ見えていない謎が潜んでいるように思えてならなかった。

2

「大塚さんが瀬戸原名誉教授に心酔していたというのは事実ですか？」

浅見は訊いた。

「事実です。おっしゃるとおり、心酔とはまさにああいうことを言うのでしょうなあ。もっとも、彼女ばかりではない。瀬戸原先生はわれわれ学問をやる人間にとっては、神様みたいな存在ですからね。いや、業績もさることながら、学問に立ち向かう精神がです。名利《みょうり》などに関心はなく、ただひたすら研究に没頭されている。大塚さんは、瀬戸原先生のそういう純粋さに惹《ひ》かれたのでしょう」

「しかし、大塚さんは事務職の人なのでしょう？　瀬戸原先生の手伝いをするといっても、具体的にはどういうことをしていたのですか？」

「ああ、それは彼女は身分としては事務職員として勤務していますが、能力的には私と同等の学徒ですよ。むしろ、実務的なことは私より詳しかった。長いこと瀬戸原先生はじめ、教授先生たちの補助要員として働いてきましたからね。私のように、なまじ助手なんかになるよりは、事務職員でいたほうが給料もいいし、彼女自身、そういう黒子的な立場を望んでいたのじゃないですかね」

「それにしても、瀬戸原先生は現役を退かれていたのだし、将来はどうするつもりだったのでしょう？」

「あ、それはもちろん、本業は研究室付きの職員ですから、八木沢先生をはじめ現在の教授たちの世話や、この研究室全体の雑事全般は、すべて彼女に任されていました。秘書兼庶務係といったところですか。講義のスケジュールから、図書や物品の購入、お茶汲《ちゃく》みまで、じつによく働いていましたよ。瀬戸原先生が退官されて以後も、先生の個人秘書的な役割を担っていたようですが、しかしそれはあくまでもプライベートな時間を充《あ》てるというのが建前で、大学の仕事をおろそかにすることはなかったですね」

「こんなことを訊いて、気を悪くされると困るのですが」

浅見は逡巡《しゅんじゅん》しながら言った。

「大塚さんが瀬戸原先生に心酔していたというのは、ある意味で恋心のような雰囲気があったのではないでしょうか？」

「恋心？……」

足達助手は目を丸くした。時代遅れの単語に面食らったのかもしれない。

「ははは、いや、それはないでしょう。瀬戸原先生はことし七十七歳の喜寿ですよ。いくら心酔しているからって、それが恋心とはねえ……」

煙たそうな目をして笑った。

「しかし、個人秘書的なこともしていたとなると、瀬戸原先生のご自宅のほうにも行ったりしていたのではありませんか？」

「ああ、それはもちろん、あります」

「先生の奥さんはご健在ですか？」

「いや、奥様は二十年ほど前に亡くなられたそうです。現在は独り住まいで、近くにいるご長男ご一家から、ときどきご長男やお孫さんが訪ねてくる程度です」

「じゃあ、折りにふれて、大塚さんが身の回りの世話をして上げていたと考えてよさそうですね」

「まあ、たしかにそのとおりですが……しかし、それが恋心に結びつくとは考えられませんよ」

足達は、浅見の狙いがどこにあるのか、ようやく警戒の色を見せはじめた。

「まさか浅見さん、大塚さんの事件のことで、瀬戸原先生を疑っているのではないでしょうね？」

上目遣いになって、押し殺したような声で言った。

「とんでもない、そんなことは考えていませんよ」

浅見は大げさに手を振ってみせた。

「第一、瀬戸原先生は事件発生時刻には八木沢家におられたのでしょう？」

「もちろんですよ。そのことは私も含めて、あの誕生会に参加した先生方、みなさんが証明します」

足達はむきになって口を尖《とが》らせた。

「おっしゃるとおりなのでしょう。瀬戸原先生が犯人だなどとは、僕もまったく考えていません。ただし、可能性ということなら、いろいろと考えられることも事実です」

「というと、たとえば？」

「たとえば……これはただの仮説ですが、大塚さんがもし、瀬戸原先生の後妻になったとすると……いや、あくまでもただの仮説として聞いて下さい。もしそうなったとしたら、ご長男ご一家やご親戚《しんせき》にとって、遺産相続問題に重大な影響が出るでしょう。したがって、その人たちにしてみれば、看過していられないのではないでしょうか」

「えっ？　というと、犯人はその、瀬戸原先生のお身内の方だって言うんですか？」

自分で言った言葉に驚いて、足達は慌てて周囲を見回した。

「浅見さん、冗談でもそんなことは言わないでくれませんか。まさかあなた、そういうことを調べるためにここに来たんじゃないでしょうね？」

足達はあらためて、浅見の肩書のない名刺を眺めた。

「失礼ですが、浅見さんは何をしているんですか？」

「フリーのルポライターです」

「ルポライターというと、やはり事件の取材が本当の目的なんじゃありませんか？」

「いえ、取材ではありません」

浅見は首を振って、きっぱりと否定してから、付け加えた。

「マスコミにネタを売ったり、そういうことはしませんが、事件の真相を知りたいと思っています」

「真相って……それはだから、強盗殺人事件だと警察は言ってるじゃないですか」

「警察はそう言っていても、真相は別のところにあるのかもしれません。少なくとも、さっき言ったように、大塚さんがなぜ早く引き上げたのかの説明がつかないと、いつまでも疑惑が残ります。もし強盗殺人事件でなく、ほかに動機のある人物の犯行だとしたら、殺された大塚さんは、それこそ浮かばれないと思いますが」

「それはまあ、そうですがね……しかし、あなた、瀬戸原先生やお身内の方に、いま言われたみたいな失礼なことをぶつけるつもりですか？」

「とんでもない。警察の人間でもない僕が、そんなことをするはずはありません」

「それはそうでしょうなあ」

「本来は、警察がそういうことを調べるべきなのですけどねえ」

「逆に言えば、警察が何も調べようとしないのは、そんな疑惑がないということの証《あかし》ではないんですか」

「それは必ずしもそうとは限らないと思います。警察の捜査はしばしば的外れであったりしますからね」

「ふーん、そういうものですかなあ……しかし、いくらなんでも……」

足達はしきりに首を振って、沈黙してしまった。

3

そろそろ引き上げる潮時かな——と思いかけた浅見を、足達が「面白い物を見て行きませんか」と誘った。

「自慢するわけではありませんがね、当大学にはわが国随一と言っていい、収集品があるのですよ」

いったん建物を出て、別棟の新しい建物に入った。コンクリート打ちっぱなしの六階建てで、四階から上のほとんどが収蔵庫として使われているのだそうだ。エレベーターで四階まで行って、目の前のスチール扉を鍵《かぎ》を使って開けた。

扉の向こうは真っ暗だったが、電気のスイッチを入れると、蛍光灯の下に無数の収蔵棚が並んでいるのが見えた。すべてスチール製で、レール上を移動できるタイプである。それぞれの棚には木箱がぎっしり詰まっている。その数は数百個か、いや千の単位はありそうだ。

「あれ、何だと思いますか？」

足達は面白そうに訊いた。浅見が「さあ」と首をひねると、「骸骨《がいこつ》ですよ、骸骨」と歌うように言って、浅見の目の前にある箱の蓋《ふた》を開けた。灰色の頭蓋骨《ずがいこつ》が、暗い目をしてこっちを見ていた。大腿骨《だいたい》など、ほかの部分の骨も詰め込んである。

よく見ると、遠くの棚には頭蓋骨が剝《む》きだしで並んでいた。どれもこれも貧相で、表情が暗い。その連中にじっと見つめられて、浅見は背筋が寒くなった。

「すごい数ですね」

無理して陽気そうな声で言った。

「どういう性格の骸骨ですか」

「千差万別です。一ヵ所にまとまっていたのでは、鎌倉海岸から出たのが多いかな。えーと、あの辺りにあるはずだが」

　奥のほうへ行って、木箱の蓋を五つ六つ開けた。

「あ、これこれ、ここに刀傷のあるやつがそうです。ほら、ここにも、ここにもあるでしょう」

　指差したのを見ると、額や側頭部の骨が欠けている。明らかに刃物による外傷であることが分かる。

「鎌倉はいたるところ古戦場ですが、とりわけ海岸の塩分の多い砂地のところには、保存状態のいい骨が埋まっているのです。もっとも、もうあらかたは掘り尽くしてしまったでしょうけどね」

　足達は次から次へと、自慢の骸骨を紹介してくれた。理科の標本を見ることはあるけれど、これほどの数の骸骨を一度に見ることのできる場所はそうざらにはないだろう。それも、一つ一つがかなりいわくつきのものであるらしい。小塚原《こづかっぱら》の刑場跡から出た骨は、獄門首のものだという。そのほか「死刑囚」と箱書のあるものもかなりあった。

「明治大正時代には、死刑囚の遺体は解剖実験用の献体として引き渡されることが多かったそうです。しかし、現在は死刑そのものがほとんどありませんし、たとえあっても人権の問題があるので、大学なんかに回ってくることはまったくありません」

「とすると、学術研究用の標本はどうやって手に入れるのですか?」

「事実上、手に入らないと言ったほうがいいでしょう。ある時期までは某国などから輸入されることもあったようです。その国では水葬がふつうでしたから、川の上流で流された遺体を下流で拾って、標本に回す、それを商売にしている業者が存在したのです。これだと衛生上好ましくないのと、その国にとっては屈辱的であるという理由で禁止されるようになって、それ以来、標本不足は慢性的になりました。ですから、ここにある骨は、ほとんどが古いものばかりですよ」

足達は新しい骨を入手できない現状が、いかにも残念そうだ。

「しかし、こんなに骨を集めて、何かの役に立つのですか?」

浅見は素朴な質問をした。

「もちろんですよ。人類学のとくに生物学的な分野では、頭蓋骨の形状の比較研究が、人種の形質を分析したり、個体の性格の決定因子を模索する上で、重要な意味を持っているのです。たとえばネアンデルタール人と現人類との知能の比較は、頭蓋骨の形状からも容易に推測できます。ただし、それが高じると、現人類間での優劣を主張する——つまり人種差別的な思想に結びつきかねません。かつて、ナチがゲルマン民族を選ばれた民族と位置づけ、ユダヤを迫害したのには、当時のドイツにおける人類学の理論が大いに影響したとされているのです」

「なるほど、そんなこともあったのですかねえ」

浅見は感心した。感心するのと同時に、そら恐ろしくもあった。原爆の発明もその一つだが、学問や科学が、いたずらに理論を弄《もてあそ》ぶと、為政者の手によって恣《し》意的な方向に暴走しかねない、それは典型的な例といえる。

「ことによると、かつての大日本帝国がアジアの盟主として君臨しようとした背景にも、そういう人類学的な思い上がりがあったのじゃないでしょうか?」

「えっ?　いや、さあ、それはどうでしょうかねえ」

足達は少しうろたえぎみに言った。たしかに日本はその時期、「日出《い》ずる国」として、国と国民が神によって選ばれた民族であるかのごとく自認しようとしていたのだから、浅見が指摘したようなことがあった可能性は否定できない。

しかし考えてみると、若き日の瀬戸原名誉教授か、あるいはそれより一世代前の学者が、その時代のわが国人類学の権威であったわけだ。その人々が、ことによると日本民族の優性を主張していたのかもしれない。足達にしてみれば、浅見の指摘を下手に肯定でもしようものなら、えらいことになりかねないという気持ちがあるのだろう。

足達はその話題を避けたいのか、急に骸骨の箱を片付け始め、「そろそろ戻りましょうか」とドアに向かった。

入室する際は骸骨のほうに関心を奪われて、まったく気づかなかったが、ドア近くのスペースにデスクが置かれていた。何かの作業を行うらしく、デスクの上や棚に道具類が乱雑に並んでいる。アルコールランプや小型の金槌《かなづち》、やすり、切り出しナイフ、石膏《せっこう》や接着剤……。道具や材料を入れるケースは、菓子箱や段ボール箱を再利用していて、いかにもつましい。

「ここでは、発掘された骨や化石の復元修復をやっています」

浅見の興味深そうな様子に気づいて、足達は解説した。

「道具も設備も、ずいぶん貧弱でしょう。いまだに巻き尺とノギスが最強の武器として使われている。これが日本の学術研究の現状ですよ」

いかにも残念そうだ。

4

研究室に戻ると、足達はまた缶コーヒーをご馳走《ちそう》してくれた。猛烈な汗かきで、たえず水分を補給していなければならない体質のようだ。

「ところで、昭和三十三年に芝増上寺で皇女和宮の遺骨を発掘・移葬した際、その調査団のメンバーの一人が瀬戸原先生だったのだそうですね」

浅見は言った。

「そうです、まさにその発掘にまつわる研究が、瀬戸原先生の声価を一挙に高めたと言っていいでしょうね。とくに、和宮の墓と柩《ひつぎ》、それに頭骨《とうこつ》の形状に関する分析と推論はユニークなものでした」

「柩……ですか」

浅見は思わず視線を上げた。

「ええ、もちろん柩もありました」

「どんな柩ですか？　さぞかし立派なものだったのでしょうね」

「そうでしょうねえ。もっとも、墓は立派な石室になっていましたが、柩に関しては必ずしも保存状態はよくなかったようです。もしご希望なら、瀬戸原先生の研究を纏《まと》めた資料を閲覧できますよ」

「ぜひお願いします」

つい勢い込んで言ったので、足達は目をみはった。しかし浅見の熱心さには気をよくしたらしい。いそいそとした様子で、三階にある書庫に案内してくれた。

書庫の中だけは、常温常湿状態に保っているので、ドアを入るとひんやりとして心地よかった。

足達が捜し出してきた本には、大判の分厚い表紙に「増上寺徳川将軍家墓と遺品・

遺体の研究」というタイトルが金文字で箔押《はくお》しされている。瀬戸原道造以下三名の共著で、瀬戸原はその中でリーダー的な立場だったのだろう、「まえがき」および「総論」と「静寛院（和宮）」の項は瀬戸原が担当している。

「まえがき」によると、増上寺の徳川家墓所には、二代将軍秀忠をはじめ、六代家宣《いえのぶ》、七代家継《いえつぐ》、九代家重《いえしげ》、十二代家慶《いえよし》、十四代家茂《いえもち》の六人の将軍のほか、準将軍格の甲府宰相徳川綱重《つなしげ》、それに五人の正室、五人の側室と多くの子女たちが埋葬されていた。その霊廟《れいびょう》は豪華絢爛《けんらん》たるもので、重要文化財に指定されていたのだが、第二次大戦の空襲で全焼し、墓だけが残ったということだ。

そうしてその中に徳川家茂正室だった静寛院——皇女和宮の墓もあった。

和宮の墓に建てられた宝塔は、隣の家茂のものとほぼ同タイプだが、家茂のが石造りであったのに対して和宮のは銅製だったというから、かなり特別扱いをしていたと考えられる。

石室の天井（蓋石）に刻まれた墓誌銘には「明治十年八月、水腫《すいしゅ》を患ひ相模塔沢（箱根）に病を養ふ。癒《い》えず。九月二日、遂《つい》に客館に薨《こう》ず。寿三十一年。三月六日、柩を護《まも》り東京に還《かえ》る。十三日、増上寺故将軍の兆域《ちょういき》（墓所）に葬《ほうむ》る。」と書かれてある。

悲劇の皇女・和宮は最期まであまり恵まれなかった。幼なじみで、事実上の婚約者だった有栖川《ありすがわ》宮との仲を引き裂かれるようにして嫁いだ家茂は、長州征伐に赴いた大坂城で没した。ついには、婚家である徳川家の滅亡を目のあたりにし、江戸城を追われるように上洛《じょうらく》した帰途の箱根路で病没したのである。

記録によると、和宮の柩は、それまでの徳川家の墓に共通の座棺ではなく、檜材《ひのき》で造られた三重の寝棺であったという。浅見は木曾の木地師の里で見た、柩の「注文書」を思い浮かべた。絵図面はなかったが、あれもおそらく寝棺だったにちがいない。

発掘された柩の状態はひどいものであったようだ。蓋は朽ち落ち、側壁もまた、下部を少し残す程度に朽ちていた。棺内には朽ちた布片のほかには服飾品は何もなかった。防腐剤として、紙袋入りの石灰がいくつも並んでいたが、そんなものは長い歳月の前には無力だ。

唯一の副葬品らしき物としては、一枚のガラス板が発見されている。当初、誰も注目する者もないまま、研究室に持ち帰り、何気なく明かりに透かして見たところ、これがじつは湿板《しっぱん》写真で、長袴《ながばかま》の直垂《ひたたれ》に立烏帽子《たてえぼし》姿の男が写っていた。これはひょっとすると、研究価値の高い大発見か――と思ったのだが、翌日、あらためて検分したときには、写真の膜面が消え、ただのガラス板になってしまっていた。研究者に保存の知識がなかったためだが、「思えば誠に残念なことであった」と、瀬戸原は書いている。

問題の和宮の遺体についての記述は微に入り細を穿《うが》って、瀬戸原の面目躍如といった感じだ。浅見はしばし足達の存在を忘れ、書物を読み耽《ふけ》った。

和宮の身長は一四三・四センチメートルと推定され、当時の日本人女性としても、かなり小柄だったようだ。「和宮の頭は、前から見ると、顔に比べて大頭で、かつ短頭型」だとか、「甚だしい『おでこ』である」とか、「顔の幅が著しく狭い。江戸時代のみならず、現代でも珍しい」などと、瀬戸原はいかにも学者らしく、大胆率直な観察を記述している。このほか、鼻、歯、顎《あご》などについての観察・分析は、素人の浅見が見てもきわめて分かりやすく、興味深いものがある。

分析の総論として、瀬戸原は和宮の頭骨形質は、典型的な貴族形質を示している——と結論づけ、発掘された遺体の特徴は、和宮が仁孝《にんこう》天皇の第八皇女であることを裏付けるものであって、その点から考えると、有吉佐和子の『和宮様御留』に述べられた「和宮替え玉説」は、完全なフィクションにすぎないと一蹴《いっしゅう》している。

「面白いですねえ」

浅見は本を閉じるのを惜しみながら、足達に言った。

「面白いでしょう」

足達も嬉《うれ》しそうだ。

「ええ、学術書がこんなに面白く読めるとは思いませんでした。こういうのが人類学なのですか。だったら、志望者がもっと大勢いてもよさそうなものですが」

「ははは、そうは言っても、これほどの研究対象に運よく遭遇できるのは、ごく稀《まれ》でしてね。もしもこんなのに一度でも出くわせば、学者としては一生、食いっぱぐれがないと言ってもいいほどのものです。瀬戸原先生はそういう幸運にいくつも恵まれた、希有《けう》の方ですよ。といっても、それも先生の資質とご努力の賜物《たまもの》ではありますがね」

「大塚さんは、瀬戸原先生のそういうところに惹《ひ》かれたのでしょうか」

「ああ、大塚さんだけじゃありませんよ。多くの弟子たちは皆、先生を尊敬するのと同時に、先生の幸運にあやかりたいと願っているのかもしれません」

「ところで」と、浅見は足達の高揚した様子に水を注《さ》すように言った。

「瀬戸原先生の財産はどのくらいあるのでしょうか？」

とたんに、足達は（またか――）と冷めた表情に戻って、眉《まゆ》をひそめた。

5

猛暑の日々がつづいていた。池本美雪の手紙に、馬籠も例年にない暑さで、坂を登る観光客が気の毒――と書いてあった。

皇女和宮の柩は妻籠の「木地師の里」で作られたと、浅見が知らせてやった手紙への返事である。その事実にもだが、美雪は浅見がいち早くそれを調べ上げたことに驚き、「まるで神様みたい」という表現で浅見を尊敬している。

おまけに、柩を作った木地師の何代目かの子孫が東京で殺されたことを知って、心臓が凍るようなショックだったそうだ。母親が言っていた「不吉な予言」が、決して笑い話ではないように思えてきたと書いている。

もっとも、浅見の手紙には、殺された「木地師の子孫」が、和宮の遺体発掘に関わった人類学者を慕って、東京の大学に勤めていたことは書いてない。それを知れば、あの若い多感な女性は、母親の志保同様、因縁の恐ろしさを思いつめて、ノイローゼになるかもしれない。

美雪の手紙によると、永昌寺の殺人事件のほうは、その後、ほとんど進展していない様子だ。地元の新聞にもまったく、事件関係の記事は載らないという。殺人事件の記事なんてやつは、いじめによる殺人だとか、よほど猟奇的なものでもないかぎり、そう何日も新聞に載ることはない。単なる「強盗殺人」ではニュースバリューに乏しい。現に、大塚瑞枝の事件など、新聞紙上に活字が出たのは、わずか二度だけである。

それにしても、どっちの事件も、捜査は遅々として進んでいないようだ。近頃は外国人による凶悪犯罪が増えていて、これまでの事件とは異なる荒っぽい手口による殺しが目立つ。警察は、大塚瑞枝の事件もそれではないか――という単純な見方で、片づけているのかもしれない。

浅見の「捜査」は、警察とは別の路線で少しずつ進んでいる。

Ｎ大学人類学教室の足達助手に会ったおかげで、大塚瑞枝と瀬戸原名誉教授の関係が、さらに興味深いものに思えた。瑞枝が瀬戸原の個人秘書的な立場で、自宅にも出入りしていたとなると、これはもう、師弟の関係を超えた結びつきを想像されても、あながち邪推とは言いきれない。

警察が瀬戸原を捜査の対象として追及している気配は、まったくなかった。まったく事件とは無関係だと思っているのか、それとも高名なＮ大学名誉教授を畏《おそ》れているのだろうか。いずれにしても、単純な強盗殺人と認識しているかぎり、永久にその姿勢は変わりそうにない。しかし、浅見は瑞枝の事件の謎を解くには、もはや瀬戸原との関わりを抜きにしては考えられないと確信した。

だが、その瀬戸原と会うためには時間がかかりそうだった。足達助手は浅見の目的を、純粋に学問的興味から――と受け取ってくれたが、瀬戸原と会わせて欲しいという申し出には当惑していた。

「とにかく、気儘《きまま》な先生ですからねえ。ご自分の研究以外のことで、余計な雑音――あ、失礼、浅見さんのことではなく、一般論ですが、そういうことにはきわめて冷淡な方なのです」

逃げ腰の足達を動かすのに、うまい材料があった。

「瀬戸原先生のご研究の足しになるようなことで、ぜひお話ししたい情報があると言ったら、いかがですか？」

「はあ、それならいいでしょうが、しかし、本当に何かあるのですか？」

「たとえば、大塚瑞枝さんの先祖が、和宮の柩《ひつぎ》を作ったという話はどうでしょう」

「えっ、何ですか、それ？」

「いま言ったとおりです。大塚さんの実家は、木曾の妻籠にあります」

「ああ、それは知ってますよ」

「いまでも、大塚さんのお兄さんは妻籠の木地師ですが、大塚家は代々、木地師を家業にしてきたそうです。それで、何代か前、ちょうど皇女和宮が江戸へ下るときに、役所の命令で和宮の柩を作ったというのです。柩そのものは馬籠の大火の際に焼けてしまいましたが、しかし、その命令書が大塚さんの家に残っていますよ」

「本当ですか？」

「本当です」

足達は唸《うな》り声を発した。にわかには信じがたいと思ったにちがいない。

「どうでしょうか。この話をお土産に、瀬戸原先生にお目にかかるわけにはいかないでしょうか」

「そうですねえ、もしそれが事実であるならば、瀬戸原先生も興味を抱かれると思いますが……しかし、本当ですか？　いや、その命令書なるものは、本物なんですか？」

「本物だと思いますよ。とくに鑑定したわけじゃありませんが、べつに、偽物を作っておく必要は何もありませんからね。なんだったら、大塚さんのお兄さんに頼んで、その書きつけを送ってもらいましょうか」

「そうですねえ……出どころが、ほかならぬ大塚さんの実家ということなら、瀬戸原先生も特別扱いをなさるかもしれませんね。分かりました、それじゃ、瀬戸原先生のご都合を伺ってみましょう。ただ、すぐにというわけにはいきません。タイミングを見計らってということで」

それにはおそらく一週間か十日はかかるだろうということだった。足達助手の目から見ると、瀬戸原名誉教授は雲の上の人だ。風来坊のようなルポライターを紹介するには、かなりの勇気を必要とするのだろう。それをゴリ押しするわけにもいかず、浅見はおとなしくN大学を引き上げた。

こうして、とにもかくにも足達からの連絡待ちということになった。

ぽっかり空いたひまをつぶすようなつもりで、浅見は永昌寺の島崎藤村の墓前で殺された、弘田裕子の家を訪ねることにした。

第五章　接　点

1

　東京都稲城市は、つい最近——昭和の初め頃までは農村地帯といってもいいような佇《たたず》まいだった土地である。浅見の少年期に、梨もぎに行った記憶があっても不思議ではない。多摩川に臨む平坦《へいたん》な農地やなだらかな丘陵地帯には、現在も梨農家が点在する。

　ここ十年ほどで東京は大きく変貌《へんぼう》したが、稲城市にはまだ、浅見のおぼろげな記憶の拠《よ》り所が残っていた。道路は拡幅されたところもあるし、駅周辺は繁華になったが、ちょっと裏手に入れば、静かな住宅街の背後に緑濃い丘陵もある。かつて米軍弾薬庫があった陰鬱《いんうつ》な森は、ゴルフ場や、米軍用のレクリエーション施設に生まれ変わったらしい。

　弘田裕子が住んでいたマンションは、JR南武線稲城長沼駅から、商店街を抜けて南西に少し行った、丘陵の裾《すそ》にあった。マンションというよりアパートといったほうがよさそうな、三階建てのごく小振りのもので、弘田裕子の部屋はその一階の1DK、独身女性らしいささやかなスペースだ。

分譲マンションだから、当然、まだローンが残っていたと思われる。ドアの脇には弘田裕子の表札がかかったままになっている。管理人室を訪ねて、彼女の死後、部屋はどうなったのか訊《き》いてみた。

「お身内の方が見えて、買い手があったら譲りたいということです」

「中を見せてもらえませんか」

浅見は言った。

「もし、状態がよくて、値段の折り合いがつけば、買いたいのですが」

「そうですか、ちょっと散らかってるかもしれませんが」

管理人はすぐに鍵束《かぎたば》を取ってきた。うまく商談が成立すると、なにがしかの手間賃にはなるのかもしれない。

ドアを開けた瞬間、浅見はかすかに臭いを感じた。閉め切った部屋にありがちな一種のカビ臭さのようだが、何かの薬品の臭いが少し混じっている。しかし、じきに鼻のほうが慣れたのか、臭いは気にならなくなった。

管理人は散らかっていると言ったが、家財類はすでに梱包《こんぽう》され、明日、運送会社が来て運び出されるだけの状態で、床の上に積み上げられていた。中身はすべて段ボール箱に詰められて、空っぽになった食器棚や本棚が、主のいなくなった侘《わび》しさを訴えているようだ。弘田裕子がどういう暮らしをしていたのか、もはや偲《しの》ぶよすがもない。

「この部屋で、弘田さんは何年暮らしたのでしょうか？」

浅見は感慨をこめて、訊いた。

「八年前に、このマンションができたときからです」

「ずっと独りで？」

「独り暮らしでした。ときにはお客さんもあったのでしょうけどね」

「お客は男ですか、女ですか？」

「さあ、それはどうですか、ずっと以前は男の人も来たような気がしますが……しかし、少なくともここ何年かは、男の人が来たのは見たことがありませんね。弘田さんはけっこう美人系だけど、真面目な人だったのじゃないでしょうかなあ」

言いながら、管理人は気づいて、疑わしい目になった。

「失礼ですが、おたくさんは弘田さんとはどういう？」

「いや、じつはこの事件を取材した新聞記者の知り合いなんですよ。独りで住むには手頃なマンションだって聞きましてね。いまなら安く買えるんじゃないかって。ただし、きょう来たのは連中には内緒ですが」

「ああ、そうでしたか。どうりで刑事さんや記者さんみたいなことを訊くわけですね。

だけど、弘田さんが付き合っていた男の人だとか、そんなことを訊いて、どうするつもりですか？」

「いや、どうということはありませんが、やはりその、いざ買うとなると、ここで何があったか、気になりますから」

「そういうことなら気にすることは何もないです。ここで事件があったわけじゃないんですから」

管理人は、マンションの資産価値が下がるのを警戒するのか、むきになった。

「だいたい、あの人はほんと、おとなしくて、礼儀正しくて、まるっきりトラブルのない人でしたよ。私なんかにも、会えばきちんと挨拶《あいさつ》するし。今度の事件だって、なんであんないい人が殺されなきゃならないのか、まったく考えられませんよ。警察の話だと、強盗だそうですが、交通事故に遭ったみたいなものだったんじゃないですかねえ」

「その、弘田さんの人柄については、警察は何て言ってましたか？」

「いや、私の言うとおりだろうって、納得してましたよ。勤め先でも同じようなことを言っていたそうです」

その弘田裕子の勤め先は水道橋近くの「学術文化社」という出版社である。一応、物書きの端くれである浅見も聞いたことのない名前だ。社名から推測すると、おそらく学術書か専門書を出しているのだろう。

浅見はマンションを出ると、都心へ向かった。東京のはずれのような稲城市から水道橋までは、電車だとせいぜい小一時間程度で行けるはずだが、渋滞に巻き込まれて二時間近くもかかった。

学術文化社は七階建てのビルの一階と二階部分を使った、小さな出版社であった。推測どおり、医学書などの専門書を多く出しているようだ。一階は事務所と倉庫が同居したような、乱雑な状態で、弘田裕子のデスクはそのオフィスの片隅にあった。

「まだ代わりが見つからないもんで」

石沢という、彼女の上司だった男が、言い訳がましい口調で指さしたデスクの上には、返本らしい荷物の山ができている。なんとなく、弘田裕子がこの会社でそれほど優遇されていなかったような印象を受けた。

石沢は最初、浅見が刑事だと思ったらしく、おどおどした様子だったが、そうでないことを知って、ほっとするのと同時に、急に態度が大きくなった。

弘田裕子がこの会社に勤め始めたのは六、七年前のことだそうだ。主に庶務的な仕事を担当していたが、勤務態度はきわめてよく、同僚からも信頼されていたらしい。

「ただねえ、付き合いが悪くて」

石沢は顔をしかめた。

「仕事上はいやな顔ひとつしないが、愛想はあまりよくなかったですなあ。独身の女性だから、それなりにモーションをかけるのもいたみたいだが、ぜんぜん見向きもしなかったし、勤めのあと、飯に誘っても断られましたね。もちろん、飲みに行くこともなかったのじゃないかなあ」

「誰か社外に特定の男性がいたのではないでしょうか」

「さあねえ、そういうプライベートな話はまったくしなかったから、私は知らないが、たぶんいたと思いますよ。たまに私用の電話がかかっていたみたいですから」

「男性からですか？」

「ああ、女性がほとんどだが、男性からもかかってました。もっとも、恋人かどうかまでは分かりませんがね」

「電話で話しているときの様子ですが、どんな感じでしたか？」

「いや、それはぜんぜん変わらない。いつもの真面目くさった、愛想のない顔でした。単に『はい、はい』とか『分かりました』とかいった程度の受け答えで、話の内容まではまったく分からなかったなあ」

「となると、警察はその人物を捜しているのでしょうね」

「でしょうな。しかし、これっぽっちの情報では、いくら警察でも、調べようがないんじゃないですか」

もし石沢の言うとおりなら、弘田裕子は私用電話の相手の素性を知られないように用心していたと考えられる。とはいえ、強盗殺人事件と見込んで捜査を進めているとすると、その相手を特定する作業には、警察はあまり熱心ではないかもしれない。浅見自身、弘田裕子の事件に関しては、それほど熱意をもって臨んでいるわけではなかった。もし、この事件が馬籠で起きたものでなく、それに池本夫人が第一発見者でなければ、この段階で事件への関わりを断念していただろう。浅見がそうしなかったのは、ほとんど行きがかりみたいな気分だったかもしれない。

2

浅見が千葉県柏《かしわ》市の弘田裕子の実家を訪ねたのは、それから三日後のことである。駅からかなり離れた新興住宅団地に、似たような規格の二階屋が並んでいる、そのいちばん奥まった辺りであった。

せっかくの休日を煩わされるせいか、裕子の兄はあまり愛想のいい挨拶をしてくれなかった。もらった名刺には電機メーカーの名前と「製造第二部　技術課長」の肩書があった。いかにも技術屋らしい融通のきかない性格が、いかつい顔つきにも現れている。

「妹の事件のことについては、何も話すことがありませんよ」

弘田はのっけからそう言った。

「会社にも警察にも、この家の住所は教えてくれるなって言っておいたのだが、あなたは誰に聞きました？」

どうやらそのことも不快の一因になっているらしい。浅見がここの住所を知ったのは、弘田裕子のマンションで、梱包《こんぽう》した荷物の上に載っていた送り状を見たからだが、それを言うわけにはいかない。

「事件直後、僕は偶然、馬籠にいたのです。それで、身元調べの段階でこちらのご住所を知ることができました」

「というと、あなたもマスコミの関係者ですか？」

肩書のない浅見の名刺を引っ繰り返して、言った。

「フリーのルポライターですが、事件の記事を書くつもりはありません」

「は？　というと、うちに見えた目的は何ですか？」

警戒の色をいっそう深めた。

「事件そのものに関心があるのです。つまり真相は何か――という」

「事件の真相？　そんなものは警察が調べているでしょう。たしか、強盗目的だったとか聞きましたが」

「警察はそう言っているようですが、僕はそうは思いません」

「思わないって……じゃあ、何だというのですか？」

「それはまだ分かりませんが、一種の勘のようなものでしょうか」

「勘でそんなことを……」

弘田は呆《あき》れたように、見下す目で浅見を見た。

「勘といっても、ぜんぜん根拠がないわけでもないのです。たとえば、妹さんはなぜあんなところに一人で行ったのか——といったことなど」

「それは、警察の話によると、観光目的の旅行の途中だということでしたが」

「失礼ですが、あなたは妹さんが亡くなった現場へ行きましたか？」

「ああ、行きましたよ。南木曾の警察に呼ばれて、裕子の遺体確認に行った帰り、刑事に案内されて行きました」

「だったらお分かりだと思いますが、あの島崎藤村の墓の前の道は、畦道《あぜみち》のようなものです。事件当日はかなりの雨で、道がひどくぬかるんでいました。観光目的に気軽に立ち寄るという状況ではなかったのですよ。それに、そのときの妹さんの様子を断片的に繋《つな》ぎ合わせると、何か一途《いちず》にその場所を目指していたような気がします。一人でバスに乗って来て、傘をさして、馬籠の坂道をわき目もふらずに登っていったそうです。ただの観光目的だったとしたら、途中には土産物屋も食べ物屋も、藤村記念館などもあるのに、見向きもせず、降りしきる雨の中をなぜそう急ぐ必要があったのでしょう？」

「そんなことは……それは、本人に訊いてみなきゃ分からんでしょう。逆に雨が降っていたから道を急いだのかもしれん。それとも、浅見さんは何かほかに目的があったとでも言うのですか？」

「たぶん」

「ほう、あったのですか？　いったいどんな目的です？」

弘田は揶揄《やゆ》するような口調だが、浅見の話に関心が生じたことも、その目の動きで分かる。

「常識的に考えられるのは、待ち合わせでしょうか」

「待ち合わせ？　誰と……いや、何のためにそんなところで？」

「それは、それこそご本人に訊かなければ分かりません」

浅見は苦笑した。

「しかし、それにはそれなりの理由も事情もあったのでしょう。たとえば、断れない相手から、その場所と時間を指定されたのだとしたら、急いだ理由も説明がつきます」

「ふーん……だけど、かりにそうだとしても、なんだってそんな場所を指定したりするんですかねえ？」

「それはもちろん、裕子さんを殺害することが目的でしょう」

「えっ……」

浅見は当然のことを言ったのだが、弘田は顔色を変えた。

「じゃあ、浅見さんは裕子は殺されるために――いや、犯人は裕子を殺すために、あの藤村の墓におびき寄せたと言うのですか？」

「ええ、そうです」

「まさか、そんなばかな……警察はそんなこと、何も言ってませんよ。第一、あそこは観光地で、しかも真っ昼間ですぞ。そんなところにおびき寄せて、人殺しをするなんてことが考えられますか？」

「たしかに、藤村の墓は有名ですが、ちょっと脇道に逸《そ》れているせいか、観光客の訪れはそれほどのことはありません。現に、僕が行ったときも、人っ子一人、いませんでしたしね。それに、あの日は雨が降っていましたから、よほどの物好きでもないかぎり、わざわざ藤村の墓を見には行かないでしょう」

「だけど、人がいるかいないか、雨が降るかどうかなんてことは、ギャンブルみたいなものじゃないですか。第一、人目につかないようにする気だったら、夜間にすればよかったでしょう」

「夜間、女性一人でノコノコ出掛けて行くと思いますか？　妹さんがどういう性格の方かは知りませんが、観光地で真っ昼間だったから、何の警戒心も抱かないで、指定されたとおりに現場へ向かったと考えられるのではないでしょうか。それから、雨のことですが、あの日は梅雨前線が日本列島をゆっくり北上中で、雨が降るであろうことは、ほぼ確実に予想できました。いつもはあてにならない天気予報もそう断言していましたよ。といっても、それでも観光客の中には物好きがいて、現場に人目のある可能性はあります。その場合はあっさり犯行を諦《あきら》めて、べつの機会を狙えばいいのです」

「…………」

弘田は沈黙した。その彼に代わって、浅見が問題提起をした。

「それでもなお、なぜあの場所で――という疑問は残ります。日本中には、似たような、あるいはもっと犯行に適した条件に恵まれた場所は、ほかにもありそうです。その中からあえてあの場所を選んだのには、何か、それなりの理由があるにちがいない」

「そう、そうですよ。その理由というのは、いったい何なのですか」

「たとえば、犯人に十分な土地鑑があったこと。犯行計画上、とくにアリバイ作りに都合がよかったことなどが考えられます」

「なるほど……おっしゃるとおりかもしれませんね。となると、これは浅見さん、完全犯罪を狙った計画的犯行ですか」

弘田は恐怖に満ちた目を見開いて、浅見の顔を食い入るように見つめた。

その視線の先で、浅見は黙って頷《うなず》いた。

3

気まずいような沈黙が流れた。クーラーの音と、庭木で鳴くセミの声がひときわ高く聞こえた。

学校はすでに夏休みだし、休日も重なって出払ってしまったのか、弘田家にはほかに誰もいないらしい。夫人も現れず、弘田が自ら慣れない手つきで、冷たいコーヒーを作ってくれた。

「驚きましたねえ」

弘田はグラスの水滴を指で拭《ぬぐ》いながら、ため息まじりに言った。

「裕子があんな事件に巻き込まれたこと自体、ショックだというのに、それが仕組まれた計画殺人だなどとは……まるで推理小説みたいな話です。いったい、裕子の身に何があって、こんなことになったのですかねえ」

「お兄さんには、何も思い当たることはありませんか」

「ありませんなあ……というより、私は裕子のことはよく知らないのです。あれは高校を卒業した年に家を離れて、独り暮らしをしながら、東京の大学に通い、就職先も自分で見つけましたからね」

「えっ、その時点で独立されたのですか？　ここから東京までなら、通学できる距離だと思いますが」

「ああ、そうじゃなくて、当時はまだ父親が健在でして、わが家は愛知県のほうに住んでいたのです。私はいまの会社の地元にある工場に就職して、結婚してしばらく向こうにいましたが、五年前に千葉の本社工場に転勤になりました。その後、三年前に父親が亡くなってまもなく、向こうの家を売ってここに居を構えたのです。そんなわけですから、妹の面倒を見ることもなく……というより、あいつのほうが自分勝手に生きていたようなところもありますから。盆暮れにも顔を合わせることはなかったし、父親の三回忌に会ったのが最後になりましたよ」

弘田は悔いが残るのか、暗澹《あんたん》とした面持ちになった。

聞けば聞くほど、大塚瑞枝の境遇とよく似ている。といっても、日本中にはそういう生き方をしている独身女性は数えきれないほどいるだろう。浅見には「結婚観」といえるほどの信念はない。生活力に自信が持てないとか、真っ当な理由というより、どちらかといえば、ただなんとなく独りでいるような状態だが、彼女たちはどうなのだろう？

「一昨日、裕子の荷物が届きましてね」

弘田は老人のような疲れた声を出した。

「稲城のマンションに荷造りに行ったときにもそう思ったのだが、女らしい物はほとんどないのです。本箱には難しい学術書ばっかりでした」

「そういえば、妹さんはそういう系統の出版社にお勤めでしたね」

「そのせいかもしれないが、もともとの性格がそうだったのでしょう。親父も私も、何度か結婚を勧めたりしたのだが、ぜんぜん相手にもしませんでしたしね」

「その荷物の中に、何か事件と結びつくような品——たとえば手紙や日記類などはなかったのでしょうか?」

「ああ、それについては警察にも訊《き》かれたので、一応、調べたのだが、何もありませんでした。というより、手紙類など、極端に少ないのですよ。年賀状もあまり来ていなかったようだし、なんだか寂しい暮らしをしていたんじゃないですかねえ」

「もし、差し支えなければ、どういうものがあるのか、拝見できませんか」

「ん? 妹の遺品をですか?……そうですなあ、全部というわけにはいきませんが」

浅見を信用できる人間と見極めたのか、少し思案してから、弘田は席を立ち、廊下の突き当たりにある板敷きの部屋に案内した。そこには稲城のマンションで見た荷物が、ほとんど梱包《こんぽう》を解かないまま、置いてある。蓋《ふた》を開けた段ボール箱の中身は、弘田が言ったとおり、書物が多いようだ。

そのとき、浅見はふっと臭いを感じた。マンションで感じたのと同じ、何かの薬品のような臭いだ。あれは部屋の臭いではなく、この荷物のどれかから発していたものだったらしい。だからといって、どうということはないのだが、浅見はその臭いに、遠い記憶があるような気がした。

（以前、どこかで嗅《か》いだことがあるような――）

それがどこで、何だったのかが想起できないもどかしさに、思わず顔をしかめた。

弘田が広げて見せた段ボール箱は、書物の詰まったものばかりだった。なるほど専門書や学術研究の本がほとんどだ。

「値段を見ると、高い本なので捨てないで送りましたが、縁のないわれわれには、まったく無用の長物ですなあ」

本の山を眺め回しながら、弘田は自嘲《じちょう》するように言った。

浅見の目が段ボール箱の中の一冊の本の上で停まった。『人類学概論』という表題が、無愛想な無地の表紙に印刷されている。著者は八木沢俊夫――大塚瑞枝が殺された夜、瀬戸原道造名誉教授の誕生会が開かれた、その邸《やしき》の主である。

浅見は「ドキリ」と、心臓が鳴る音を聞いたと思った。無数といっていい蔵書の中の一冊だと思い捨ててしまえばそれまでだが、思いがけない場所で思いがけない人物に出会ったような衝撃であった。

その瞬間、連動するように、あの「臭い」の正体に思い当たった。

「あっ……」

と声が洩《も》れた。弘田が不審の目を向けた。

「どうかしましたか？」

「えっ、いや、ええ、ちょっと……この薬品の臭いですが、どの荷物でしょうか？」

「は？　薬品？……」

弘田は鼻を天井に向けて、クンクンと空気を嗅《か》いだ。

「そういえば臭いますね。えーと……そうだ、たしか、工作の道具箱みたいなのがありましたよ。ちょっと待ってくださいよ」

新たに段ボール箱をいくつか開けて、中身を確かめ、「これですね」と言って、木製のかなり大型の道具箱のような箱を取り出し、蓋を開けた。中には石膏《せっこう》の粉末、接着剤、何かの薬品が入ったガラス瓶等々、N大学の例の頭蓋骨《ずがいこつ》が並ぶ収納庫にあったのと、そっくりのものがぎっしり詰まっていた。

4

道具箱の中にある物は、どれもかなり長い期間放置されていたらしい。石膏の粉末は湿気を帯びて固まった部分があった。接着剤の缶は密閉されているようだが、揮発性の強い溶剤がほとんど飛んでしまって、中身はすでにゴム状になっていた。臭気がそれほど強くなかったのは、そのためである。

「裕子さんは、こういう物を使って、何を作っていたのでしょうか？」

浅見は訊いたが、弘田は首をひねった。

「さあねえ、妹の暮らしについては、私はほとんど知らないもんでねえ。しかしまあ、何か工作みたいなことを趣味にしていたのでしょうかなあ」

「それらしい物――工作の完成品のようなものはありましたか？」

「いや、べつに何もありませんでしたよ」

浅見が死んだ妹の遺品に関心を抱く意味を測りかねて、弘田はやや当惑ぎみに眉《まゆ》をひそめている。それは浅見にも説明のつかないことだ。ただ気になるのは、弘田裕子の蔵書の中に八木沢教授の著書が入っていたことと、道具箱の中身がN大学の収納庫で見た物とそっくりであることだが、だからといって、それがどうだというのか――。

浅見はコーヒーを飲み終えると、弘田家を辞去した。ソアラを走らせながら、毛虫が背筋を這《は》い上がるような、薄気味の悪い焦燥感をおぼえていた。まったくその気もなかったのに、何か厄介な命題を背負い込んでしまった気分であった。

月曜日の朝、浅見は弘田裕子の勤務先であった学術文化社の石沢に電話して、弘田裕子が学術文化社に入社する前、何をしていたのかを訊いた。

「どこか、小さい会社に勤めていたのじゃなかったですかねえ」

裕子が入社したのは七年前のことで、石沢はあまり詳しいことは知らないらしく、人事課のほうに確かめてくれた。人事課では警察の調べがあったときに、履歴書の綴《つづ》りを確認したばかりだそうだ。

弘田裕子の前の勤め先は、文京区湯島にある「アクア商事」という会社であった。履歴書の記載によると、新卒で入社、三十歳で辞めるまでの八年間、そこに勤務している。

浅見はすぐにアクア商事を訪ねた。湯島天神に近い、本郷通りに面した細長い七階建てのビルであった。表の看板に「文房具雑貨　卸小売」と書いてある。一階が店舗部分、二階に事務所部分があった。店舗で小売りをする傍ら、卸売りもやっているということなのだろうか。三階以上はほかの会社だが、雰囲気としては自社ビルのような印象だ。その点からいえば、学術文化社に「小さい会社」と言われるほどのことはない。

小売りより卸が中心の経営らしく、ふつうの店舗のようにお客の出入りが賑《にぎ》やかということはないが、店の中は出荷の梱包が積み上げられ、社員の行き来もしげく、なかなか活気がある。二階の事務所に行き、ドア近くにいた女性に声をかけた。

「弘田裕子さんのことで、ちょっとお訊きしたいことがあるのですが」

「ああ……」

最初、こっちを向いたときはにこやかだった女性の顔が、一瞬のうちに白けた。弘田裕子の事件のことは、当然のことながら、この会社でも話題になっているのだろう。

女性は奥へ行って、五十がらみの上司らしい男に小声で用向きを伝え、戻ってくると浅見を奥の応接室に案内した。

しばらく待たせてから男が入ってきて、挨拶《あいさつ》を交わした。男の名は「森川栄市」で、名刺の肩書は総務部長。総務部長が必要なほどの規模の会社とも思えないが、一応、そういうことになっているのだろう。しかし肩書がぴったりくる、痩《や》せ型の、いかにも用心深い物腰だ。浅見が肩書のない名刺を出すと意外そうな顔をした。

「刑事さんではないので？」

「は？　いえ、違います。フリーのルポライターをやっている者です」

女性が早トチリして、刑事の来訪と告げたらしい。男の表情に安堵《あんど》感が浮かぶのと同時に、また別の懸念《けねん》が広がった。

「で、どういうご用件で？」

「弘田裕子さんがこちらに勤めておられた頃のことを、少しお訊きしたいのですが」

「はあ、しかしなにぶん古いことで、あまりはっきりした記憶はありませんが」

「同僚の方で、親しくしていた方はいらっしゃらないのでしょうか？」

「そうですなあ、当時、同僚だった女性社員は全員、すでに辞めておりますし、私はじめほかの人間で、彼女と個人的にはもちろん、社内でもとくに親しくしていた者は一人もおりません」

「八年間も在職していたのに、親しい方がいらっしゃらないのですか？」

「そのとおりです。ま、ちょっと意外に思われるかもしれませんが、もともと弘田さんは人付き合いのいいほうではなかったもんで、私のような人間がむしろ、表面的ではありますが、詳しいくらいなもので」

森川総務部長は、他の人間に累が及ばないよう、露骨にガードを固めている。

「こちらはどういう会社ですか？」

「看板にもあるとおり、文房具と事務用品などの雑貨全般を扱う商事会社です。とくにいわゆる教材に関しては、都区内全域の学校に納入させていただいております」

「弘田さんはどういうお仕事をしておられたのでしょうか？」

「営業サービスを担当しておりました」

「営業……女性の営業さんは珍しいのではありませんか？」

「いや、営業といっても、ふつうの会社のようなセールスをやるというより、お得意さんに細やかなサービスをするのが主たる仕事です。学校関係だと、ときには運動会のお手伝いなんかもします。弘田さんは社内では付き合いは悪かったが、そういう仕事となると積極的で、評判がよかったですよ」

「じゃあ、その仕事が好きだったのでしょうね」

「そうですな、机の上でやるような事務的な仕事よりは、外回りのほうが向いていたことは確かです」

その弘田裕子が、転職先の学術文化社で庶務のような仕事に就いたのは、彼女にとっては本意だったとは思えない。

「弘田さんが辞められた理由は何だったのでしょうか？」

「さあ、それがはっきりしないのですが、まあ、女性社員の場合、いろいろありますからなあ」

「いろいろとおっしゃいますと？」

「いや、何がということは分かりませんが、たとえば結婚適齢期だとか、いろいろあるんじゃないですか」

「辞める理由が結婚だったのですか？」

「そうではないですが……」

どうも歯切れが悪い。訊いてもまともに答えるはずはないが、同僚の女性社員が全員辞めているところから判断すると、三十歳という年齢が、この会社では「定年」の目安になっていたのかもしれない。

5

浅見はいよいよ核心に迫ることにした。

「ところで、弘田さんが殺された事件のことはご存じですね？」

「ええ、知っております。といっても、新聞で見た程度ですが、驚きました。社内でもひとしきり、その話で持ちきりでした」

「警察はまだこちらには来ていませんか」

「もちろん来ていませんよ。うちと事件は関係ありませんからねえ。あれはなんでも、長野県の馬籠で起きた事件で、犯人は強盗だそうじゃないですか」

「いや、必ずしもそうと決まったわけではないらしいですよ。警察は恨みによる犯行ではないかと疑っているようです」

「恨み？……」

「いわゆる、広い意味での怨恨《えんこん》というやつですね。たとえば異性問題がこじれているとか、金の貸し借りが絡んでいるとか、会社や政治家の何か不正事実を摑《つか》んでいるとか、いのちを狙われるには、いろいろなケースが考えられますから」

「それにしたって、当社とは何の関わりもないことですな。第一、七年も前に辞めた人間ですしね」

森川総務部長は不安を払い除《の》けるように、肩をそびやかした。しかし、さっき浅見を刑事と勘違いした様子から見て、そろそろ警察が何か言ってくるのではないかと予感していたことは想像にかたくない。

「そうですね、警察もそこまで遡《さかのぼ》って考えることはないでしょうね」

浅見は森川の不安を慰撫《いぶ》するように言ってから、訊いた。

「つかぬことを伺いますが、こちらはN大学とは取り引きがありますか？」

「ええ、N大学さんはいくつかの学部や研究室に納入させていただいてますよ」

「人類学研究室にもですか？」

とたんに不吉な予感が過《よぎ》ったのか、森川の顔色が曇った。

「ええ、お取り引きいただいてますが……浅見さんはご存じなのですか、N大の人類学研究室を」

「知ってます。助手の足達さんとか大塚さん……そうそう、大塚さんといえば、やはり最近、不慮の死を遂げられましたねえ」

「そうなんですよ。私は大塚さんとは直接お会いしたことはないが、電話では何度かお話しもしているし、いやあ、あの事件のことを聞いたときも驚きました」

「しかも、その直前には弘田さんが殺されたのですからねえ」

「おっしゃるとおりです。偶然とはいえ、身近にいた人が巻き込まれる殺人事件が、こう相次いで起こるとは……まったく恐ろしいことです」

森川は「偶然」のところで、妙に力を入れた。

「ところで、N大人類学研究室に品物を納める仕事は、弘田さんが担当していたのではありませんか?」

「は?……さあ、それはどうでしたかなあ。なにぶん古い話なもんでして、まあ、そういう時期もあったかもしれませんが」

「足達さんの話だと、事務用品や備品類の発注は大塚さんがやっていたそうですね」

「ええ、研究室の事務関係のことは、すべて大塚さんがなさっていました」

「ということは、弘田さんは大塚さんと親しかったか、少なくとも顔見知りだったわけですね」

「そういうことになりますかなあ」

分かりきったことであるのに、森川は断定的な言い方をしたくないらしい。

「まあ、足達さんにお聞きすれば分かることですけどね」

「それはだめでしょう。弘田、いや弘田さんが行っていた頃は、まだ足達先生はいらっしゃいませんでしたよ」

「あ、そうでしたね。とおっしゃると、じゃあ、やっぱり弘田さんがN大の人類学教室を担当していたのは間違いないのですね」

「は？　あ、いや、たぶんそうだと思いますが……」

語るに落ちた——と、森川は鼻の頭に思いきり皺《しわ》を寄せ、そっぽを向いた。

クーラーのよく効いたアクア商事を出ると、巷《ちまた》の熱気で息がつまった。朝自宅を出たときから気温は高かったが、昼近くなると、街はフライパンの上のように焼けた空気が立ち込めている。

浅見はソアラのクーラーを作動させ、ドアを開けっ放しにして、熱気が冷めるまで車の外に佇《たたず》んだ。オーバーヒートした頭は、忽然《こつぜん》と湧きだしてきたような事実を、多少、持て余しぎみであった。

馬籠で殺された弘田裕子と、長者丸で殺された大塚瑞枝が、少なくとも七年前までは接点があった。いや、それ以前の数年間は納入業者と発注者という関係で、しばしば接触もし、ときには個人的な付き合いだってあったかもしれないのである。

(何なのだ、これは？——)

森川は「偶然」と言ったが、これが単なる偶然とは、到底、思えない。単に二人が知り合い同士だったというばかりでなく、二つの事件の相似性はいくつもある。

被害者が二人とも三十代なかば過ぎの独身女性であること。

一見、強盗殺人事件であるかのような殺され方であること。

事件の発生が時期的にごく近いこと。

いずれも雨の日の惨劇であったこと。

そして、何よりも興味深いのは、弘田裕子の殺された事件現場が、大塚瑞枝の郷里といってもいいような場所であったことだ。

(弘田裕子が死んだとき、大塚瑞枝はどこで何をしていたのだろう?——)

ふいに悪寒《おかん》のようなものが襲ってきた。浅見はソアラにもぐり込むと、自動車電話でN大人類学研究室の番号をプッシュした。足達はきょうも研究室にいた。

「やあ浅見さん、暑いですなあ」

受話器から耳を離したくなるような、暑苦しい声が飛び出した。

「ちょっとお聞きしたいことがあるのですが、七月二日というと、大学はすでに休みに入っていますね?」

「はァ? ええ、そうですね。もっとも、私はその日もここに出てましたけど」

「大塚さんはどうでしたか?」

「大塚さん? 休みじゃないですか。たしかその頃は、学生がちらほらいた程度で、この辺りには誰もいなかったと思いますよ」

「どこにいたか、分かりませんか?」

「どこにって、大塚さんが? そんなこと分かりませんよ」

「しかし、七月五日には瀬戸原先生のパーティがあったわけでしょう。そのときの会話の中で、大塚さんは何か手掛かりになるようなことを言っていませんでしたか？」

「手掛かりだなんて、なんだか警察みたいなことを言いますねえ。会話っていったって、学問の話だとか、昔話だとか、そういうのが多かった……ああ、そういえば、瀬戸原先生の講演会のことが話題にのぼりました。大塚さんも同行したとかいう……あれがその頃じゃなかったかな」

「七月二日ですか？」

「かどうかは分かりませんが、休みに入ってからのことだから、七月一日か二日か、たぶんその頃だと思いますよ」

「講演会はどこでやったのですか？」

「たしか名古屋じゃなかったかな。あ、そうですよ、名古屋です。八木沢先生が瀬戸原先生に、外郎《ういろう》のお土産をもらったお礼をおっしゃってましたからね」

「名古屋……」

心臓がズキリと痛んだ。たしか弘田裕子の兄は、実家が「愛知県」にあったと言っていた。この符合は何か関係があるのか？

「浅見さん、それがどうかしたんですか？　七月二日に何かあったんですか？」

浅見が黙ってしまったので、足達は心配そうに問いかけた。

「どうということはないのですが……そのとき、瀬戸原先生と大塚さんは、ずっと一緒に行動していたのでしょうか？」

「えっ？　一緒って……浅見さん、またこのあいだの話のぶり返しですか？　失礼だが、そういうのを下司《げす》の勘繰りというんじゃありませんかねえ。いいかげんにしてくれませんか」

さすがの好人物の足達も、不愉快きわまる——という声を出した。

「いや、そういう意味ではないのです。単純に物理的に、お二人がずっと一緒だったかどうかを知りたいだけなのです」

「そんなことは私は知りませんよ。知りたければ、ご本人に訊《き》いてくれませんか」

足達は「じゃあ、失礼」とそっけなく言って電話を切った。

第六章　名誉教授

1

足達にヘソを曲げられたのはまずかった。瀬戸原名誉教授にコンタクトを取る方法を考えなければならない。インタビューなどで政治家や財界人と会うときには、あまり気後れしない浅見だが、学者先生はどうも苦手だ。学生時代に勉強嫌いだった後遺症かもしれない。それに、足達の話の印象だと、瀬戸原はかなり気難しい人物らしい。つい二の足を踏みたくもなる。

しかし、意を決して、浅見は直接、瀬戸原道造宅に乗り込むことにした。

瀬戸原家は文京区千駄木《せんだぎ》の古い住宅街の中でも、ひときわ古そうな二階屋であった。おそらく終戦直後に建てられたものだろう。この辺りにはそういう家がある一方、真新しい瀟洒《しょうしゃ》なマンションもある。葉を繁らせた背の高い樹木も多く、浅見家のある北区西ケ原界隈《かいわい》と雰囲気が似ている。

門扉の軋《きし》む音が呼び鈴代わりになっているわけでもないだろうけれど、浅見が門を一歩入るとすぐ、玄関の格子戸を開けて、老人が現れた。白い登山帽に開襟シャツ、麻のズボンといういでたちだ。N大研究室の壁に飾られた、歴代主任教授の写真で見たよりは、かなり老けてはいるが、まぎれもなく瀬戸原道造である。

瀬戸原は「何者？」というように、顎《あご》を突き出して闖入者《ちんにゅうしゃ》を睨《にら》んだ。瘦《や》せてはいるが、七十七歳という年齢にしては背丈は大柄なほうだろう。面長で威厳のある上品な顔だちをしている。先方にはそのつもりはないのかもしれないが、気圧《けお》されるものを感じた。

「瀬戸原先生ですね。突然で恐縮ですが、ちょっとお話をお聞きしたいのですが」

浅見は距離を詰めながら、早口で言って、名刺を差し出した。今回は「旅と歴史」編集部の肩書が入った名刺を使った。

「ふーん『旅と歴史』ですか」

やはりその名刺は効果があったらしい。藤田編集長の人柄はともかく、「旅と歴史」自体はその種の雑誌としては真面目で、アカデミックで、創刊の歴史も古い。瀬戸原は一目おいたような顔になった。

「それで、何を聞きたいの？」

予想外の優しい口調である。

浅見は呼吸を整えて、

「皇女和宮の柩《ひつぎ》のことについてです」

「ほう、和宮の柩ですか。それはまた古い話ですな。僕があれの発掘に関わったのは、かれこれ三十七年も昔の話だが」

「それは増上寺の徳川家霊廟《れいびょう》の移葬のことをおっしゃっているのですね。僕がお聞きしたいのはそのことでなく、もう一つの和宮の柩についてなのです」

「もう一つの柩？……」

「はい、和宮降嫁の際、道中の不慮を予測して、中山道馬籠宿に和宮のための柩が用意されたというのです」

馬籠の名を出すとき、浅見は瀬戸原の表情に注目したが、それに対しては別段の動揺は見られなかった。しかし「和宮の柩」の話には興味を惹《ひ》かれたようだ。

「なるほど、そういう物があった可能性はなしとしませんな」

頷《うなず》いて、腕を組み、考えに沈みそうになって、ふと気がついた。

「あ、ここじゃなんだから、中にお入りなさい」

「はい、ありがとうございます。しかし、先生はお出かけになるところではなかったのですか？」

「ん？　ああ、そうか、どこへ行くつもりだったのかな？　えーと、そうそう、蕎麦《そば》を食いに行くところだった。あんた、蕎麦はお嫌いかね。なかなか美味《うま》い蕎麦だが」

「ご一緒させていただきます」

「そうかね、それじゃ行きましょう。昼どきになると混むからね、少し早めに行ったほうがよろしい」

戸締りもしないで、さっさと門を出た。大手を振って歩くスピードも早い。浅見は瀬戸原の弟子か書生のように、二、三歩遅れて従った。

午《ひる》には少し間のある時刻だ。蕎麦屋はまだ暖簾《のれん》を出していないのだが、瀬戸原は構わず戸を開けて、「ごめんよ」と店に入った。打ち水の乾いていない店内には、大釜《おおがま》の湯気が漂っていた。口うるさそうな親父が顔を覗《のぞ》かせて、「先生、まだ開店前だよ。ぼけちゃって、しようがねえ」と厭味《いやみ》を言った。そのくせ、「いつものやつでいいのかい?」と、心得顔である。

「ああ、天麩羅《てんぷら》をヌキでな。それと、こちらさんには天ザルの大盛りだ。きみ、それでいいね?」

勝手に決めて、テーブルにのしかかるような恰好《かっこう》で、向き直った。

「それで、さっきのつづきだが、その話の出どころはどこです?」

好奇心に満ちた学者の顔である。

「信州の馬籠宿で聞いた話を、大塚瑞枝さんのご実家で確認しました」

「なにっ、大塚君の実家ですと?」

目と口を丸く開けて、呆然《ぼうぜん》と浅見を見つめた。人間歳を取ると幼児性が戻るというが、瀬戸原の顔はまさに邪気を忘れた、無防備な表情であった。

「ええ、大塚さんのお兄さんが、南木曾町の木地師の里というところで、代々ロクロを回しています。その三代か四代前のご先祖が、役所の依頼を受けて、和宮の柩を作ったということです」

「本当ですか、それは？」

「おそらく事実と信じてよさそうです。そのときの役所からの依頼の趣を記した書きつけもあります。もちろん、書きつけには『和宮様』とは書いてありませんが、『京都姫君様御通行』とか『御柩』という文面などから、そう推測して間違いなさそうです。それに、いかにも高貴な人に相応《ふさわ》しい、立派な彫刻を施した柩だったという目撃談も伝わっています」

「その柩はいま、どこにあるのかね。きみは実物は見ましたか？」

「残念ながら、実物はすでにありません。明治二十八年の馬籠大火で焼けてしまったそうです」

「焼けた……」

瀬戸原はがっかりして、乗り出していた上体を、椅子の背凭《せもた》れに預けた。

2

ずいぶん長いことおし黙ってから、瀬戸原は大きくため息を洩《も》らした。

「それは惜しいことをしたなあ。もし現存していれば、増上寺の柩と照らし合わせて、文化史的な考察を加えることも可能だったろうにねえ。しかしその書きつけと、せめて絵図面でも残っていればいいが」

「大塚さんのお宅には絵図面は伝わっていないということでした」

「そうですか……」

無念そうに腕組みをした。

瀬戸原には天麩羅が、浅見には天ザルが運ばれてきた。瀬戸原が言った「天麩羅をヌキで」というのは、天麩羅蕎麦の蕎麦抜きという意味であるらしい。それに冷やのコップ酒がついていた。

「日本人は文化財保護という点については、まことに意識が遅れておりましてな」

コップに口をつけてから、瀬戸原は舌の回転がよくなったように話しだした。

「もともと木と紙でできたような家屋に住んでいるもんだから、火事でも起きれば、ひとたまりもない。そういう風俗習慣が物のいのちの儚《はかな》さに対する、一種の諦観《ていかん》のようなものを育《はぐく》んできたのかもしれませんがね。たとえば神戸の震災ではかなりの名画や骨董品《こっとうひん》が失われただろうし、戦災で焼失した文化財の数はたいへんなもんですよ。石の家に住んでいる欧州と比較すればよく分かる。連中は文化財を国家的に保護しようとする意識が、封建時代の城主の頃からありました。そこへゆくと、日本は城ごと簡単に燃えちまうんだから話にならない」

浅見は一応、手帳を出して、メモを取るポーズを作ったが、瀬戸原はあまり気にかけている様子はなかった。

「和宮の柩などという貴重なものがあったのなら、どこか、石造りの蔵かなんかに保存しておいてくれりゃいいのにねえ。えーと、いつ焼けちまったのでしたかな？」

「明治二十八年です」

「明治二十八年……百年前か」

ぼけているようだが、そういう年数を即座に計算できるのはさすがというべきだろう。浅見など、昭和六十一年が何年前か計算するのだって、相当、時間がかかる。だいたい、昭和だの平成だのと、いつまで年号を使うつもりなのだろう。年寄りの中には、いまだに「平成七年は昭和でいうと何年か——」などと、指折り数えている人も少なくない。全部西暦で統一してしまえば簡単なのに。

「百年というと、きみのような若い人には、はるか昔のように思えるかもしれないが、僕の生まれるほんの二十年ちょっと前のことなんですよ」

「先生の増上寺発掘も、僕が生まれる前のことになります」

「そうか、そうだねえ、きみにとってはすでに昔のことなんだねえ。いやあのときも、じつに残念なアクシデントがありましてね。和宮の柩の中から発見された、唯一ともいうべき副葬品に、湿板写真があったのだが、それを職員の不注意から、ただのガラス板にしちまった。もしあれが残っていたら、幕末維新の真相を書き変えなければならないような発見だったかもしれない」

「たしか直垂《ひたたれ》、立烏帽子《たてえぼし》の男性の写真だったのでしたか」

「そうそう、よく知ってますな」

褒められて、まさかつい先日、N大の書庫で読んだばかりとも言えなくなった。

「あれはねえきみ、ひょっとすると家茂の写真ではなかったのではないかという説があったのですよ」

「えっ、和宮のご亭主の写真ではなかったのですか？」

「ははは、あくまでも憶測の域を出ませんがね。しかし、そうだとすると、いったい誰が写っていたのか……」

笑顔が急に深刻な顔になった。そのまま回想に耽《ふけ》りそうな気配であった。

「ところで先生は七月のはじめ頃、名古屋でご講演があったそうですが」

浅見はいよいよ本論を持ち出した。

「あれは七月二日でしたか？」

「ん？　どうだったかな、いや七月一日でしょう。そう一日だね。一泊して翌日、雨の中を帰ったのだったな」

「大塚さんとご一緒だったのですか？」

「そうそう、行きも帰りも大塚君の運転だった。楽しい道中だったが、その彼女もあんなことになって……きみ、知ってますか、そのこと？」

「ええ知っています。たしか先生の誕生会の帰りに奇禍に遭ったのでしたか」

「そうなんですよ。それだけになんとも可哀相だし、申し訳ない気がしてならない。いい娘だったのにねえ」

「名古屋から帰られたときは、ずっとご一緒だったのですね？」

「ああ、一緒でしたよ。昼飯を名古屋で食って出て、東京に着いたのは暗くなってからだったな。あのときは元気だったのに、人間の運命なんて、分からないもんです」

「途中でどこかに寄り道をしたとか、そんなことはなかったのですか？」

「ん？　名古屋からの帰り？　いいや、ずっと高速道路を走りっぱなしでしたよ。とにかく走っているあいだじゅう雨でしたからな。そりゃ何回かおしっこはしましたがね。歳を取ると、小便が近くなっていかんです」

瀬戸原は照れて、「ははは」と屈託なく笑った。

「先生は、弘田裕子さんという人をご存じありませんか？」

最後の切り札のような質問だったが、瀬戸原の表情はまったく変わらなかった。

「弘田裕子さん……いいや、知りませんが、どういう人かな？」

「大塚さんの友人ですが、この人も最近、殺されたのです」

「ほうっ……」

またしても、あの幼児のような目と口を丸く開けた顔である。どこにも邪気は感じられなかった。

3

十一時半になると蕎麦《そば》屋は店先に暖簾《のれん》を出した。とたんに待ち受けたように客がぞろぞろと入ってきた。この界隈《かいわい》では名の通った店なのだろう。たちまち店内は満席状態になって、入口付近に順番待ちの客が佇《たたず》むありさまだ。蕎麦屋の親父が調理場から顔を出して「先生、そろそろ閉店だよ」と怒鳴った。

「はいよ、分かった」

瀬戸原は怒るわけでもなく、ヒョイと立ち上がり、そのまま外へ向かった。浅見は慌ててポケットをまさぐり、会計をしようとすると、親父が「あ、いいんですよ、どうせあの先生はツケなんだから」と声をかけた。

「しかし、僕の分だけでも」

「いいんだって、構わないからご馳走《ちそう》になっておきなさいよ」

蕎麦を奢《おご》られたことだけで、浅見の瀬戸原に対する好感度はいっぺんに高まった。かすかでも瀬戸原を疑ったことを申し訳なく思ったほどだから、ずいぶん現金なものである。まあそれはともかくとして、二つの殺人事件に瀬戸原は関わりがないと、浅見は断定することに決めた。

瀬戸原は名古屋の講演会からの帰路、大塚瑞枝の運転する車に乗りづめだったという。トイレにはちょくちょく行ったが、終始雨の中を走ったから、寄り道などはしていないそうだ。

いくら老人とはいえ、いやしくもN大名誉教授である瀬戸原が言うのだから、細かい点はともかく、まず間違いないと考えていいだろう。話し方や表情から見て、嘘を言っているとも思えない。もし騙《だま》されているのだとしたら、自分の未熟さを恨むしかない——と浅見は思った。

蕎麦屋の前で別れるのかと思ったが、瀬戸原が何も言わずにスタスタ歩いて行くので、浅見は仕方なくその後をついて行った。家に辿《たど》り着くと、瀬戸原は格子戸を開けて、当然のように「どうぞ」と言った。

陰気臭い家であった。建物が古いせいばかりでなく、実際、暗くジメッとしているのである。部屋といわず廊下といわず、膨大な書物が積み上げられて、明かりを採るべき窓や障子を塞《ふさ》いでしまっていた。

書物の壁の隙間のような通路を通って、瀬戸原は奥まった座敷に案内した。本来は客間だったのだろうけれど、床の間はもちろん、部屋の大部分は書物の山で占められ、その谷間にわずかばかり人間の居場所があるといった状態だ。

「誰もいないから、お茶も出ませんよ」

瀬戸原は言って、座卓の向こうに坐《すわ》り、浅見には手前の座布団を勧めた。浅見が畏《かしこ》まって正座すると、「楽にしなさい」と命令口調で言い、座卓の上のピースの缶を摑《つか》んだ。

帽子を脱いだ頭はいくぶん薄くなったが、きれいな白髪だ。着ているものは洗い晒《ざら》しのような開襟シャツだが、面と向かい合うと威厳がある。

「浅見君、きみがさっき言った、弘田とかいう女性が殺されたのと、大塚君が殺された事件と、何か関係があるのですか？」

煙草に火をつけながらそう言い、大きく煙を吐いてこっちを見た眼光は鋭かった。

浅見は驚いた。瀬戸原の様子は、蕎麦屋で天麩羅《てんぷら》を食い、冷や酒を啜《すす》っていたときの、少しぼけがきた老人そのもののような印象とはひどく違う。さっきのあれは、ひょっとすると瀬戸原の世間を欺《あざむ》く仮の姿なのか。

「関係があるかどうかは、まだ分かりませんが、少なくともその二人の女性に接点があったことは事実です。さっき僕は、二人が友人だったと言いましたが、弘田さんはかつて、N大学人類学教室に備品を納入していた会社に勤めていた人です。友人とは言えないのかもしれませんが、歳恰好《かっこう》も同じですし、境遇も似た独身女性同士でしたから、事務室の大塚さんとは顔見知り以上の付き合いがあったと考えられます」

「ほう、大学に来ていた人ですか……」

「といっても先生はご存じないと思います。かりにお会いになっていたとしても、弘田さんは七年前に勤めが変わってますから、たぶんお忘れでしょう」

「いや、その前に僕のほうが退官していますよ。それで、殺されたのはどういうことだったのかな？　大塚君の場合と同様、やはり強盗ですか」

「警察はそう見ているようです」

「というと、きみは違うと？」

「ええ、たぶん……」

「ふーん……」

瀬戸原は興味深そうな目になった。唇の端に笑みが浮かんだ。

「きみは何者かな？」

「は？……」

「雑誌の取材と言ったのは嘘でしょう。ほんとうの目的は大塚君の事件のことか。それとも、その弘田という女性の事件のことを聞きに来た……『旅と歴史』にそういう事件物は似つかわしくないですからな」

「ご明察……」

浅見は潔く頭を下げた。

「僕はフリーのルポライターをやっている者で、『旅と歴史』の原稿を書いていることは事実です。ただ、今回はたまたま、二人の女性が殺された事件に遭遇しました」

浅見は大塚瑞枝の事件に関わったきっかけや、その「捜査」を進める過程で、馬籠の殺人事件にまで首を突っ込むことになった経緯を、かいつまんで話した。

「なるほど。しかし、その話を僕に聞きに来てもしようがないんじゃないの。大塚君のことはともかく、弘田さんというのは、僕はまったく知らないのだから」

「はあ、確かにおっしゃるとおりですが、ただ、ちょっと気になることが三つあります。第一に、二人が殺された日があまりにも近いということ。第二に、弘田さんの事件があったのは、大塚さんの実家がある妻籠の隣、馬籠だったこと。第三に、その事件があった日に、大塚さんが名古屋にいたこと……」

「ん？　するときみは、大塚君がその事件に関与していると考えるのですか？」

「ええ、きょう先生にお話を伺うまではその可能性もあるかと思っていました。しかし、その日はずっと、大塚さんが先生と一緒だったとお聞きして、正直なところ少しがっかりしています」

「ははは、がっかりはひどいな。最初から彼女を疑ってかかっていたことになる」

「いえ、疑うということでなく、単に物理的な可能性の問題です」

「可能性の問題ということなら、僕が嘘をついている可能性も疑うべきでしょう」

「いえ、先生は嘘をついてはいません」

「ほう、いやにあっさり断定しますな。僕は講義では知ったかぶりをするし、しょっちゅう嘘もつくが、それとも嘘じゃないという根拠でもありますか」

瀬戸原はからかうような目をした。

「はあ、僕は心理学者ではないので、先生の内面を洞察することなど、とてもできっこありません。しかしこの問題に関するかぎり、先生は嘘をついてはおられない——それだけは分かるのです」

「根拠は？」

「勘です」

「勘……」

瀬戸原は意表を突かれたように、少し背を反らした。それから、タガが外れたように、おかしそうに笑った。

4

瀬戸原に笑われて、浅見も照れて笑った。

「やはり、勘ではいけないのでしょうね」

「いやいや、いけないことはない。その答えは一切の論理的追及を拒否しますからな。勘と言われれば、黙るほかはない。それに、われわれの学問でも勘はしばしば重要なファクターでありうるのですよ。人類の進化発達の過程を見ると、その道筋が決して連綿としてつづいた一本のものではなかったことだけは分かる。たとえば、百五十万年前以降、ユーラシア大陸各地に移り住んだホモ・エレクトゥスが現代型ホモ・サピエンスに進化する過程で、今日見られるような各地の人類集団、つまり人種と呼ばれるものになったとする説にしたって、ほとんど勘のようなところから理論が発生したといってよろしい。その百五十万年のあいだに、人種的特徴がしだいに顕著になっていったわけだが、それだって、いつどこでどんなふうに——とつきつめてゆくと、最後の部分では勘に頼らざるをえない。われわれ日本人の持つ特徴の中には、五十万年前に中国の周口店にいたペキン原人に由来すると思われるものがあるし、現代のヨーロッパ人の高くて大きな鼻は、約五万年前にヨーロッパに登場するネアンデルタール人に由来すると思われる。いまではそれがほとんど定説になっているが、それらを進化や遺伝の理論に固定するきっかけは、やはり勘であったとしか言いようがないのです」

瀬戸原は教壇に立っていた日を彷彿《ほうふつ》させるように、熱心に語った。

「そもそも学問の進化自体が勘によるものですからな。定説として信じられていたものがある瞬間、カタッと外れる。その発想の源となるのも、大抵は勘ですよ。コペルニクス的転回などと大仰に言うほどのこともなく、日々の実践の上で勘を働かすチャンスは多いのです。僕がまだ中学生だった昭和六年、明石《あかし》原人論争というのがあった。じつは僕が人類学に興味を抱くきっかけがこれなんだが、直良《なおら》信夫氏の採集した化石化した骨盤破片について、これを原始人類と断じるか否か、大論争になった。結果的には直良氏の発見は、ペテン師呼ばわりまでされて葬《ほうむ》り去られることになるのだが、後で聞くところによると、その決定の背景には学界の陰湿な権力闘争みたいなものがあったらしい。つまり、直良氏の発見を認めると、それまでの定説が覆《くつがえ》されるわけで、それを恐れる一派がいたということですな」

「ひどい話ですねえ」

浅見は義憤を感じて言った。

「ああ、まさにひどい話だ。明石の化石がはたして原人の骨であるかどうか、当時としては賛否両論とも、そのよって立つ科学的根拠は必ずしも完璧《かんぺき》とはいえないのだから、最後の部分はやはり勘によるしかなく、まあ説得力に欠けたのはやむをえないがね」

「それでその人骨の化石はどうなったのですか？」

「昭和二十年の空襲で直良氏の家が焼けたときに焼失してしまった。まことに残念なことと言うほかはない。発見直後の勘を信じて、学界がまともに取り組んでいれば、むざむざと灰にしてしまうことはなかっただろう。昭和二十四年に、岩宿ローム層から石器らしきものが採集されたときも、賛否両論があったが、その中には日本には石器人は存在しなかったと極論する学者もいたくらいだ。ところがその後、類似の石器が各地で発見され、先土器時代の存在がしだいに明らかになり、当然、いつの日にか必ず先土器時代の人骨も発見されるだろうと確信した。これなどはまったく勘の範《はん》疇《ちゅう》に入るのだが、それによって発掘活動にはずみがつき、牛川人、三ヶ日人、浜北人のあいつぐ発見につながったことを思えば、学問や科学において、いかに勘が重要であるかは言をまたない」

瀬戸原は長々と講義して、煙草の火が指を焦がしたところで「あつっ」と気がついて、照れ笑いをした。

「どうも長年の癖が抜けなくていけない。進化しないのも困るが、退化しないのも未練たらしくていけないですな」

「いえ、とんでもないです。僕のような無知な人間にとっては、何をうかがっても、じつに新鮮なお話です」

浅見は率直な気持ちを言った。

「ははは、そう言ってもらうと、いくぶん気が楽になるが……そうそう、何の話をしていたのでしたかな」

「大塚瑞枝さんと、弘田さんの事件との関わりについて、です。しかし、その件については僕の疑いは晴れました。もし瀬戸原先生と大塚さんが名古屋からずっとご一緒だったとすれば、弘田さんとの接点はないことになります」

「ああ、それは何度でも保証しますよ。僕はちょくちょくトイレへ行きたくなったので、ドライブインには何度か立ち寄ったが、それ以外ではいつも一緒でしたな。東京と名古屋は遠いので、運転もなかなか大変だったろうが、大塚君はじつによく面倒を見てくれました」

「念のためにお聞きするのですが、名古屋を出発されたのは何時頃かご記憶はありませんか？」

「うーん、そうですなあ……昼飯を食ってからだから、たぶん、一時頃じゃなかったかと思うが」

「東京に着いたのは？」

「さあなあ、火点《ひとも》し頃《ごろ》という感じだったのかな。うん、そうそう、高層ビルの窓に明かりがついていた。もっともあの日は雨で暗かったから、時間はたぶん六時頃だったかもしれない」

東名高速道路の名古屋—東京間は三百二十六キロ。名古屋を一時に出て六時なら約五時間ということだ。市内を抜けるときの渋滞や、途中トイレに何度も立ち寄ったこと、それに道中ずっと雨だったことを勘案すれば、まず妥当な所要時間と言える。かりに瀬戸原の記憶に多少の誤差を見ても——と考えていて、浅見は（あっ——）と気がついた。

「先生はいま『高層ビルに明かりが』とおっしゃいましたが、それは新宿副都心の高層ビルのことですか？」

「そうですよ。まったく、あの景観は都市の進化を象徴する眺めですなあ。もっとも、あれこそ人類文明が破滅へと向かう象徴だと主張する学者もいるわけだが……」

「だとすると、名古屋からの帰路は、東名高速ではなく中央自動車道を経由されたということですか？」

浅見は瀬戸原の感慨を遮るような、意気込んだ口調で言った。

「ん？　ああ、どうですかなあ、よく知らないが、飯田だとか、諏訪湖の辺りを通って来たことは憶《おぼ》えてますよ」

浅見は胸騒ぎを覚えた。

「大塚さんはなぜ中央自動車道経由のルートを選んだのでしょうか？」

「さあねえ……というと、その道を通ってはいけないのかな？」

「いえそういうわけではありませんが、中央道は東名高速より二、三十キロ距離が長くなるのです。それに、山岳地帯を通るので、制限速度八十キロのところもかなりあったりして、ふつうは東名高速を選ぶはずですが」

「ふーん、そういうものですかな。ああ、そういえば大塚君はこっちのほうが高速道路を出てから楽だとは言っていたようだが」

「なるほど……」

その点は納得できる。東名高速は多摩川を渡り首都高速道に入ったとたん、渋滞が始まり、そこから都心部まで一時間以上もかかることがある。そこへゆくと中央道経由なら、首都高速道の渋滞が始まる新宿で下りて、あとは一般道で瀬戸原家まで行くのに、そう遠くはない。トータルすれば、似たような時間距離なのかもしれなかった。

そうは思いながら、浅見は何か釈然としないものを感じた。何よりも、中央自動車道が中津川インターチェンジを通っていることがひっかかった。

5

瀬戸原家を辞去して帰宅する車の中で、浅見はずっとそのことを思案しつづけた。大塚瑞枝が名古屋からの帰路に、あえて中央道を選んだことに、何かしら作為のにおいを嗅《か》ぎ当てたような気がしてならなかった。

しかし、名古屋を一時に出て東京に六時に入ったという瀬戸原の記憶に間違いがなければ、大塚瑞枝が馬籠の事件に関与できる時間的な余裕はない。

中央道の名古屋—東京間は、東名高速を利用するのより遠く、小牧インターからでもおよそ三百六十キロである。途中、山岳地帯を通るルートが多いのでほとんどが八十キロ、ところによっては七十キロの速度制限を課している。部分的に多少の制限オーバーを犯したとしても、渋滞などもあるだろうし、平均すればかなりペースダウンして、五時間はめいっぱいかかるものと見るのが妥当だろう。その上にトイレ休憩を加えると、五時間半から六時間近くかかりそうだ。

その間に馬籠の事件現場へ行く余裕など、到底ありえない。中津川インターから馬籠まで、どんなに順調でも片道三十分、往復一時間かかることは間違いない。かりに瀬戸原の「火点し頃」という記憶に最大幅の誤差を見込んで、東京到着時刻を午後七時と設定したとしても、その一時間をひねり出すことは不可能だ。

浅見の中で、スーッと潮の引くような虚脱感が流れた。せっかくの着想だったが、物理的に無理なものはしようがない。ただし、大塚瑞枝の「作為」について、こだわるものがある点だけは、その後も尾を引いた。(何かがある——)という意識は抜けることはなかった。

問題は動機だ——と浅見は視点を変えることにした。大塚瑞枝と弘田裕子、二人の被害者に共通しているのは、事務職員と納入業者という立場の違いはあるものの、N大学人類学研究室に接点があることだ。

(大塚瑞枝と弘田裕子のあいだに何があったのか?——)

もし二人のあいだに何か確執があったとすれば、少なくとも弘田裕子殺害事件には動機が認められることになる。これまでの検証では、大塚瑞枝が犯人でありうる物理的な可能性は希薄だが、いまの段階でたとえそうだとしても、そこには何か、犯行を可能にする、推理小説的なトリックがあったかもしれないのだ。

(それにしても——)と、浅見は気弱にならざるをえない。

大塚瑞枝と弘田裕子に接点があったとはっきり言えるのは、弘田裕子がアクア商事を辞めた七年前までのことである。その当時に、二人のあいだで何かトラブルがあったとしても、そんな遠い過去のことを、いったい誰が記憶しているだろうか。

大塚瑞枝を可愛がっていた瀬戸原でさえ、弘田裕子のことはまったく知らないと言っている。瀬戸原が現役だった頃も、弘田裕子は人類学研究室の事務室に現れていたはずだが、教授にとっては出入り業者の女性のことなど、かりに顔は見知っていたとしても、気にも留めない存在なのだろう。

その点、助手ならばまだしも親近感のある付き合いをしていたかもしれない。足達助手は弘田裕子が辞めたのとすれ違いの着任だから、もし知っているとすれば、足達の前任者ということになる。

浅見は少し躊躇《ちゅうちょ》しながら、仕方なく足達助手に電話した。瀬戸原名誉教授にお目にかかりましたと言うと、足達は電話の向こうで、たぶん目を剝《む》いたに違いないと思えるような声で怒鳴った。

「えっ、もう瀬戸原先生に会ったんですか？　まさか、私の名前を出したりはしなかったでしょうね？」

「いえ、そんなことはしません。表向きは皇女和宮の柩《ひつぎ》の話をお聞きしに行きました。しかし瀬戸原先生はあっさり、僕のほんとうの目的が、大塚瑞枝さんの事件についてであることを見破りましたが」

「見破ったっていうと、じゃあ、やっぱり私のことも？」

「ははは、大丈夫ですよ。足達さんのことにはこれっぽっちも触れませんでした」

「そうですか……」

足達は「ほうっ」とため息を洩《も》らした。

「じつは、きょうお電話したのは、足達さんの前に人類学研究室の助手をしていた人のことをお聞きしたかったのです」

「前の助手といえば山下州平《やましたしゅうへい》さんですが」

「その方に紹介していただけませんか」

「まあ、紹介ぐらいはしますけど、何を訊《き》こうというのですか？」

「この前お話しした弘田裕子さんのことを、何か聞けるのではないかと思うのです」

「ふーん……面倒なことにはならないでしょうね？　山下さんは私をここに紹介してくれた人だから、迷惑をかけたくないのです」

「絶対にご迷惑はおかけしません」

浅見はきっぱりと断言したが、それでも足達はさんざん逡巡《しゅんじゅん》したあげく、ようやく言った。

「山下州平さんは、現在、S女子大の講師をしていますよ。あれからもう六年も経っているから、もしかすると、そろそろ助教授に昇格する頃かな」

S女子大は武蔵野《むさしの》にキャンパスがある名門校だ。足達が教えてくれた山下の住所は大学の近くのマンションだった。

6

日盛りを避けて早い時刻に家を出たつもりだが、気温はすでに三十度を超えていた。それでも武蔵野の面影をケヤキの大樹に残すS女子大付近には、都心部とは異なるそよ風が流れていそうな気配がある。

マンションといっても、民間のアパートであった。いちおう鉄筋コンクリートの四階建てだが、初期の公団住宅のような粗末な造りだ。その建物の真ん中の階段を四階まで登り詰めた右手のドアに「山下州平」の名刺が貼りつけてあった。「S女子大学理学部生物学教室」の肩書が、なんとなくこれ見よがしに思える。

チャイムを鳴らすと、ドアが開いて半袖《はんそで》のスポーツシャツにジャージのズボンという、まるで体操教師のような恰好《かっこう》の男が立っていた。年齢は足達より五つか六つ歳上だから、四十三、四のはずである。

「山下先生ですか？　お電話差し上げました『旅と歴史』の浅見です」

浅見はなるべく神妙に挨拶《あいさつ》した。

「山下です、どうぞ入ってください」

ぶっきらぼうな口調だ。電話でアポイントを取っておいたのだが、暑さのせいか、山下の機嫌はあまりよくないらしい。

「クーラーがさっぱり効かなくて」

ぼやきを言いながら、それでもスリッパを出してくれた。

玄関ドアを入ったところが板の間のダイニングキッチンで、その奥に二間がある、典型的な2DKタイプの部屋だ。浅見と山下がテーブルを挟んで向かいあいに坐《すわ》ったとき、奥から女性が赤ん坊を抱いて現れた。髪をボーイッシュに刈り上げた、目の大きな、見るからに知性の勝った印象の女性だ。

山下に「家内です」と紹介され、挨拶を交わした。

「ごめんなさい、ちょうどお買い物に出るところなんです。州さん、お茶をお願いね」

夫人は口ほどには恐縮していない様子で、さっさと外出してしまった。山下が仏頂面をしているところを見ると、朝っぱらから何か小さないさかいでもあったのだろうか。そのいさかいの原因が自分の訪問にあるのでなければいいが――と、浅見は身の縮む思いだった。

山下は妙に物慣れた手つきで、冷蔵庫から麦茶の入ったボトルを出してきて、グラスに注ぎ分けた。

「N大の足達さんは、山下先生のご紹介で助手になれたのだそうですね。先生にはとても感謝していらっしゃいました」

「そんなに感謝されるほどのことはないですよ。三十過ぎて大学院でゴロゴロしていたから、僕が辞めるんで、後任に彼を推薦しただけです。まったく人類学なんてやつは、どうにもつぶしがきかなくてねえ、就職口も高校の教師ぐらいしかない。よっぽど好きでもなきゃ、やってられません」

「山下先生は現在は助教授でいらっしゃいますか？」

「え？　ははは、いやなことを言うなあ。まだ講師ですよ講師。S女子大に招聘《しょうへい》されたときは、すぐにでも助教授に昇格するようなニュアンスだったのだが、延び延びで、もう六年も冷や飯を食わされている。まったく八木沢先生のご威光もあてになりませんよ」

「あ、八木沢先生のご紹介なんですか？」

「なんだ、聞いてなかったの？　余計なことを言っちまったかな。ま、いいでしょう、そう八木沢先生の紹介でね。といっても事実上は親父さんの大先生の名前がものを言ったわけだけれど、しかし、五年前に大先生が亡くなられてしまってからは、ぜんぜん様子が変わっちまった」

「大先生とおっしゃるのは？」

「あれ、それも知らないの？　八木沢昭尚《あきひさ》先生といえば、わが国人類学の泰斗《たいと》ですよ。従来、人間を生物学的に研究する学問でしかなかった人類学を、民族学、先史学――

つまり現在の文化人類学まで包括したものに拡大発展させたのが八木沢大先生です。瀬戸原先生も八木沢大先生を慕った後輩のお一人だし、単に人類学ばかりでなく、ひろく学界に多くの弟子を遺《のこ》された方です」

「というと、N大の八木沢教授はそのご長男ですか」

「いやいや、とんでもない」

山下は顔をしかめ、右手を突き出して、大きく左右に振った。

「八木沢教授は大先生のお嬢さんをもらった婿養子にすぎません。大先生のひきで若くして教授にもなったし、まあ羨望《せんぼう》の的ですけどね」

山下の「けどね」の後には、明らかな軽侮のニュアンスが込められている。

「ところで、何か大塚瑞枝の事件のことで訊きたいことがあるというのでしたね」

「そうなのですが、その前に、山下先生は弘田裕子さんという女性をご存じですか？」

「弘田裕子？　さあねえ……」

「七年前まで、人類学研究室に出入りしていたアクア商事という会社の営業さんですが」

「ああ、あの女性ね。彼女なら知ってるが、その人がどうかしたのですか？」

「先月のはじめに殺されました」

「えっ、殺された？　それ、大塚瑞枝のことじゃないの？」

「いえ、大塚瑞枝さんが殺される三日前に、信州の馬籠で殺されたのです」

「ほんとですか……」

山下は目を大きく見開いた。こんなに驚いた人間の顔を見るのは、滅多にない。

「馬籠といえば、僕の郷里のすぐ近くだな」

「あ、先生も信州のご出身ですか？　大塚さんも信州でしたが」

「いや、大塚君は妻籠だが、僕は隣の岐阜県ですよ。岐阜県の恵那というところだが。しかしその人、誰に殺されたんですか？」

「警察は強盗殺人事件として捜査していますが、真相はまだ分かっていません」

「強盗殺人事件――といえば、大塚瑞枝と同じじゃないですか」

「ええ、しかし、大塚さんの事件のほうも、警察はそう言っていますが、ほんとのところはどうだか分かりません」

「えっ、違うの？」

「分かりませんが、少なくとも僕は違うと思っています」

「ふーん……」

山下はまじまじと浅見の顔を見つめた。

「なんだかあんた、真相を知っているような口ぶりだが、単純な強盗でないという確かな証拠か情報でもあるんですか？」

「いえ、そんなものはありません。勘のようなものです」

「勘ねえ……」

瀬戸原と違って、山下は「ふん」という顔で、あまり感心した様子はなかった。

「ただ、弘田裕子さんと大塚瑞枝さんはN大人類学研究室で会っていた間柄で、その二人がほとんど同じ時期に不慮の災難に遭ったというのが、どうも釈然としないのです。それで、山下先生なら当時のお二人の関係など、ご存じではないかと思いまして」

「ああ、それは多少は知っているが、しかしずいぶん昔のことだからなあ……」

「お二人のあいだに、何かトラブルのようなものがあったとか、そういうことはありませんでしたか？」

「トラブルねえ、何かあったかなあ……」

山下州平は遠い過去に思いを馳《は》せる目を、中空に彷徨《さまよ》わせた。そのうちに何か思い出すものがあったのか、眸《ひとみ》に鋭い光が宿ったように見えて、それから徐々に頬が緩み、やがて浅見を見てニヤリと笑った。

第七章　母の秘密

1

馬籠の夏は文字通りの書き入れ時である。早朝から散策するお客のために、えびす屋も朝は八時に店を開く。それから日の暮れるまで、店先は土産物を求める客がひきもきらないし、夜の八時過ぎまで、片付けやら明日の準備やら、ぶっ通しの忙しさだ。人手不足ということで、ことしは例年より二人もアルバイトが少なく、その分、美雪がカバーしなければならなくなった。卒論も和宮もほったらかし、床につく頃は欲も得もなく、ボロ切れのように疲れ果てた。

娘がそんな状態だから、志保もさすがに休んでいるわけにいかなくて、いつもの夏と変わりなく働き始めた。「悪いね、せっかくの夏休みなのに」と美雪に詫《わ》びる。ことしは帰ってこないほうがいい――などと言っていた手前もあるにちがいない。

いいことだわ――と美雪はむしろ、そういう母親にひと安心した。志保の悩みが何であるにせよ、そうやって忙しさにかまけて、余計な煩悩《ぼんのう》を忘れてしまうのが何よりの薬なのかもしれない。

永昌寺の事件のことは、人の口にのぼることさえなくなってきた。警察の捜査がどうなったのか、新聞記事はもちろん、噂も聞こえてこない。島崎藤村の墓へ行く道を尋ねるお客が多いということは、永昌寺界隈《かいわい》も大賑《おおにぎ》わいしているのだろう。むろん、あの忌《い》まわしい事件のことなど、観光客の誰も知りはしない。人間のいのちなんて、まったく儚《はかな》いものである。

浅見からの手紙に、和宮の柩《ひつぎ》が妻籠の木地師の手で作られた記録を見つけたと書いてあった。明治二十八年の大火で和宮の柩が焼けたという言い伝えは、どうやら事実だったらしい。そうなると、志保が「祟《たた》り」を怯《おび》えるのは、かならずしも理由のないことではなさそうだ。

しかし美雪は、その話は志保や父親の広一には黙っていることにした。とくに母親に話せば「そら見たことか」と、いっそうビョーキに拍車がかかりかねない。志保は表ではつとめてさり気なくしているけれども、屈託がすべて消え失《う》せたわけではないのだ。いまでも時折、ふっと姿が見えないと思うと、永昌寺さんにお参りに行っているらしい。

母親の過去に、いったい何があったのだろう――と、美雪は不安でもあり、好奇心にもかられる。

京都の大杉から葉書がきた。「残暑お見舞い」という下手な字を見て、ああもう残暑なのか——と時のうつろいを感じた。そういえば、窓の向こうの空に舞う赤とんぼの数がずいぶん多くなった。

京都の夏は暑くて、馬籠の涼しさが懐かしいなどと書いてある。馬籠だって、夏はけっこう暑いのに——と思いながら、美雪はなぜか大杉の顔でなく、東京の浅見の顔を思い浮かべている自分に気がついて、思わず周りを見回した。

甲子園の高校野球が始まり、お盆が近づいていた。やがて夏休みはピークを迎え、お盆が過ぎると、あっというまに秋風が立つ。

大杉に残暑見舞いの返事を書いたが、郵便番号が分からない。まったく、郵便番号くらい書きなさいよ——と、胸の内で愚痴を垂れながら、母親が書斎代わりに使っている小部屋に入った。冷房が効いているわけではないのに、この部屋だけはいつもひんやりとした空気が立ち込めている。

文机《ふづくえ》の上に、重し代わりのように字引を載せて、便箋《びんせん》や郵便番号帳が重ねてある。その中から郵便番号帳を取ろうとしたとき、便箋の表紙がめくれた。

べつに窃《ぬす》み見る気はなかったし、文字が書いてあったわけでもないが、窓から横に差し込む光で、便箋の紙面に残ったボールペンの痕《あと》がうっすらと読み取れた。

……殺……

前後の文章はともかく、その文字だけが突出して目に飛び込んできた。

美雪は心臓に痛みを感じた。ほとんど無意識に便箋を数葉、引きちぎるようにしてめくり取ると、郵便番号帳の下に隠して部屋を抜け出した。

美雪の部屋は二階の南向きである。店に出ているあいだはクーラーもつけてないから、蒸すように暑い。クーラーのスイッチを入れたが、効果が出るまではかなりかかる。しかし美雪はドアを締め切って、デスクに向かった。

便箋の紙面に、斜めにした鉛筆を軽く滑らせ、往復させた。ボールペンの筆圧で刻まれた痕跡《こんせき》が、細い白抜き文字で現れてくる。むろん、筆圧の弱かった部分ははっきりとしないが、文脈から推し量れば、なんとかほぼ全文を解読することができそうだ。

――だからといって、私に何をどうしろというのかしら。何も知らない、何も見ていない。たとえ殺されるとしても、私は秘密を抱いたまま死んでゆくつもりです。

私には愛する家族があります。ささやかだけれど、この現在を大切に守ってゆくことだけが、私の生きる道だと信じています。

これが仏様からいただいた、私の結論とお思いください。

どうぞ、私のことなど、遠い過去のものとしてお忘れになりますように。

かしこ

七月十八日

佐々木様

池本志保

心臓の高鳴りは、室内の空気を震わせるほどであった。美雪の額には汗が浮かんでいたが、少しも暑いとは思わない。むしろ全身に鳥肌が立つほどの寒けを感じた。

(何なのよ、これは——)

まるで母親が誰かに「殺意」をちらつかせるような脅迫を受けていて、それに対する返事とも思える文面であった。

宛て名の「佐々木《ささき》」が何者なのか、それすらも分からない。佐々木はそう珍しい名前ではない。いや、どこにでもある平凡な名前といっていいだろう。美雪でさえ、ちょっと考えただけで二人の「佐々木」を思い出すことができた。

といっても、当然のことながら、そのどちらも、この手紙の相手には該当しそうにない人物であった。

文面から推測すると、この人物は男性で、母親と「遠い過去」に接触があったと思われる。ひょっとすると恋人——といった想像さえ浮かぶ。「何をどうしろというのかしら」「お忘れになりますように」といった言い方は、過去に親しい関係だったことを想像させるし、いくぶん窘《たしな》めるようなニュアンスが込められている。ほぼ同年代か、同窓生、何かのサークルの仲間——といったことも考えられる。

それに該当するような「佐々木」には、美雪の知るかぎり、思い当たらない。

——何も知らない、何も見ていない。

——秘密を抱いたまま……

知らない、見ていないと言いながら、秘密を抱いたまま——と言っているのは、志保が何か重大な「秘密」を知っているという、反語のようでもある。殺されても、あるいは死ぬまで、見ざる聞かざる言わざるに徹したままでいるから、私のことに構わないでくれ——という意味なのではないだろうか。

いままで漠然としたものでしかなかった母親の屈託の理由が、いきなり最悪のシナリオで迫ってきた。

手紙の文面では、志保が佐々木なる人物に最後通牒《つうちょう》をつきつけて、決別しようとしているようだが、はたしてこんなことで了解するような相手なのかどうか、美雪にはとてもそうは思えなかった。

そう思うと、鉛筆で黒々と塗りつぶされた紙の上に、あやしく浮かんだ「殺」の文字が、いっそうおぞましいものに見えた。

2

お盆休みの戦争が過ぎて、潮騒《しおさい》が遠のくように、秋の気配が忍び寄ってきた。日中はまだうだるような暑さだが、日が落ちると間もなく、木曽の山々から下りてくる涼風が、宿場町を吹き抜けてゆく。

気のせいか、志保の精神状態は「ビョーキ」になる以前と変わりなくなってきたように見える。

「やっぱり、人間は、体を動かして働いていなきゃだめだわね」

悟ったようなことを言い、照れくさそうに笑ったりもする。

「もう大丈夫ね」と、美雪は志保のいないところで父親に言った。

「ああ、もう大丈夫だな」

広一もほっとしている。

「少し早いけど、京都へ戻ろうかな」

「そうか、帰るか。そうだな、せっかくの夏休みをすっかりこき使ってしまった。まあ、バイト料ぐらい出すから、残り少ない休みを楽しむといい」

「うんそうする。来年は就職活動で、のんびりできるのは今年が最後だし」

「なんだ、卒業したら戻ってくるんじゃないのか」

広一はつまらなそうに顔をしかめた。

夏休みを十日残して、美雪は京都へ引き上げた。早く帰ったのには、ほかに理由があった。母親の手紙の「佐々木」が何者なのか、一刻も早く調べたかった。

もし「佐々木」が志保の遠い過去に関わった人物だとすると、その記録は京都の牟田部家に残っている可能性がある。祖父や伯母たちの記憶になかったとしても、牟田部家の古い住所録などに、該当する名前が発見できるかもしれない。

中央線の中津川駅まで、広一の車で送ってもらった。ずいぶん迷ったあげく、降り際に訊《き》いてみた。

「佐々木さんて、知ってる？」

「ん？　佐々木？　どこの佐々木だね」

「分からないけど」

「分からないって……」

駅前で車を停めて、広一は呆《あき》れたように美雪を見た。

「なんだい、それは？」

「ううん、いいのよ、なんでもない」

ドアを開けて、後ろのシートから荷物を取り出した。

「おかしなやつだなあ……」

「気掛かりそうにこっちの様子を窺《うかが》う父親に「じゃあね」と手を振って、美雪は駅に走り込んだ。

前夜、電話で知らせておいたから、驚きはしなかったけれど、予定より早い美雪の帰還に、牟田部の伯母は、まるで娘を迎えるように喜んでくれた。

「お父さんが、大文字《だいもんじ》さんのときから、ちょっと具合悪うなってな。どっこも出掛けられへんよって、美雪ちゃん、いつ帰るいうて、そればっかしやったんよ」

美雪には祖父に当たる牟田部茂吉《もきち》は、ことし八十四歳。若いころに登山で鍛えた体は頑丈そのもので、K大教授を退官してから二十年近く、風邪ひとつ引かないのが自慢だったのが、ことしに入ってから体調を崩すことが多くなった。

祖父の部屋に見舞いに顔を出すと、頭を擡《もた》げ、掠《かす》れ声を張り上げるようにして、

「よお、帰りよったか」と白い歯を見せた。

「お祖父《じい》さん、無理しないで寝とって」

土産の栗菓子を添えて、冷たい麦茶を運んであげた。伯母の真紀もお相伴をして、祖父の部屋で三人でお茶の時間を過ごした。

「伯母さん、佐々木さんて知ってる?」

美雪は茶飲み話のように、さり気なく訊いてみた。

「佐々木さん……なんで?」

気のせいか、一瞬、伯母の表情が曇ったように思えた。

「母さんの知り合いに、佐々木さんていう人、いなかった?」

「さあ……ううん、知らへんけどなあ」

首を横に振ったが、なんとなく自信なげであった。それに、佐々木という名の知り合いぐらい、何人かいるだろうし、広一のように「どこの佐々木?」とも問い返さずに、あっさり否定したのもおかしい。

「佐々木いうたら、克之のともだちに、佐々木いうのんがいてへんかったかな」

茂吉が、口の中の栗菓子をモゴモゴさせながら、言った。

「いてまへん。お父さんが知ってはるわけがないでしょう」

即座に真紀が打ち消して、「ほんま、肝腎《かんじん》なことかて、忘れてしまいはるのに、なあ」と、美雪に片目を瞑《つむ》って、笑ってみせた。

「そうやったかいな。あれは克之のともだちとちごうたか」

茂吉は不満そうに呟《つぶや》いたが、それ以上は自説を主張する気もなさそうだ。

そのときはそれきりになった。伯母の気配から、美雪は本能的に、この話をつづけるのは好ましくないと悟った。

伯父の克之は婿として牟田部家に入った。五十代なかばのはずで、M銀行の宇治支店長をしている。たぶん重役にはなれないまま、どこかの中小企業の、経理担当重役か何かに迎えられることになるだろう——といった事情を、美雪は牟田部家の日常会話の中で聞いたことがある。K大を出ているのだから、優秀であることは間違いないのだろうけれど、真面目なだけが取り柄の、野心のない性格が、熾烈《しれつ》な出世競争には向いてないのかもしれない。

祖父は克之のそういうところが物足りないと言う。「あれはもっと大物になるかと思うたが」と、美雪相手に、見込みちがいを嘆いたりもする。克之がまだK大の学生時代、牟田部家に出入りしていた学生たちの中から、祖父が見込んで、M銀行に口利きをする交換条件のように、真紀の婿になれと口説いたのだそうだ。

もっとも、伯母に言わせれば、それは事実と違うのであって、「私の魅力に惚《ほ》れはったのよ」ということになる。むろん笑いながらだが、そうだろうな——と思わせる「魅力」が、伯母の真紀にはたしかにあった。母親の志保のほうが、若いぶんを差し引いても、いくらか美人だとは思うけれど、亡くなった生方の叔母を含めて、牟田部家の三姉妹はいずれも美人揃いだったにちがいない。出入りしていた学生たちの目当ては、牟田部教授の謦咳《けいがい》に接することよりも、三姉妹のほうにあったであろうことは、想像できる。

「母さんはどうだったのかしら？」

美雪が訊いたことがある。

「K大の学生には、もてなかった?」

「そら、志保ちゃんかて、もてはったわよ。けど、志保ちゃんはD大贔屓《びいき》やったし、広一はんに捕もうてしまいはったしな」

「そうや、美雪の親父は強引そのものやった」

茂吉は、広一を嫌ってはいないが、その件に関してはいまだに腹に据えかねるものがあるらしい。いまの広一の茫洋《ぼうよう》とした姿からは想像もつかないけれど、若いころの両親は、それなりに青春していたんだ——と、美雪はくすぐったいような気持ちであった。

3

牟田部家は、先祖を辿《たど》ると貧乏公卿《くぎょう》の出だそうだ。和洋折衷の屋敷は古く、庭もそう広くはないが、京都の旧家の面影はある。とりわけ、大きな洋風の書斎が美雪のお気に入りである。高い天井にはシャンデリアが下がっていて、明かりを入れると、リノリウム貼りの床に映えて美しい。壁の二面にがっしりした書棚が並び、革表紙に金文字の古書がぎっしり詰まっている。

祖父から「自由に使うてよろしい」と許しが出ているので、美雪は書斎を図書館兼勉強部屋代わりに利用している。美雪の部屋は、かつて女中部屋だった六畳で、終戦前はそこに、二人のお手伝いが寝起きしていた時期もあったそうだ。

　K大教授当時は社会学と経営学の権威だったという祖父の蔵書は、美雪には難しいものが多い。あまり勉強の参考にはならないのだが、書斎の雰囲気に浸りながらノートを開くと、なんだか、いっぱしの学究の徒になったような気がして、美雪は好きだ。

　むかしは、家にいるときの大半は、書斎で過ごしたという祖父が、近頃は体調のいいときでも、書斎の椅子に坐《すわ》るのが億劫《おっくう》になったと嘆く気持ちが、美雪にはよく分かる。

　八月末の日曜日、美雪が書斎で「和宮」の道中記録を整理していると、ドアが開いて克之が入ってきた。

「あ、美雪ちゃんがいたのか。悪い悪い」

　そのまま出て行こうとするので、「いいんですよ」と美雪は呼び止めた。

「そんなに大した勉強じゃないんです」

「そうかね、それじゃ」

　書棚の前に行って、経営学関係の書物を漁《あさ》っている。

「伯父さんの古いおともだちに、佐々木さんていう人がいるでしょう」

「佐々木？……」

　向こうを向いたまま、ギクリと動きを止めた。とたんに、美雪の胸はときめいた。

やっぱり何かある——という、期待感と不安がこもごも襲ってきた。

「ああ、佐々木ねえ、そういえばいたかもしれないな」

体をほぐすように、意味もなく書物を出し入れしてから、克之は振り向いた。遠近両用の眼鏡をかけた、生真面目そうな銀行員の顔であった。その表情からは、動揺したような気配は感じ取れない。

「それが、どうかしたの？」

眼鏡の奥は探るような目である。

「うちの母さんと仲がよかったって聞いたもんですから」

「ふーん、そう、そう言ってたの、志保さんが？」

不思議そうな、少し驚いた顔になった。

「その人、どんな人ですか？」

「どんなって……」

また書棚に向き直って、洋書の背文字を読んでいる。

「覚えてないなあ。美雪ちゃんに言われるまで、ぜんぜん忘れていた。古いともだちといっても、私は付き合いのいいほうじゃなかったからねえ」

「学生時代のともだちなんですか？」

「いや、そうじゃないが、いや、そうだったのかな……」

うろたえたように二度否定した。どっちの否定が正しいのか、美雪はしばらく待ったが、それっきり克之は言葉を継がない。

「お祖父《じい》さんも会ったことがあるみたいでしたけど」

「ん？　いや、それはないだろう。何か勘違いしておられるね」

今度ははっきり否定した。ぜんぜん忘れていたと言ったわりには、どうしてそんなふうに断言できるのかしら――と、美雪の胸は動悸《どうき》がはげしくなった。

伯父は「さてと」と、けりをつけるように呟いて書斎を出て行った。目的の書物があったのかなかったのか、なんとなく、この場にいづらくなったような様子に思えた。

伯母《おば》も伯父も何かを隠している――。

美雪の疑惑は、だんだん確信に近づいた。少なくとも「佐々木」という人物について、二人には何らかの心当たりがあるにちがいない。それもどうやら、母たちが若かった時代のことらしい。あの文面からかいま見た、ある程度の親しみと、逆に遠く距離を置いていたいニュアンスの混在した印象から、志保とその人物との関係が、かすかに見えてくるような気がする。

伯父の気配が遠のいたのを確かめてから、美雪はノートに挟んだ例の「手紙」を取り出した。

――たとえ殺されるとしても、私は秘密を抱いたまま死んでゆくつもりです。

母に死をも覚悟させるような、いったいどんな秘密なのだろう。

（まさか、出生の秘密——）

愕然《がくぜん》とした。

（まさか——）と、もういちど強く打ち消したけれど、母も伯母も伯父までもが、ひた隠しにしている様子や、それに、父だけが蚊帳《かや》の外のように何も知らないことを思うと、まんざらあり得ないことと思い捨てるわけにもいかない。

（私は、父のほんとうの子ではない——）

恐ろしい着想であった。

うそよ、そんなはずはない——とは思う。血液型は二人ともA型だし、顔だってよく似ていて、「まるで親子みたいだ」と親戚《しんせき》の者に言われる。そういえば、死んだ生方の叔母が、よくそう言って笑っていた。

だけど、あれはジョークではなく、ほんとうのことだったとしたら——。

美雪の想像は悪いほうへ悪いほうへと流れて行った。そのことを確かめたくても、誰にどうやって訊《き》けばいいのか分からない。広一には到底、訊けたものではない。志保にはなおさらである。なにしろ、秘密を守るためには死を選びかねないというのだから。

となると、伯母の真紀か伯父の克之か。どちらに訊いたにしろ、返ってくる言葉は否定的なものであるに決まっている。それに、もし誰かがほんとうのことを打ち明けて、美雪の出生の秘密が暴かれたとして、それで何かが解決するというわけのものでもない。むしろ、事態は悲劇的な方向へ向かって、突っ走りそうだ。

美雪は恐る恐る、あらためて「手紙」の文面を読み返した。

「何も知らない、何も見ていない——」という部分だけを見ると、「出生の秘密」とは別のことを言っているようにも思える。右肩に「2」と数字が書かれているから、この文面は二枚目の便箋《びんせん》に書かれたもので、一枚目のほうに、志保が佐々木なる人物に突きつけられた、「難題」に関する記述があったと推測される。しかし、一枚目に書かれた文章は、ところどころ、かすかに筆跡が見える程度で、まったく解読不可能だった。

最後の「佐々木様」と、達筆で書いた文字の痕《あと》を、美雪は憎々しく汚らわしいものを見るように睨《にら》みつけた。母親のためにも、それに自分のためにも、この人物の正体を、必ず暴いてやる——と心に誓った。

4

その晩、伯父夫婦は何かの会があるとかで夕方から出掛けた。

「こない蒸し暑い夜に、かなわんなあ」

と、伯母は愚痴を言いながら、和服の襟元をしきりに気にしていた。

祖父の茂吉は相変わらず体調がすぐれず、美雪のお給仕で軽い食事をすませたあとは、自室に籠《こ》もりきりだ。

美雪はキッチンの片付けを終えて、居間に入った。もともと十六畳の和室だったのを、隣のダイニングルームと一緒に洋風のリビングルームに改装して、テーブルやソファー、サイドボードなどをゆったりと置いた。もっとも、それは美雪がまだ子供のころのことで、それぞれの調度品は、かなりの年季が感じられるものばかりである。サイドボードの上に、小さな引出しが四段ある物入れが載っている。そこに便箋やはがき、切手類などが入っている。はがきも切手も、いつもは自由に使わせてもらっているのだが、美雪にはほかの目的があったから、ここしばらくのあいだ、なんとなく近づきがたかった。

最下段のいちばん大きな引出しに住所録がある。当然のことながら、よその家のものだ。いままでは使う必要もなく、したがって関心もなかったのだが、古いのから新しいのまで、分厚い住所録が何冊か入っていることは知っていた。

住所録は三冊あった。そのうちの二冊は革表紙で、中のページがはめはずし可能なルーズリーフタイプだ。残りの一冊は出納帳のようないかめしい表紙だが、おそろしく古く、表紙も中身の紙もかなり傷んでいる。

美雪が持っている住所録は一冊だけだが、書き込みは少なく、五十音別のどのページもまだスカスカの状態である。そこへゆくと、さすがに旧家だけあって、牟田部家のは充実したものだ。

いちばん古いのは、トビラに「昭和二十五年三月」と書いてあるから、戦後まもないころに使い始めたものなのだろう。ア行、カ行、サ行など、苗字《みょうじ》の多いページは、それなりに枚数を多くしてあるけれど、ルーズリーフでなくきちんと製本されたタイプなので、満杯になると困ったにちがいない。

ルーズリーフタイプが二冊あるのは、一冊はその満杯になった初代の住所録を受け継いだものであることが分かる。もう一冊のほうは、克之が牟田部家に入る前から使っていたものらしかった。たしかこのあいだ銀婚式をしたとか聞いたから、克之と真紀が結婚したのは二十五年以上、前のはずだ。この三冊の住所録には、それぞれ二十数年から半世紀近い歴史が込められている——と思うと、ちょっと厳粛な気分になる。

意外なことに、三冊の住所録に「佐々木」姓はわずか三人しかいなかった。「佐々木慎一」が牟田部家の初代の住所録に、「佐々木きよ子」が二代目に、そして「佐々木勝巳」が克之の住所録に——である。

そのうち佐々木慎一の項は赤線で消され、「昭和六十二年没」と書き込みがある。この人物は除外してよさそうだ。

佐々木きよ子は兵庫県芦屋市《あしや》——の住所だが、氏名、住所ともに、鉛筆書きの文字を消しゴムで消して、書き直した形跡がある。かすかに「下京」の文字が読めるところから推測すると、元は京都在住だったのだろう。名前も書き直しているのは、京都から神戸にお嫁に行ったことを思わせる。だとすると、牟田部家三姉妹の誰かと知り合いだった可能性もあるし、この女性が、志保の手紙にあった人物である可能性もないとはいえない。

しかし、美雪はあの手紙の宛て名の「佐々木」という人物は男性だと信じていた。自分のほんとうの父親であるかもしれない——という疑惑から言っても、男性でなければならないのだ。

佐々木勝巳《ささきかつみ》の住所は、岐阜県加茂郡八百津町——。

「八百津……」

美雪は思わず呟《つぶや》いた。広一の姉・ゆかりの嫁ぎ先が八百津だった。

急に心臓が高鳴った。頭に血がのぼり、その血がスーッと引いてゆくのが分かった。貧血を起こして倒れるのではないかと心配になるほどだった。

八百津の伯母は、志保が広一の嫁に来るのを嫌っていた。そのことは美雪もよく知っている。ずっと以前、法事か何かで八百津へ行ったとき、伯母が親戚の誰かを摑《つか》まえて、美雪にも聞こえよがしに、そういうことを喋《しゃべ》っているのを聞いた。そうでなくても、伯母と母親は日頃から折り合いが悪い。志保のほうは悪口こそ言わないけれど、ゆかりに対する態度はとおりいっぺんのものだ。

佐々木勝巳が八百津の人間で、あの伯母の知人であるならば、志保に敵意や害意をもっていても不思議ではないような気がする。いや、その「佐々木」の素性も、志保との関わりも知らない段階では、何がどうして——という理由などまだないけれど、あの伯母と同じ八百津の人であるというだけで、美雪はそう信じた。

伯母の嫁ぎ先は「御嶽《みたけ》」という、八百津町きっての旧家で、戦前はその近辺を仕切る庄屋《しょうや》だったそうだ。苗字と同じ「御嶽」の屋号で古くから造り酒屋を営んでいて、年末になると、お歳暮に「御嶽正宗」という商標の地酒を送ってくる。

辛口で、なかなか美味《うま》い酒だそうだけれど、広一は「御嶽は木曾特有の銘柄のはずなんだけどなあ」と苦笑いしていた。ただ一人の姉の嫁ぎ先とはいえ、ゆかりと志保のことがあるせいか、広一も御嶽家のことは、あまり好きではなく、付き合いを敬遠しているようなところがあった。

それにしても、伯母がなぜ母親を嫌ったのか、美雪はいまさらのように、そのことを考えた。

ゆかりが志保と広一の結婚に反対していたということは、それ以前から志保のことを知っていたことにほかならない。すでに八百津に嫁いでいたゆかりが、なぜ弟の結婚に反対したのか、考えてみると奇異なことだ。

美雪はもういちど、住所録の佐々木勝巳の住所を確かめた。木曾川の畔《ほとり》の、のどかな町の佇《たたず》まいが脳裏に浮かんだ。

5

八月も残り一週間になった。美雪の大学は九月の第二週からスタートするが、気持ちの中にはもう秋風が吹いている。

大杉幸仁に電話して、「ドライブに連れて行って」と言うと、大杉は「信じられへんなあ」と大げさに反応した。馬籠から戻ったことも教えてなかったから、よほど驚いたにちがいない。

「何か下心があるんとちがうか」

疑わしそうに訊《き》いた。下心があるのはあんたのほうでしょう――と、美雪はおかしかった。

「何もないけど、ことしの夏休みは家の手伝いばかりで、ぜんぜん遊ばなかったから、その分を取り戻そうかと思って。でもスギさんが忙しいのならいいわ」

「いや、もう忙しいことはあらへんよ。おれかて毎日、勉強ばっかしやったしな」

「嘘でしょう」

「ははは、そうや、嘘や」

大杉は相変わらず屈託がない。「そしたら明日の朝、迎えに行く」と言って、電話を切りかけて「そや、ドライブいうて、どこへ行くんや？」と訊いた。

美雪は「八百津」と言ったが、聞き取れなかったらしい。大杉は「なんやて？」と甲高い声を発した。

「八百津、岐阜県の多治見からちょっと入ったところ」

「ふーん、聞いたことないけど、多治見いうたら中津川の途中やなかったかな。また和宮さんの中山道へ行くんかいな。あれやったらかなわんで」

「違うわよ、和宮は関係ないわ。八百津は伯母の嫁ぎ先なの。造り酒屋をやっていて、古い家だけど、地酒は美味しいわよ。それに、丸山蘇水湖《まるやまそすいこ》っていうダム湖があって、景色がすっごくきれいだし」

「そうか、分かった、行くよ、行く」

弾んだ調子で言った。美しい景色よりも、地酒に魅力を感じたようだ。

翌朝、大杉は例の父親のセフィーロを磨き上げてやってきた。浅見のソアラに追突したときの傷は直っていた。そのことを言おうとしたとき、浅見のことを思い出して、美雪はなぜか、ふっと切ない気持ちになった。

岐阜県加茂郡八百津町——は、中央自動車道多治見インターからほぼ真北へ、およそ二十キロほど行ったところにある。総面積の八割が山林で、人口は一万五千あまりの小さな町だが、古くから開けた、歴史的には由緒《ゆいしょ》ある土地である。町内久田見《くたみ》にある越水遺跡は先土器時代から縄文時代にかけてのもので、各種の石器や土器などが出土する。

また、中世の南北朝時代に、ここが南朝の有力な拠点の一つであったこともよく知られている。『太平記』の中に、足利尊氏討伐に向かう新田義貞の軍勢に伊岐津志《いぎつし》という武将の名が出ているが、その居城は八百津町伊岐津志地区にあった。

美雪は、子供のころ御嶽家に遊びに行っては、伯母や店の若い衆などから、そういった町の歴史にまつわる話を聞かされている。そのときの記憶が蘇《よみがえ》るまま、大杉に話して聞かせた。しかし、大杉はそういうことには興味がないらしく、聞いているのかいないのか、あまり反応しなかった。

考えてみると、美雪にしたって、そんなよその土地の昔のことなど、自分にはまったく関係のない話だと思っていた。いや、いまだって、八百津が伯母の嫁ぎ先である以上に、自分の「人生」に何かの関わりが生じてくるなんて、とても考えられなかった。

「伯母さんていうのは、京都の伯母さんの妹とか、姉さんとか？」

八百津に近づいた頃になって、大杉は訊いた。

「ううん、八百津の伯母は父の姉なの。母や京都の伯母とは仲が悪いみたい。だから、きょう八百津へ行くことは京都の伯母には内緒にしてあるので、スギさんもそのつもりで黙っていてね」

「ふーん、なんや知らんけど、ややこしいんやな」

大杉はそういう「ややこしい」話は苦手なタイプだ。そう思ったとき、ややこしい話大好き人間の浅見と大杉を引き比べている自分に、美雪は気がついた。

八百津へは、名神高速道の小牧インターで下りて、国道四一号を行くルートもあるけれど、大杉は美雪が教えたとおり、多治見インターで下りるルートを選んだ。一般道をトロトロ走るのは、この前の中山道を訪ねるドライブで懲《こ》りたらしい。

八百津はほんとうに鄙《ひな》びた町だ。名鉄八百津線の終点・八百津駅は町域の南――木曾川の南岸にあるのだが、この辺りは町の中心から遠く、駅の周辺には小高い山の上に八百津高校があるほかは、ほとんど何もない。そこから四、五百メートルほど行って、木曾川に架かる八百津橋を渡ると、ようやく、いかにも町らしく人家が密集した通りに入る。

八百津橋から少し上流のところに丸山ダムがある。一九五六年に完成した、当時としては日本最大級のダムで、そこから上流域十五キロを「蘇水湖」と呼ぶ。また八百津橋とダムの間は「蘇水峡」といい、上流の蘇水湖とならぶ景観のいいところだ。

美雪は大杉に車を停めさせて、蘇水峡のほとりの公園に立ち寄った。

この辺りの木曾川は満々と紺碧《こんぺき》の水を湛《たた》えて、まるで湖面のように見える。シラサギやアオサギが水面に影を落としながら、のんびり舞っている。およそ風流などとは無縁のような大杉が、「ええなあ、ええやないか」としきりに称賛した。川の畔を森陰に消えてゆく散歩道に誘いたがったが、美雪は「伯母が待ってるから」と、あっさり断った。

伯母の嫁ぎ先である御嶽家は八百津町の中心街、八百津地区の表通りに面している。もとは隣町の御嵩《みたけ》町域にあたる土地にあったのだが、江戸末期に木曾川を越えた現在の場所に移り、庄屋を務めるかたわら、造り酒屋を開業した。苗字であり屋号であり酒のブランド名にもなっている「御嶽」は、その時代のなごりだという。

建物は明治の中頃に建て替えられたのだそうだが、それでもずいぶん古い。柱や桁《けた》はほとんどがケヤキで、黒光りするほどに磨き込まれている。間口は十メートルほどもあり、軒の上に「御嶽」の商標を彫り込んだ、酒樽《さかだる》の形の看板が載っている。店に入るとプーンと酒の芳香が鼻を刺激した。

大杉の美雪を見る目が、地酒への期待で輝いた。

6

伯母のゆかりは美雪の来訪を喜んで、上客なみに、中庭に面した奥の座敷に通してくれた。志保や京都の牟田部家の人々には露骨に冷たいくせに、姪《めい》の美雪に対しては、世間並の伯母らしい対応を見せる。

同行した大杉にも愛想が良かった。大杉は大杉で、いかにも彼らしくそつがなく、馬籠へ行った話をして、「馬籠はよろしいです」などと、心にもないお世辞を言って、ゆかりの歓心を買っている。

間もなく伯父の御嶽省吾《しようご》も挨拶《あいさつ》に出た。たしか還暦を過ぎたはずだが、髪も黒く、まだ十分に若い。黒い絽《ろ》の着物に渋い茶の角帯をきちんと締め、御嶽家の当主として堂々たる風格である。さすがに商人を長くやっているだけに、若い客にも如才ないが、如才ないことでは、大杉も負けてはいない。さっき美雪から聞いたばかりの半可な知識を早速引用して、八百津の歴史を話題に持ち出した。

「ほう、あなた、なかなか詳しいな」

伯父は感心して相好を崩した。なに、種を明かせば、美雪の受け売りで、それも間違いだらけのはずなのだが、それを修正して解説を加えることで、伯父もいっそう楽しいものらしい。

「いい青年じゃないの」と、ゆかりは台所でお茶の支度をしながら、美雪に囁《ささや》いた。

「そうかしら、なんだか頼りない感じがするんですけど」

「そんなことないわよ。いまどきの若い人にしては、礼儀もちゃんとしてるし。京都にもああいういい人がいるのねえ」

そういう皮肉めいたことを言わなければ、伯母さんもいい人なんだけれど——と、美雪は胸の内で呟き、苦笑した。

「だけど美雪ちゃん、きょうは何の用なの？　まさか大杉さんを見せに来たわけじゃないんでしょう？」

さすがに、伯母は美雪の突然の来訪を訝《いぶか》しく思ったらしい。

「見せに来たんじゃないけど、大杉さんに八百津を見せたかったんです。丸山蘇水湖だとか、めい想の森だとか行くつもりです」

「ふーん、そうなの……」

ゆかりは疑わしい目をしている。その視線に誘い出されるように、美雪は言った。

「あ、そうだ、伯母さんは知ってませんか、佐々木っていう人のこと」

「佐々木さん？……」

伯母はうろたえたように視線を逸《そ》らした。美雪はドキリとした。牟田部の伯母が見せたのとは少し違うけれど、動揺の色が見えたことはたしかだ——と美雪は思った。

「佐々木さんなら何人か知ってるけど、どこの佐々木さんかしら」

「たぶん、うちの母さんの若い頃の知り合いだと思いますけど」

「志保さんの知り合い？　さあねえ、志保さんが知ってるかどうか……」

「じゃあ、それらしい人はいるんですね」

「えっ？　ええ、いたかもしれないけど……あなた、それ、志保さんに聞いたの？」

「直接じゃないけど、まあ、そうです」

「なんだかおかしな言い方ねえ。で、志保さんはどういうふうに言ってたの、その佐々木さんのこと」

「ですから、はっきりはしないんですけど、たぶん、恋人とか、プロポーズされたとか、そういう関係じゃないかって思うんです」

「ふーん、そうなの、そう言っていたの、志保さん……」

不思議そうに美雪の顔を見つめた。美雪は心臓がビッグ・ベンほどに高鳴るのを聞いた。伯母はやはり何かを知っているのだ。ということは、母親と「佐々木」なる人物とのあいだに、何かいわくがあることを意味する。

美雪はもっと突き詰めて訊《き》き出したかったのだが、ゆかりは、まるでその気配を察知したように、お茶菓子を載せた盆を持って、そそくさと客間へ向かった。

大杉は日本茶と、ここの名物の「八百津せんべい」が出されたのを見て、美雪に向けて残念そうな目配せをした。

その気配を察知したわけではないが、伯父の省吾が「お茶より酒のほうがいいだろう」と言った。伯母も「そうね、そうしましょうか」と腰を浮かせた。

「あら、だめですよ、車だから」

美雪は慌てて言った。余計なことを——と、大杉の目が美雪を睨《にら》んだ。

「まあええやないの、少しくらいならすぐに醒《さ》めますよ。ぜひ御嶽の大吟醸を飲んでいただきたいわ。その代わり、ほんの少しにしておきますからね。あとはお帰りにお持ちなさい。うちのお酒はね、冷やで召し上がるのがいちばん」

「えっ、ほんまですか。ありがとうございます。親父《おやじ》が泣いて喜びます。いやあ、嬉《うれ》しいなあ」

大杉の手をこすり合わせるような感謝の仕方に、ゆかりは気をよくしたらしい。酒の支度をしながら、大吟醸の一升瓶を箱入れにしておくよう、店の者に命じていた。

男二人にしておいて、伯母は美雪を洋間に誘い入れた。

「さっきの話だけど、志保さん、佐々木さんのこと、どう言っていたの？」

ずいぶん深刻そうな表情である。

「どうって……」

美雪はしばらく躊躇《ためら》った。親戚《しんせき》の中で、八百津の伯母はもっとも危険な人物だと思っている。美雪には優しいけれど、少なくとも母の志保にとっては、いわゆる小姑《こじゅうとめ》と言われる天敵だ。やはり下手なことは言えない――と腹を決めた。

「……ただ、昔そういう人がいたっていう、思い出話みたいのをチラッと聞いただけですけど」

「それだけなの？　変ねえ、いまごろになってそんな話をするなんて」

ゆかりが疑わしげに眉《まゆ》をひそめるので、美雪は逆襲するように訊いた。

「あの、その佐々木さんて、八百津の人なんでしょう？」

「ん？　ああ、まあ、そうだけれど……」

「いまも八百津にいるんですか？」

「えっ？　いまもいるって……志保さん、そんなふうに言っていたの？」

「そうじゃないですけど」

「でしょう、そんなはずないもの。だけど、この話、やめましょう。私がこんなこと言ったってこと、誰にも……志保さんにも言わないほうがいいわよ」

「ええ、言いません、絶対に」

絶対のところに、美雪は力を込めた。いつもはどちらかといえば疎ましい伯母と、どんなものであろうと、こんなふうに共通の秘密を持てたことが、美雪にはむしろ唯一の救いのように思えた。

第八章　悲しい青春

1

酔い醒まし――と称して、美雪は大杉を連れ出して八百津の町を歩いた。今回の「旅」の目的は、プライベートもプライベート、誰にも秘密にしておかなければならないものだけれど、いざ行動するとなると、自分一人では心細くてならない。日頃は頼りなく思える大杉でも、この際はずいぶん心強い同伴者であった。

八百津は見れば見るほど古く、鄙《ひな》びた町である。街中を抜けるメイン道路は狭い二車線で、左右の民家の低い軒がたがいに迫っている。いちおう「多治見白川線」という、地方道路に指定されてはいるのだが、白川へ行く峠越えの道は難所に近く、交通量はごく少ない。町並みは狭いが、息がつまるような高い建物もなく、水辺に近いせいか、吹く風は爽《さわ》やかだ。いまどき珍しい駒下駄《こまげた》の音を響かせながら通る女性の姿もある。なんだか昔の映画を見るような、情緒ゆたかな雰囲気が漂って、散歩する者の心を和ませる。

牟田部家で見つけた「佐々木勝巳」の住所は、同じ八百津地区の中でも、御嶽家とは反対の側——役場からさらに西へはずれた辺りであった。

電柱の地番表示を確かめながら行くと、それに該当する場所に、しもたやふうの家があった。建物はそれほど大きくはないけれど、最近建て直したものなのか、この町の中では比較的新しい。裏手の庭に大きな樹が何本も繁っている。さり気なく通り過ぎながら覗《のぞ》いた表札に「佐々木伸三」という名前が出ていた。

「違うのかな……」

思わず呟《つぶや》くのを聞きとがめて、大杉が「なんやね？」と訊いた。

「佐々木勝巳さんていう人の家がここのはずなの。佐々木の苗字は合っているのに、下の名前がちがうのよね。勝巳じゃなくて、伸三って出ていたの」

「なんや、それやったら訊いてみたらええやないの」

「そうだけど、ちがっていたら悪いし」

「何言うてんね、かまへんがな。そしたらおれが尋ねてやるわ」

佐々木家に近寄りかけて、ふと気がついたように立ち止まった。

「そやけど、その佐々木いうのは、美雪の何なんや？　まさか彼氏と違うやろな」

「ちがうわよ、ばかなこと言わないで」

美雪は真顔で怒った。大杉は「へへへ、そうかちがうんか」と嬉しそうだ。

玄関のインターホンを押すと、「はーい」と女性の声がして、いきなりドアが開いた。母親の志保より少し若いかな——と思える歳恰好《かっこう》の女性である。大杉と背後の美雪にすばやく視線を走らせて、戸惑った顔で「はい、何でしょうか？」と言った。

「ちょっとお尋ねしますけど、こちらは佐々木勝巳さんのお宅とは違いますやろか？」

「えっ、ええ、まあそうですけど……あの、どちらさまですの？」

「あ、そうですか、当たりでしたか。ほれ、こちらのお宅やて」

大杉は振り返り、自分は脇に避けて、美雪に場所を譲った。美雪は尻込《しりご》みしたくなる気持ちに鞭打《むちう》って、オズオズと前へ進んだ。

「あの、私は京都の牟田部という家の身内の者ですけど」

「はあ、牟田部さん……」

どうやら女性はその名前に心当たりがなさそうだ。そのことで美雪はいっそう、気持ちが萎《な》えかけた。

「それで、勝巳さんはこちらにはもう、いらっしゃらないのでしょうか？」

「はあ……ええ、おりませんけど……」

女性は困惑しきったように言葉を濁してから、

「そしたら、義母《はは》を呼んできますので、お待ちになっていただけます？　あ、外は暑いでしょう。どうぞ中に入ってください」

二人を玄関の中に入れ、ドアを閉めてから奥へ消えた。「おばあちゃん」と呼ぶ声が遠ざかりながら聞こえた。

玄関はわりと広く、天井も高い。少し汗ばんだ首筋の辺りに、クーラーの効いた空気が心地よかった。

廊下に足音がして、かなり年配らしい女性の声で「私も昔のことはすっかり忘れてしもたけどなあ」と、いくぶん迷惑げに言う声が近づき、最前の女性に導かれるように、七十歳をとっくに過ぎたと思われるような年配の女性が現れた。玄関先の大杉と美雪を見て、予想していたイメージと違った——という驚いた表情になった。

「えーと、京都の牟田部さんて、あんたらのことですの？」

何かの間違いじゃないのか——という目で、若いほうの、たぶん息子の嫁らしい女性のほうを振り向いた。

「あの、私が牟田部の身内です」

美雪は勇気をふるって、言った。

「私は池本美雪といいます。私の母が牟田部家の出で、志保というのですけど」

「志保さん……ああ、そうでした、志保さんいいましたなあ。女優さんの名前と同じじゃいうので、憶《おぼ》えております。そしたら、あんたが志保さんの娘さんか。そうかねえ、そうなるかねえ。あれからかれこれ……」

数えるのをじきに諦《あきら》めて、「志保さん――お母さんはお元気ですか?」と訊いた。

美雪は緊張した。

(このおばあさんは、母さんを知っているんだ――)

胸の内にいろいろな想いがあふれ返るのを抑えて、言った。

「ええ、お蔭《かげ》様で元気です。あの、おばさんは母のことをご存じなんですね?」

おばあさん――と言わなかったのは、べつに意識してそうしたわけではないのだが、相手の顔がふっと和むのが見えた。

「はい、いちどだけ会ったことがあります。写真は何回も見ましたがね。おきれいな方でしたっけが。そうでしたか、あの人の娘さんかね。そういや、あんたもきれいな人やけどなあ……」

しげしげと見られて、美雪は顔に血が昇るのを感じた。

「そうすると、そちらの方は志保さんの息子さんですか?」

老女は大杉を指さした。

「いえ、この人は私の友人です。ここまで車に乗せてきてもらいました」

大杉は「友人」という紹介には不満そうだった。

「あの、それで、佐々木勝巳さんは、いまどちらにいらっしゃるのですか?」

「あれ、あんた勝巳を訪ねてみえたのかね。そしたら、知らんかったんかい。勝巳は亡くなりましたけどな」

「えっ、亡くなられたのですか……」

美雪は言葉を失った。

「はい、ずいぶんと昔のことですけどね。そうそう、せっかく見えたのなら、もしよければ、お線香でも上げてやってください」

老女は「さ、どうぞ」と背中を見せた。若いほうの女性がスリッパを出してくれた。

廊下を折れたところの部屋が仏間であった。四畳半の小さな部屋に、四人が入ると少し狭く感じる。老女は仏壇に灯明を上げて、「なんまいだぶ」と手を合わせてから、二人の客に場所を譲った。美雪と大杉は順番にお線香を上げて、手を合わせた。

仏壇には何柱もの位《い》牌《はい》が並んでいる。その中のどれが「佐々木勝巳」のものなのか、見分けがつかない。老女はそれを察したのか、美雪のお参りがすむと、「これが勝巳のお位牌です」と、仏壇から取り出してくれた。そう言われてみると、戒名に「勝」の字が使われてある。さらに気をきかせたのか、老女は位牌を裏返しにした。

「俗名佐々木勝巳　享年三十一歳」と、それに二十四年前の没年月日が金文字で書かれていた。もし生きていれば五十四、五歳といったところか。

「あや子さん、お茶を差し上げてな」

老女は嫁に命じて、「あや子」が立ち去ると、少し前かがみになって、声をひそめるようにして言った。

「あんた、勝巳がまだ生きていると思って、何ぞ用事があってみえたんやないの？」

「ええ、あの……」

美雪は言い淀《よど》んで、無意識に大杉に救いを求めるような視線を送った。しかし、大杉にはこういう場面に臨機に対処できるような才覚はない。子鹿のように目をパチクリさせて、美雪を見返すばかりだ。美雪はまたしても浅見光彦の涼やかな眸《ひとみ》を思った。

2

「あの……おばさんは、勝巳さんのお母さんなのですか？」

美雪はあらためて初対面の質問をした。これには老女も驚いた。

「は？　ああ、そうですが、あれま、そのこと、あや子さんは言わなんだか。しようのない人やねえ。そうです、勝巳は私の長男です。親不孝な子で、お父さんより先に亡くなってしまって……ああ、そうそう、勝巳の高校のときのお友達で、牟田部さんのところに婿入りなすったあの方、なんていわれたっけな。勝巳と同じようなカッなんとかいう……」

「克之さんですか？」

「ああそうでした、克之さん。あの方もお元気ですの?」

「ええ、元気です。そうなんですか、おばさんは伯父のこともご存じなんですか」

「知っておるどころか、あんたのお母さんをこの家に連れてきたのも、克之さんと、お嫁さんになる牟田部さんの長女の方でしたよ。四月のだんじり祭り見物に遊びにみえたんやけど、なんやら、きれいなお嫁さんと、その妹さんをうちの勝巳に見せびらかしにみえたようなことでしたなあ。いやいや、冗談でなく、勝巳はほんとうに志保さんに惚《ほ》れとったにちがいないのです。あの子が亡くなったあとになって、机の引き出しに写真を何枚もだいじに仕舞っておったのが出てきましたからなあ」

「えーっ、ほんとですか……」

あまりの予想外の展開に、美雪は何がなんだか分からなくなってきた。

佐々木勝巳なる人物は、伯父・克之の高校時代の友達なのだという。伯父は子供の頃に、一家で東京へ移転したとか言っていたのだが、だとすると、どこの高校の友人だったのか、そのことも美雪は不思議に思えた。

このおばあさんの話だと、伯父は佐々木勝巳に、伯母の真紀と母親の志保を「見せびらかすように」紹介したのだそうだ。まだ伯父伯母が婚約時代だったというから、母は学生だった頃のことだろう。

そうして、佐々木勝巳は志保をひそかに愛していたか、少なくとも好意を抱いていたらしい。

そう考えながら、美雪はふいに恐ろしいことに気づいた。佐々木勝巳の没年は、父と母が結婚したほんの翌年か、その翌年のことではないのか——。

両親の結婚と佐々木勝巳の死とのあいだに、何か関わりがあるのだろうか——。

(まさか——)

「あの……」と、美雪は振り絞るような思いで言った。

「ご子息——勝巳さんは何で亡くなられたのですか？」

「それがなあ……」

老女は辛《つら》そうに首を振って、「直接の死因は肝臓障害いうことでしたけど、私らは栄養失調でないかと思うとります」

「栄養失調……」

「何も食べようらんでしたもんなあ。原因はさっぱり分からんかったが、まあ、ノイローゼいうことになるのでしょう。わけの分からんことを言うたりして、親の私らでも、なんともしようがないことでした」

ひょっとして、自殺——などという想像も走っただけに、ひとまずほっとしたが、ノイローゼの原因が母親の志保にあった可能性は否定できない。

「わけの分からないことって、どんなことをおっしゃっていたのですか？」

母の名前が出なければいいが――と、祈りながら訊いた。

「祟《たた》りだ――とか言うてました」

「祟り?……」

背筋がゾクッとした。

「ほほほ、何を言うとるのか、はっきりせんかったですけどな。いやいや、いまは笑って話せるけども、そのときは心配したし、恐ろしゅうもあったですよ。夜中に起きだして、祟りだァ、和宮の祟りだァ――と、そこらじゅう歩きおったですのでなあ」

老女は悲しそうに頬を歪《ゆが》めて、声もなく笑った。

美雪はその笑いに付き合うどころではなかった。全身の体温が失われたような思いだ。母の名前を出されるよりも恐ろしい名前を聞いたものである。

「和宮?……」

美雪が声も出なかった代わりに、大杉が驚きの声を上げた。

「和宮いうたら、皇女和宮のことでっか?」

「はい、皇女和宮さんのことです」

「なんで和宮の祟りなんでっか?」

「それは分からんけども、和宮さんの霊になんぞ悪さでもしたのを、気に病んでおったのではないかなあ、思っとります」

大杉にも美雪の恐怖が感染したように、冷たい沈黙が流れた。その中から、美雪はおそるおそる訊《き》いた。

「こちらのお宅と、御嶽さんのお宅とは、お付き合いはあるのですか?」

「酒屋さんの御嶽さんかね。そらもう狭い町やもんねえ、どこともお付き合いはさせてもろてます。けど、奥さんがお嫁入りした頃から見ると、なんだか遠くなってしもうたかもしれんわねえ。あのお宅は昔、庄屋《しょうや》さんをしておった関係で、町の者の面倒見がよくて、だんじり祭りのときも当本《とうもと》を務めていました。お祭りの日は御嶽さんの前で景気づけに、お囃子《はやし》があるもんで、見物人が山のように集まりましたなあ」

「じゃあ、牟田部の伯父たちも、それを見物に行ったのでしょうか」

「そら行きましたがね。勝巳が案内して、走って行ったのを、昨日のことのように憶《おぼ》えておりますよ」

老女は目をショボショボさせた。たんたんと喋《しゃべ》っているようだが、遠い記憶は完全には風化しきっていないのだろうか。

美雪の脳裏には、だんじり祭りの日の光景が浮かんでいた。御嶽家の前で奏《かな》でられるお囃子――。それを見物する伯父、伯母、そして母――。その向かい側の御嶽の看板のある屋根の下に佇《たたず》む父――。

若い日の広一と志保の出会いが、まるで映画のワンシーンを見るように、頭の中のスクリーンに映し出されている。

広一が姉の嫁ぎ先である御嶽家に遊びにきていて、志保と出会ったとしても不思議はない。当時、広一は京都の大学に行っていたものだから、京都で再会した可能性も十分に考えられる。そうして、気の毒な佐々木勝巳の悲劇が始まったにちがいなかった。

3

話の様子だと、佐々木勝巳の母親は、志保の嫁ぎ先——つまり美雪の父親が御嶽家の嫁の弟であったことは知らないらしい。勝巳が志保に「惚れとった」のも、勝巳の死後、志保の写真が沢山出てきたことで分かったと言っているくらいなのだ。

「あの、勝巳さんと母はお付き合いはしていたのでしょうか？」

「しとったと思いますよ。あの子は内気で、私にはそういうことは何も話さなんだけど、ときどき京都のほうへ行っとったようでな。写真を撮りに行く言いよったけど、あとで思うと、あれは志保さんに会いに行っとったにちがいないです」

おぼろげながら、伯父の牟田部克之と佐々木勝巳と、それに母親の志保との関係が美雪にも分かってきた。勝巳の母親の言葉を借りると、克之が「きれいな嫁さんと妹さんを、勝巳に見せびらかしに来た」とき、勝巳は志保に一目惚れをしたのだが、その恋は実らずに、志保は美雪の父親・池本広一と結婚することになり、それに悲観した佐々木勝巳が一種のノイローゼに罹《かか》って、ついには早世した——というのが、悲劇のラブストーリーの顚末《てんまつ》のようだ。

志保と広一の結婚までのいきさつがどのようなものであるにせよ、先に志保を見初《みそ》めたのは勝巳であり、しかも牟田部家に婿入りした克之との友人関係という絆《きずな》があったことを思うと、かなり具体的な話まで進捗《しんちょく》した可能性も考えられる。京都へ再三、足を運んだくらいだから、勘違いか片思いにしても、少なくとも、勝巳の側は結婚を前提として志保と交際しているつもりだったにちがいない。

その事情を、御嶽家に嫁入りした伯母のゆかりは、ある程度、知っていたのではないか——と美雪は思った。狭い町内のことだし、佐々木家と御嶽家は行き来があったのだから、勝巳の「悲恋」は御嶽家の中でも話題になっただろうし、嫁のゆかりが知っていたとしても不思議はない。

ただし、その時点では勝巳の相手がどこの誰かまでは知らなかったと思われる。ところが、後になって分かってみると、広一に京都から嫁いだ志保が、こともあろうに勝巳を袖《そで》にした女だったというのだから、御嶽家としては義理が悪かったにちがいない。まして嫁のゆかりの立場としては、さぞかし辛《つら》いものがあっただろう。ゆかりが志保に冷たく当たる理由も、それで納得できる。

問題は広一だが、美雪が「佐々木」の名前を言ったとき、牟田部の伯父も伯母も、八百津の伯母も、すべて不自然な反応を示した中で、唯一、無反応だったのは広一だけであった。そのことから、広一が志保と佐々木の関係をまったく知らなかったと考えられる。まさに「知らぬがホトケ」だ。

それにしても、志保が書いた手紙の相手は誰なのかが分からない。「どうぞ、私のことなど、遠い過去のものとしてお忘れになりますように」という内容は、まるでむかしの恋人に宛てたように思える。しかも、その前段には「たとえ殺されるとしても、私は秘密を抱いたまま死んでゆく」などという、物騒な文面もあった。

そんな手紙を出さなければならないというのは、振られた男の恨みを込めた脅迫があったと見ることだってできるのだけれど、それに該当しそうな人物である佐々木勝巳は、すでに死んでいるというのだから、何がなんだか分からない。

だからといって、勝巳の母親に、「お宅のどなたかが、うちの母に脅迫状を出しましたか」――などと言えるはずはなかった。

(どうしよう――)

佐々木家を辞去して御嶽家へと歩く道すがら、美雪は足元を見つめながら、ただそのことばかりを考えていた。

「どないかしたんか?」

大杉もさすがに怪しんで、美雪の顔を覗《のぞ》き込んだ。

「なんぞ、怒っとるんか？」

「ううん、そうじゃないけど、ちょっと気分が悪くて……暑さのせいかな」

それを裏付けるように、額に汗が浮かんでいた。

御嶽家に戻るとすぐ、美雪は「帰ります」と言った。伯母は晩御飯までいたらいいのにと勧めたが、夕方までに京都に帰りたいからと断った。よっぽど伯母に何もかも訊いてみようかとも思ったが、「そのこと」には触れてはいけないような気がして、とうとう切り出せなかった。

美雪の「気分が悪い」状態は京都までつづいた。大杉は美雪を送り届けると、物足りなさそうな顔で帰って行った。ドライブに応じたからには、たぶん、それなりの下心はあったにちがいないのだけれど、結局、今回もまたアッシー君でしかなかったわけだ。なんだか気の毒で、美雪としては珍しく、心底から「ごめんなさい」と謝った何に対してのごめんなさいかは言わなかったが、大杉には通じたらしい。

「えっ、何言うとるんや。ええがな、ええがな。それより体、気いつけや」

大杉がそう言ったとき、美雪は少しホロッときた。

美雪は牟田部家の人たちには、八百津の伯母の家へ行くと言ってなかった。伯母の真紀に「きょうはどこへドライブ、行ってきたん？」と訊かれたとき、「琵琶湖一周」

と答えた。伯母にはもちろん、牟田部家の人たちに嘘などついたことがなかっただけに、心が痛んだ。いままで居心地のよさに甘えてばかりいた牟田部家が、なんだか針の筵《むしろ》のように思えてきた。

それにしても、伯父も伯母も佐々木勝巳のことは知り抜いているくせに、「佐々木っていう人を知りませんか」と訊いたとき、まるで素知らぬふりを装って平然としているなんて、許せないという気がする。しかし、そうまでして隠さなければならないのは、やはりそれなりの理由があるからなのだろう。そう思うと、やはり伯父にも伯母にも、何も訊けそうにない。

美雪は思いあぐねて、ついに浅見に手紙を書いた。母親の過去の秘密を物語るような、恐ろしい手紙を発見したことから、八百津の「佐々木家」を訪ねたこと、母親に恋した男が事実上、衰弱死していたこと、伯父や伯母たちの怪しげな様子にいたるまで、できるだけ詳しくワープロで書いた。

――こんな秘密や陰謀が渦を巻いている中で暮らしていると、いまにきっとノイローゼになってしまいます。私はどうしたらいいのでしょうか。助けてください。――助けて――と書いたのは、決して大げさな気持ちではなかった。現実に食は極端に細くなっていたし、急に汗が吹き出してきたり、逆に急に冷房を寒く感じたりした。明らかに自律神経がおかしくなっていることが、自分でも分かった。

伯母の真紀も心配して、ときどき体調を尋ねてくれるのだが、それさえも疎ましく思えてしまう。このままだと、ほんとうにノイローゼだわ——と思いかけた日の午後、浅見からの手紙が届いた。「次の土曜日に京都へ行きます」と書いてあった。

美雪は躁鬱《そううつ》病患者のように、とつぜん、はしゃぎだした。真紀が「よっぽどええ手紙みたいやわね」と笑った。

「そうよ、白馬に乗った王子様がやって来るんだもの」

子供じみたことを言って、美雪も笑った。

4

浅見光彦の来訪は、このところ牟田部家に漂いがちだった憂鬱な気配を吹き飛ばした。浅見が玄関を入った瞬間から、爽《さわ》やかな空気が一緒に流れ込んだのを、美雪はたしかに感じた。応接間に落ち着いて、牟田部夫婦と、少し遅れて現れた茂吉と挨拶《あいさつ》を交わしたときには、もう誰もがきっとそのことを感じていたにちがいない。

浅見は暑い時季の京都は初めてなのだそうだ。京都は盆地で暑いと聞いていたけれど、洛北《らくほく》のこの辺りは木々の緑が涼やかで、気持ちがいい——と言った。お世辞という感じではない素直な感想が住人を喜ばせる。それから、ここに来る途中、道を尋ねたおばさんの応対がおかしかった話をした。「ああ、牟田部さんいうたら、こわい先生のいるお宅や」と言われたというのである。茂吉は「こわい」という評が気に入って、珍しく声を上げて笑った。人見知りはしないが、馴《な》れるというのではなく、礼儀も折り目もしっかりした、育ちのよさを感じさせる男だ。

「ええ人やないの」

お茶の支度に台所へ立ったとき、真紀は目を丸くして言った。

「どういうお知り合い？」

「馬籠でね、スギさんと一緒にお友達になっただけ」

「好きな人？」

「そんなんじゃないわよ。そりゃ、嫌いじゃないですけどね。だって、ずいぶん歳が違うんだから」

「そうかしら、違ういうても、十かそこいらやないの？」

「それだけ違ったら立派なものだわ」

「そうや、立派なもんやおへんの」

「そういう意味じゃなくて……」

否定したが、まんざらでもない笑みがあふれてくる。お茶を持って応接間に戻って浅見の顔を見たとき、美雪は胸に痛みのようなものが走るのを感じた。

男ばかり三人でいるあいだも、けっこう話が弾んでいたらしい。浅見はいつの間にか、克之が高校時代まで東京に住んでいたことを聞き出して、当時の東京のあれこれを話題にのぼらせている。浅見が生まれる少し前の頃だという。

克之がその頃の話をするのを、美雪は初めて聞いた。たしか、当時の話をしたがらないはずなのに――と不思議でならなかった。どういうテクニックを使えば、そんなふうに話を引き出すことができるのだろう――。

ひとしきりあって、浅見は「それでは案内をお願いします」と美雪に軽く会釈して、立ち上がった。手紙にはそのことは書いてなかったが、まるで約束ずみのような自然な言い方だった。

茂吉老人は「まだよろしいがな」と引き止めたがったが、真紀に「お父さん、気ィきかんわねえ」と窘《たしな》められた。

「そんなんじゃないって」と美雪は言い、浅見に「ねえ、そうですよね」と同意を求めると、浅見はどちらともつかずあいまいに笑った。

日は山の端《は》近くに傾いて、街には涼風が流れていた。浅見のソアラは少し離れた駐車場にとめてあった。そこまで歩きながら、浅見は牟田部家を振り返って、「いい人たちですね」と言った。手紙のニュアンスとは違う――という意味に聞こえたから、美雪はむきになって「でも違うんです」と言った。

「それはたしかに、これまではよかったんですけど、でも、あのことに関しては絶対におかしいんです」

「それはたぶん、あなたの言うとおりなんだと思う。それだけに、あのいい人たちが、なぜそうまでして隠さなければならないのか、そのことがとても面白いですね」

「面白い……」

美雪は少しカチンときた。

「浅見さんにとっては面白いかもしれませんけど、私には切実な問題ですよ。母なんかはもっと切迫した問題かもしれないんです」

「ほうっ……」

浅見はびっくりした目を美雪に向けて、それから車に乗り込むまでのあいだ、ずっと黙って歩いた。

(怒ったのかしら――)

美雪は非難めいた口をきいたことを後悔した。浅見にしてみれば、何の得にもならないことで、はるばる京都までやってきたのだ。多少は面白半分であったとしても、仕方のないことではないか。

車が走りだすと、浅見はため息まじりに、「僕はときどき、自己嫌悪《けんお》に陥ることがあるんですよ」と言った。

「自分ではいっぱし、正義感に突き動かされているかのように思っているのだけれど、ほんとうの動機は好奇心が大半じゃないかと気がつくんです。それをまた、黙っていればいいのに、馬鹿正直に言ってしまう。さっきは不愉快だったでしょう。勘弁してやってください」

頭を下げられて、美雪はふっと目頭が熱くなった。慌てて外に目を向けながら、

「そんなこと……私のほうこそ、ごめんなさい、生意気な口をきいて」と謝った。

それからしばらくは、なんとなく気まずくて、黙ったまま走った。蹴上《けあげ》から東山道路を展望台まで登った。休日で観光客が多かったが、駐車場にはスペースがあった。浅見はなるべく隅のほうへと車を持って行って、クーラーを効かすためにエンジンを回しっぱなしにして停めた。

「牟田部さんの高校はF高校でした」

浅見はとつぜん言った。

「F高は国立大の付属で進学校として知られていますが、そこからK大に入るくらいだから、やっぱり優秀なんですね。それから、東京へ引っ越す前は岐阜県の恵那市にいたのだそうです」

「ええ、恵那に住んでいたっていうのは知ってますけど、でも、詳しい話は聞いたことがありません」

「お父さんの仕事の関係で、小学生のときに東京へ移転したとおっしゃってましたが、その頃のことはあまり憶《おぼ》えていないらしいですよ」

「というか、むかしのことは話したくないんだと思います。高校のことだって、聞いたことがありませんもの」

「そうかもしれない。しかし、そこまで勘繰って問い詰めるわけにはいきません」

「そうすると、八百津の佐々木勝巳さんも、そのF高校に行っていたのでしょうか？」

「しかし、八百津は岐阜県の奥まったところでしょう。そこからわざわざ東京に進学するなんていうのは、ちょっと珍しいですね……その佐々木さんのおばあさんは、何て言っていたのですか？」

「ですから、高校のときのお友達って」

「同級生ではないのですね？」

「そうは言ってませんでしたけど、そのときは、そうかなと思って聞いてました。でも違うのかもしれませんね」

「しかし、気軽にフィアンセを連れて行くというのは、先輩後輩っていう感じじゃないですね。やっぱり同級生なのかな……いや、待てよ……高校のときの友達といっても、必ずしも同じ学校とはかぎらないんじゃないですかね。たとえば文通をしていたたとか、テニスのライバル選手だったとか。そういうことなら、岐阜と東京だって友達関係は成立するでしょう」

「ああ、それはそうですね。でも、伯父がテニスをやっていたって、聞いたことはないですけど」

「いや、テニスはたとえです。僕も中学時代に、新聞に投稿したのがきっかけで、青森県の中学生から手紙をもらったことがありましたよ。もっとも、手紙の往復だけで、会ったことはなかったな」

「フィアンセの紹介とかは？」

「まさか……ははは……」

顔を見合わせて笑った。さっきの凝《しこ》りがようやく解消した。

「そうそう、伯父さんの旧姓はなんておっしゃるのですか？」

「柏木《かしわぎ》です。木偏に白の柏です。あ、そういえば、佐々木さんのおばあさんは伯父の名前も旧姓も憶えていなくて、牟田部の名前だけを言ってました」

「なるほど……ということは、伯父さん夫婦が結婚してからのお付き合いのほうが、記憶に残っているわけですね。つまり、佐々木勝巳さんはその後もあなたのお母さんを追いつづけていたと考えていい」

「なんだか、母のことをそんなふうに考えるのって、いやな気分です」

「そうかなあ。もてなかったお母さんのほうがいいですか？」

「そうじゃないですけど」

「ははは、誰にだって青春はあるんです」

浅見は真顔になって、「明日、京都の帰りに八百津へ行くつもりです」と言った。

「問題のお母さんの手紙の相手が誰なのか、とにかくそれを確かめないと」

「でも、どうやって確かめるんですか？　第一、手紙の相手の佐々木さんていうのが、ほんとうにそのお宅の人なのかどうかも分からないし」

「それ以外に該当者はいないでしょう、少なくともいまのところは。だったら確かめてみるしかないですよ。それと……」

浅見は眉《まゆ》をひそめて、「お母さんの結婚前に来たという、いやがらせの手紙との関連はどうなのかな？……」

「ああ、そのこと……」

「常識的に考えると、ご両親の結婚を妨害しようとしたのは、佐々木勝巳さんということになるのだろうけれど、今回の手紙の相手と同一人物であるかもしれません」

「それですけど、もしかすると――って思ったことがあるんです」

「ほう、心当たりがあるんですか？」

「ええ……」

美雪は言うべきかどうか迷った。浅見はその迷いの中身を見透かすように、こっちを見てじっと待っている。

「……伯母じゃないかなって、そんな気がしたんです」

「伯母さん？……ああ、八百津の伯母さんのことですか」

「ええ、その頃の伯母は八百津にお嫁に行ったばかりで、いろいろ気を遣っていたと思うんです。佐々木さんのご長男の縁談を邪魔しているのが、自分の弟だなんて、ちょっと具合が悪かったのじゃないでしょうか。それに伯母なら和宮の柩《ひつぎ》が馬籠の大火で焼けたことも知っているでしょうし」

「なるほど……しかし、どうかなあ」

浅見は首をひねったが、すぐに思い返したように、「ま、そういうことも含めて、調べてみますよ」と言った。

「でも大丈夫かしら。私がこのことで動き回っていると分かって、騒ぎが大きくなったりしないか、少し心配です。母にも伯母たちにも内緒でやっていることですから」

「そのへんはうまくやりますよ」

浅見は前方を見据えて、自信たっぷりに言う。美雪は頼もしさと不安が半々で、少し日焼けした浅見の横顔を見つめた。

5

八百津は浅見が想像した以上に鄙《ひな》びた町であった。少し脇道に逸《そ》れると、すぐに町並みを突き抜けてしまう。浅見はまず佐々木家の当たりをつけた。大きなケヤキが何本かある家――と美雪に聞いたとおりで、すぐに分かった。表札も確かめ、家の佇《たたず》まいを下見しておいてから、付近をグルッと回った。

裏通りに土地の名物らしいせんべい屋があったので、店の前に車を停めた。せんべいといっても小麦粉を使った、いわゆる瓦《かわら》せんべいのたぐいだ。しかし種類はおそろしく数が多い。平たいのや反ったもの、丸いのや四角いのや瓦形、砂糖をまぶしたもの。棒状のものだけでも十種類はある。

「これは八百津の名物なのですか?」

訊《き》くと、店のおばさんは「名物っていうのかねえ」と困ったような顔をした。聞いてみると、小麦粉製のせんべいは、全国の生産高の七割を八百津で作っているのだそうだ。要するに、全国各地で土産に売っているせんべいのほとんどは、元をただすと八百津に辿《たど》り着くというわけである。そういえば、あちこちの観光地でみかけたようなせんべいが揃っている。

浅見は面白がって、ありとあらゆるタイプのせんべいを、少しずつ取り混ぜて袋に詰めてもらった。日曜日というのに、お客がさっぱりいないのは、やはり卸中心の商売なのだろう。おばさんは面倒がらずに、浅見の注文を聞いてくれた。

「あのケヤキのある佐々木さんのお宅は、いまは三男の方が跡を継いでいるんですね」

浅見はケヤキの梢《こずえ》を指さしながら言った。

「三男」と言ったのは、「伸三」という表札の名前から憶測しただけだ。

「はいそうですけど、佐々木さんのお知り合いですの？」

「ええ、ご長男の勝巳さんに、子供の頃、お世話になったことがあるのです。勝巳さんは早くに亡くなられて、お気の毒ですねえ」

「ほんとになあ、いい人でしたけど」

「歳はあなたと同じくらいですよね」

「私のほうが勝巳さんより一つ上でした」

「じゃあ、学校は一緒だったのですね」

「はい、高校までは一緒でした。そこの八百津高校です」

「えっ、地元の高校だったのですか？」

「はい、勝巳さんは勉強のできる人だから、美濃加茂《みのかも》か多治見の高校へ行くのかと思ってましたけど、弟さんたちもおったし、がまんなさったんでしょうかねえ。ほんとに弟さんたちの面倒をよく見るお兄さんでしたよ。それでも頑張って、専門学校へ行かれましたけど」

「専門学校というと、何の専門ですか？」

「それはお家の跡を継がななりませんので、写真の専門学校でした」

「えっ？　お宅は写真屋さんですか？　そうは見えませんが」

「いまは建て替えてしまったので違いますけど、お父さんが生きておいでのときは、八百津でただ一軒の写真館でした。勝巳さんが亡くなって、跡を継がれる方がいませんでしたし、それに、ふつうの人がみんなカメラを持つようになって、写真館さんも経営が難しいことになってましたものなあ」

「三男の伸三さんがあのお宅を継いでおられるみたいですが、次男の方も亡くなられたのですか？」

「いいえ、とんでもない、お元気ですよ。次男の俊夫さんは、佐々木さんの三兄弟の中でもとくに勉強のできる人でした。小学校の頃からもう、神童って言われてましたもんなあ。高校を卒業するとすぐ、東京の大学へ行って、そのまま八百津には戻って来られなかったのです。いまは東京の大学の教授先生をしておられます」

「ほう、大学教授ですか……どこの大学ですか？」

「N大学ですよ」

おばさんは、自分の身内のように、誇らしげに言った。

（N大学――）

浅見は一瞬、息が詰まった。思いがけないところでN大学の名前を聞くものである。条件反射のように、瀬戸原名誉教授や足達助手の顔が浮かんだ。それから、殺された大塚瑞枝や弘田裕子のことを連想した。

もっとも、そんな偶然はいくらでもあるにちがいない。N大学にどれくらいの教授がいるのか知らないが、その中の一人が、たまたま佐々木勝巳の弟だったからといって、そっちの事件に関連づける理由は何もない。

浅見はせんべいの代金と一緒に、たったいま浮かんだ雑念を払って、おばさんに礼を言うと店を出た。

常識的に考えれば、美雪の母親・池本志保が出した手紙の相手の「佐々木」なる人物は、死んだ佐々木勝巳の身内ということになりそうだ。勝巳と志保の過去を知っていて、その二人のあいだに何か秘密があるのを知っているとすれば、やはりもっとも身近にいた勝巳の家族ということになるだろう。とくに二人の弟が怪しい。

浅見は道路に車を置いて、佐々木家を訪ねた。玄関には美雪が言っていた勝巳の母親と思われる年配の女性が現れた。

「こちらは、以前、佐々木写真館だったと聞いてきたのですが」

「はい、そうでしたけど、ずいぶん前にやめてしもうたです」

「そうなのですか。じつは、二十五、六年前だと思うのですが、八百津に遊びにきたときに、写真館の方に親切にしていただいたことがあったものですから、つい懐かしくて立ち寄らせていただきました。もしお目にかかれれば、お礼を申し上げたいのですが」

「はあ、そうでしたか。それで、うちの誰でしたかいな」

「お名前はもちろん存じ上げませんが、いまの僕より、ちょっとお若いぐらいの、その頃の印象だとおじさんという感じでした」

「そしたら勝巳かもしれんわねえ」

「息子さんは勝巳さんとおっしゃるのですか？」

「はい、いちばん上の息子はですね」

「表札には伸三さんと書いてありますが」

「あれは末の息子です。歳がだいぶん離れとりますので、二十五、六年前というと、その頃はまだ高校生ぐらいかねえ。次男は東京の大学院に通っとりました」

「あ、それじゃ勝巳さんとおっしゃる方だと思います。いまはいらっしゃいますか？」

「いいえ、それが、勝巳はとっくに、お父さんより先に亡くなっとりますがね」

「えっ、亡くなられたのですか……」

浅見は大げさに驚いてみせた。

「まあ、ここではなんですので、どうぞ上がってください」

老母は浅見の落胆ぶりを見て、気の毒そうに言ってくれた。美雪が辿《たど》ったのと、おそらく同じコースで仏壇の前に案内された。

「勝巳は兄弟思いの気の優しい子でした。勉強が好きで、夏休みも遊びに行かんと、次男の俊夫を連れて遺跡の発掘調査に参加したりしとったですよ」

八百津には越水遺跡という、先土器時代から縄文時代にかけての遺跡があって、土器や石器が沢山出た。その当時、学生たちの体験学習のメッカだったのだそうだ。

「次男も勉強のようでけた子でしたけど、勝巳も成績はよかったです。お父さんの仕事を継がなならんもんで、写真の専門学校へ行かせたですが、上の大学へ進みたかったでしょうなあ。ほんにかわいそうなことをしたです」

古いことであるにも拘《かかわ》らず、老母は目頭にそっとハンカチを当てた。

それから息子夫婦が挨拶《あいさつ》に顔を見せた。当主である伸三というのはまだ四十歳を少し出たぐらいの、見るからに陽気そうな男だ。町役場の商工観光課に勤めているとかで、浅見のルポライターという職業に興味を持ったようだ。浅見が半分専属のように原稿を書いている「旅と歴史」のことも知っていて、「機会があったら、八百津のいいところをぜひ紹介してください」と注文をした。

この人物が、兄のかつての「恋人」に脅しのようなことをするとは思えない。仲三の妻も対象外といっていいだろう。となると、残るは東京にいる次男ということになる。

「次男の方は東京の大学にお勤めだそうですが、そうしますと、先生ですか?」

「はい、N大学の教授をしとります」

湿りがちだった老母の顔が、ようやく誇らしげに輝いた。

「ご専門は何でしょう?」

「よう知りませんけど、やっぱり古いもんを発掘したりする学問とちがいますかなあ。勝巳の影響で、そっちのほうに興味を持ったいうのがきっかけでしたので」

「考古学ですか」

「考古学とは言うてなかったですなあ。仲三は知らんかいの」

「おれはよう知らん。兄貴はめったに帰ってこんし、おれらにそういう学問の話をしても分からんと思うておるからな」

末弟は次兄を好きではないらしい。老母は諦《あきら》めたように首を振った。

「よう知りませんけど、大学に何千というシャレコウベがあると言うとりましたので、そういう研究をしとるんやないでしょうか」

「シャレコウベ……」

浅見は、足達助手に案内してもらった、資料庫の頭蓋骨《ずがいこつ》の収蔵ケースを思い出した。

「じゃあ、人類学ではありませんか？」

「ああ、それそれ、人類学言うてました」

（N大学の人類学教室に佐々木教授というのがいたかな？――）と首を傾げた瞬間、浅見は「あっ」と声を出した。

「八木沢教授のことですか？」

「はいそうです、俊夫は八木沢先生のところに婿に行きましたよってな」

老母の声がはるか遠くに聞こえた。

第九章　着想の交差

1

佐々木家の次男が、N大学教授の八木沢俊夫と同一人物であるとは、予想のつかない驚くべき発見であった。

さすがの浅見もこの降って湧いたような新事実にはとまどった。しかし、とまどうのと同時に何かが見えてきそうな予感はあった。まだ定かではないが、得体の知れぬ怪物のようなスケールの「状況」が、目の前に姿を現してきつつあることを感じた。

「そうなんですか、八木沢教授が息子さんでいらっしゃるのですか」

浅見は尊敬の眼差《まなざ》しで老母を見つめた。

「そしたら、あなたさんも俊夫をご存じでしたか」

老母は嬉《うれ》しそうに相好を崩した。

「もちろんです。もっとも、存じ上げているのはお名前だけで、僕ごとき者からは雲の上の方ですが」

「そうですかいの。そんなもんですかいの。わたしらにしてみれば、偉うなるのもほどほどにしてもろたほうがええのですけどなあ」

「どうしてでしょうか、お母さんにとってはご自慢の種じゃありませんか」

「それはそうですけど、あまり偉うなると、なんや遠い人のような気がして……たまに帰ってきても、なんやら冷とうて」

「あ、ときどきは八百津にお帰りになることがあるのですか」

「ときどきちゅうか、ほんまにたまにですけどなあ」

「最近ですと、いつ頃ですか？」

「いつやったか……そうや、五月の連休の頃やったかいな」

浅見はひそかに七月初め——馬籠の殺人事件の頃——というのを期待したのだが、それははずれた。しかしそれとは別に、もうひとつ確かめたいことがある。

「じつは、今回お邪魔する前に、お亡くなりになったことを知らず、勝巳さん宛てにお手紙を出そうと思ったのです。そういう、間違った手紙が配達されるようなことはありませんでしたか？」

「ああ、それは勝巳が亡くなってから、しばらくはありました。とくに古いおともだちの中には、亡くなったことを知らんで、十年も経ってから、手紙をくださることがありましたよ」

「やっぱりそういう間違いはあるものなのですねえ。それじゃ、次男の俊夫さんにも、そういう手紙が舞い込みますか」

さり気なく訊いてみた。

「いいえ……」

老母は妙なことを言うひとだ——という目で浅見を見た。

「俊夫は家を出たときに、お付き合いのある人たちには案内状を出しておりますよって、間違いいうことはありまへんで」

「あ、そうですよね」

浅見は当てがはずれた。もしかして、池本志保の手紙は八木沢の生家宛てに送られたのでは——と推量したのだが、そうではないらしい。だとすると、志保の手紙の相手の「佐々木」という人物は、八木沢教授とは無関係の別人なのか——。

いや、そんなはずはない。ここまで因縁の糸が絡《から》みあってきたからには、何も関係がないはずはない。「佐々木」はすなわち八木沢俊夫であって、志保の遠い過去の秘密をネタに、何か、志保が怯《おび》えるような策謀を行っているにちがいない。問題の手紙は、東京の八木沢教授宅に送られたか、それとも大学の研究室宛てに送られた可能性だって考えられる——そうか大学か。大学の研究室の連中なら「佐々木」が八木沢教授の旧姓であることを知っているだろう。

目まぐるしく思考を巡らせて、浅見はひとまず、それを結論にすることにした。

佐々木家を辞去してソアラに戻ったものの、浅見はどうすればいいのか躊躇《ためら》った。馬籠の池本家を訪ねて、志保に手紙のことを聞くのが最善の方法だが、それをしていいものかどうか、踏ん切りがつかない。「佐々木」宛ての手紙のことどころか、牟田部夫妻は佐々木の名前についてさえも、美雪に対して知らぬふりを装ったくらいだ。まして、志保にとっては触れてもらいたくない過去であることは間違いないだろう。

決断を下せないまま、とにかく中央自動車道へ向かって走りだした。八百津から土《と》岐《き》インターへ抜ける道は途中に小さな峠がある。スピードの出せない道だが、それ以上に浅見はゆっくりと走った。まったく気の進まないドライブである。中津川のインターで下り、馬籠への坂を登りながら、なおも心を決めかねていた。

九月に入ってから残暑が戻ってきたとはいえ、木曾の山道にかかると、窓の外を流れる風は秋のものだ。ススキの穂は青空に銀色に光り、恵那山の頂上辺りは心なしか黄ばんで見える。

馬籠には三時頃に着いた。宿場の石畳を行き交う人の数は夏休み中ほどではないが、それでもなかなかの賑《にぎ》わいである。

えびす屋の店先に、思いがけなく志保の姿があった。初対面だが、娘の美雪とも、それに京都の姉の牟田部真紀とも、どことなく似た面差しで、ひと目でそれと分かった。もう一人の若い女性とともに忙しげに立ち働いている。いくぶん疲れたような顔だが、病気窶《やつ》れというほどのことはなかった。

志保はもちろん浅見に気がつかない。土産物を求める客はしばらく絶える様子がなかった。浅見は隣の喫茶室に入った。ここにも客が二組いた。テーブルにコーヒーを置いて振り返った池本広一が、浅見を見て「やあ、どうも、いらっしゃい」と笑顔で会釈した。

「お一人ですか」

「ええ、京都からの帰り道です。お嬢さんにお会いしてきましたよ」

「ほう、美雪にですか……」

そのことにどういう意味があるのか、推し量るような表情になった。

「仕事の途中に、ちょっとお寄りして、京都の街を案内していただきました」

「そうですか、それはそれは」

広一は奥へ引っ込んで、コーヒーをいれてくると、そのまま浅見と向かいあう椅子に腰を下ろした。

「奥さん、お元気そうですね」

「ああ、お蔭《かげ》様でなんとか」

「それじゃ、例の件はすっかり？……」

「いや、まだ完全というわけにはいかんようですな。やっぱり、永昌寺の事件が解決しないことには、すっきり気持ちが晴れるということはないのでしょう」

「事件捜査のほうは相変わらず、進展していないのだそうですね」

「そのようです。まあ、ああいう通り魔のような事件は、なかなか難しいかもしれませんな」

「通り魔や単なる強盗殺人事件ではないのですがねえ」

「えっ、そうじゃないって……警察はそんなことは言ってないようですが。もっとも、近頃では、新聞もあの事件のことはさっぱり取り上げなくなりましたがね」

「それはたぶん、観光シーズンだから、地元署としては営業妨害にならないよう、遠慮しているのでしょう」

「なるほど、そういうことですか」

お客がひと組、帰った。レジに立って戻ってくると、広一は「今年の夏もきょうで終わりです」と言った。

「なんだか、ずいぶんいろんなことがあって、いつもの年より早く過ぎてしまったような気がしますなあ」

その「いろんなこと」の中には、僕のことも含まれているのかな——と浅見は思った。たしかに、永昌寺の事件といい、それにまつわる志保の異常な行動といい、広一にとっては穏やかでない夏だったのだろう。しかし、穏やかでないという点では、浅見のほうがはるかに驚天動地の連続だ。長者丸の「強盗殺人事件」を追いかけ始めてからというもの、不可解な出来事の連続であった。

2

最後の客が帰った頃には、馬籠の往還も急に人影が疎《まば》らになった。広一の言うとおり、やはり「夏の終わり」なのだろう。

土産物の店のほうも客が途絶えたのか、広一が志保を呼んできた。志保は「主人や娘がお世話になりまして」と挨拶した。しばらく京都の美雪のことなどを語りあってから、広一は約束の所用があるとかで、店の入口に準備中の看板を下げて出掛けて行った。「三十分ばかりで戻りますので、浅見さん、待っていてくださいよ」と言い残した。

広一がいなくなると、とたんに気づまりな空気が漂った。浅見はどう切り出せばいいのか迷いながら、ともかく口を開いた。

「美雪さんが心配していましたが、お元気そうで何よりです」

「あまり元気いうこともありません」

志保は寂しげに微笑んだ。内心を能面のような表情の下に隠した、いかにも京女らしい微笑である。

「失礼ですが、京都のお姉さんとよく似てますねえ」

「そうでしょうか、姉のほうがだいぶん美人とちがいますか」

「いえ、そんなことはありません」

妙に強調して、浅見は照れて笑った。その笑いを収めながら、さり気ない口調で
「八百津の佐々木勝巳さんは、亡くなられたのですね」と言った。

「えっ……」

志保は顔色を変えた。

「どうして……姉に聞いたのですか？」

「いいえちがいますよ。しかし、そのことはともかくとして、脅しは佐々木俊夫さんからあったのですか？」

「…………」

志保は息を停めて、浅見を見つめた。予想以上の「効果」があったことに力を得て、浅見は畳みかけるように言った。

「それに対するお返事は、東京のN大学のほうにお出しになったのでしょうか？」

「えー っ……」

ほとんど悲鳴のような掠《かす》れ声が、半開きの唇から流れ出た。「なぜ？」「どうして？」という疑問は声にはならない。

「あ、お断りしておきますが、このことは僕以外の誰も知りませんので、どうぞご安心ください」

ご安心――と言われても、素直に安心できるはずはないだろう。むしろ、この得体の知れぬ男を疑う気持ちのほうが勝ったにちがいない。志保の目は明らかに（何が目的なのよ？――）と問いかけている。

「ご主人も美雪さんも、あなたのことをひどく心配しています。あなたが一人で悩み、怯《おび》え、病気になるほどに追い込まれているというのに、その原因も理由も説明なさらないのですからね」

「じゃあ……」と、志保は息を飲み込むようにしてから、ようやく口をきいた。

「浅見さんにそういうことを調べるよう、主人がお願いしたのですか？」

「いいえ、さっきも言ったとおり、ご主人は何もご存じありません。それに、八百津の佐々木家を突き止めたのは美雪さんですよ」

「美雪が？……でも、どうして佐々木さんのことを？」

「あなたのちょっとした不注意から、便箋《びんせん》の宛名が『佐々木様』であることを知ってしまったのですよ。たったそれだけの材料から、美雪さんは佐々木勝巳さんのことを突き止めました。大したものです。もっとも、美雪さんは、佐々木勝巳さんと牟田部克之さんの関係や、勝巳さんがあなたに、その、好意を抱いたというか……」

浅見は喋《しゃべ》りながら照れた。

「つまりそういうことがあったことと、勝巳さんがすでに亡くなられていることまでしか知りません。ただし、ご結婚当時、あなたに送られたいやがらせの手紙は八百津の伯母さんからのものだと疑っていました。実際はどうなのでしょう。あなたは手紙の送り主は佐々木勝巳さんだと思っておいでですか？」

「ああ……」

志保はようやく吐息を洩《も》らして、言った。

「それはたぶん、ちがうのです。あの方はそういうことはなさらない人でした」

「つまり、そのときのいやがらせも、やはり俊夫さんの仕業だとお考えなのですね」

「分かりません。何も証拠のないことでしたから。ただ、俊夫さんという方は、自己中心的で、執念深いところのある人だったような気がします。今度のことで、あの方から電話があったとき、その当時の記憶がまざまざと思い浮かんで、やっぱり俊夫さんだった——と思いました」

「しかし、勝巳さんご本人ならともかく、弟の俊夫さんがなぜそうまで？」

「それも分かりません。一方的に私を悪者扱いにして、裏切り行為が許せないとでも思われたのでしょう。私のほうにはそんなつもりはなかったといっても、勝巳さんの思い込みはずいぶん激しかったようでした。私が池本と一緒になることが決まったときには、ひどい落ち込みようだったそうです」

「それは八百津のお義姉《ねえ》さんからお聞きになったのですね」

「ええ、八百津の義姉《あね》に、あとあとまで厭味《いやみ》を言われました。主人には黙っていてくれましたが、まるで私が不倫でもしたように責めたて、私の不実が原因で勝巳さんは亡くなられたと言わんばかりでした」

「いやがらせの手紙には、和宮の柩《ひつぎ》が焼失したことなども書いてあったそうですが、俊夫さんにそのことを話したのも、お義姉さんなのでしょうか」

「ええ、たぶんそうだと思います……でも、浅見さんはどうしてそんなに、何もかもご存じなんですか?」

志保は不思議そうに眉《まゆ》をひそめ、おそれの色を湛《たた》えた目で浅見の表情を窺《うかが》った。

「まあそれはいいじゃありませんか。そんなことよりお訊《き》きしたいのは、今度の俊夫さんからの電話はいつあったのか、そしてどういう内容だったのかということです。まさか、いまさら勝巳さんとの一件を蒸し返すつもりではないのでしょう?」

「もちろん違いますけど……最初に電話があったのは五月のなかば頃です。いきなり、なんだか難しい、わけの分からないことを言うのです。烏帽子《えぼし》直垂《ひたたれ》の貴人が写っている乾板写真があるだろう。それは兄の遺品だから返して欲しいって……」

「烏帽子直垂？……」

浅見は思わず聞き返した。

「ええ、そう言うのです。そんなものは知りませんて――ほんとうに知らないのですから――そう答えても、そんなはずはない、兄の遺書の中に書いてある。八百津の実家で発見したのだとか言って……」

「遺書？……勝巳さんは病死のはずですよ」

「私もそう言いましたけど、事実上は自殺と同じだと言うのです。食べることを拒否して、結局、餓死したようなものだと……」

恐怖が蘇《よみがえ》るのか、志保は肩をすくめ、身を震わせた。その様子に、浅見は義憤のようなものを感じた。

「そういう電話が、何度もあったのですか」

「四度ありました。私が直接、電話に出たときだけで四度ですから、店の者や主人が出たこともあったのかもしれません。ときには哀願するような口調で、返してくださいって頼むくらいですから、よほど大切な物なのでしょうね。私も最初のときにきっぱり、そんな物は絶対にないって言えばよかったのですけど、以前、妹が私宛ての手紙を隠していたこともあるので、一応、探してみて、もしあったら連絡するって言ってしまったのです」

「なるほど、それでますます思い込みが強くなったのかもしれませんね」

「でも、そうだとしても、あまりにも一方的すぎますよ。そのうちに、その写真には和宮の怨念《おんねん》がこもっているから、必ず祟《たた》りがあるだろうって……現に、兄もああいう死に方をしたし、あんたの妹も早死にした。写真を持っていれば、身内に不幸が出る……」

「驚いたなあ、そんなことまで言うのですか……」

浅見はあぜんとした。いちど会っただけだが、あの八木沢教授の口からそういう、ほとんど児戯としか思えないような言辞が出るとは、信じられなかった。ひょっとすると、別の人間と間違っているのでは——と、自信がなくなった。

「念のために確認しますが、あなたの手紙の宛て先は、東京のN大学ですね？」

「ええそうです。N大学人類学研究室宛てに送ってくれるようにというのです」

「佐々木俊夫さんの名前で、ですか？」

「ええ、それでちゃんと届いていました。もちろん、いくら探しても写真のような物はありませんて書いて送るのですけど、手紙が届くとすぐ電話してきて、また同じように脅すのです、嘘をつくなって。隠していると、おまえの近くで不幸な出来事が起きるって……そうしたら、七月の頭に、すぐそこの永昌寺さんで女の人が殺されて…

……」

恐怖を感じることに疲れたのか、志保は遠い昔を振り返るような、ぼんやりした目になっている。

3

「烏帽子直垂の乾板写真」という言葉に、浅見はかすかな記憶があった。どこかで聞いたような気がするのだが、思い出せない。

佐々木家は八百津で写真館を開いていたのだから、古い昔の写真が残っていても不思議はないのだろうけれど、それにしても、八木沢教授が常軌を逸するほど、それに固執するからには、よほど重要な価値のあるものにちがいない。

「じつはですね、佐々木俊夫さんは、二十年ほど前に八木沢家に婿養子にいって、いまは苗字が変わっているのですよ。そして、八木沢俊夫さんは現在、N大学人類学教室の主任教授をしています」

「えーっ、そうだったんですか。あの俊夫さんが……」

志保は驚いて、目を大きく見開いた。その目にふっと、遠い日の佐々木俊夫を偲《しの》ぶような優しい色が流れた。

「そうなんですか、偉くなられたんですねえ……でも、なぜそのことを隠して、佐々木の名前を使ったのかしら？」

「分かりませんが、最初の電話のとき、『佐々木俊夫です』と名乗ったのじゃありませんか？　それで、その名前のままで通したということは考えられます」

「ああ、そういえば『佐々木勝巳の弟の俊夫です』って言ってました」

「ことによると、本当の理由は八木沢という名前を使いたくなかったのかもしれません。いやしくもN大教授ともあろう者が、脅迫めいたことをするのは、かなり後ろめたかったでしょうからね」

「そうだわ、そうですよねえ。大学教授がなぜこんな理不尽なことをするのかしら」

「それはもちろん、あなたが問題の写真を持っているものと、信じきっているからでしょうね。ご当人にすれば、むしろ、その写真を隠しているあなたのほうが理不尽だと思っていますよ、きっと」

「そんな、ひどいわ……」

志保は、まるで理不尽の相手が目の前にいるかのように、浅見を恨めしそうに睨《にら》みつけた。浅見はその視線を避けながら、腕組みをして首を傾げた。

「いったい何なのですかねえ、そうまでして欲しがっている写真というのは……」

「それよりも、どうして私がそれを持っているなんて考えるのでしょうか？」

「先方は、佐々木勝巳さんの遺書に書いてあったと言っているのですね。おそらくそれは正しいのでしょう。いや、遺書であるかどうかは分かりませんが、佐々木勝巳さんが何かそういう記録を残していることはたしかだと思います」

「でも、私にそんな物を下さったなんていうこと、絶対にありませんよ」

「たしか、佐々木勝巳さんとは、牟田部さんご夫妻の紹介で知り合ったのでしたね」

「ええ、姉たちが婚約しているときに、八百津へ連れて行かれて……あら、そんなことまでご存じなんですか？」

志保は何度めかの驚きで、ほとんど呆《あき》れたような表情を浮かべた。

「その後はもっぱら京都でお会いになったのですか？」

「ええ、会ったっていっても、勝巳さんがときどき牟田部の義兄《あに》のところに訪ねて来て、私も同じ家に住んでいましたから、家にいれば顔を出さないわけにいきませんものね。それに、ごくたまには京都の街を案内したりもしましたけど……ああ、俊夫さんも一緒のこともありました。仲のいいご兄弟——という記憶があります。でも、勝巳さんがどう思おうと、私にしてみれば、デートだなんていう気持ちはありませんでしたよ。その頃はもう、主人と付き合っていましたしねえ」

「しかし、勝巳さんはあなたと特別な付き合いをしているつもりだったのでしょう。これは想像ですが、もしかすると、牟田部さんのご主人も、勝巳さんに希望を抱かせるようなことを言っていたのじゃないですかね」

「それはあるかもしれません。牟田部の義兄は、私を勝巳さんに引き合わせた責任を感じていたでしょうからね」

「牟田部さん——克之さんと勝巳さんは、どういう友人関係なんですか？　高校時代のともだちだそうですが、同じ高校ではなかったのでしょう？」

「よく知りませんけど、考古学を通じて知り合ったのだそうですよ。その当時、義兄は東京の高校だったのですけど、八百津の遺跡で体験学習の合宿のようなことがあって、そのときに勝巳さんと同じグループ仲間になったのだそうです。義兄の父親は当時、F大学で考古学を教えている助教授で、そのときの発掘調査の指導をしたのですが、その関係で勝巳さんと俊夫さんを東京に招待したこともあったみたいです」

「ほう、それじゃ、ずいぶん親しい間柄だったのですねえ」

「ええ。ですから、義兄が姉と私を八百津のお祭りに連れて行ったときも、佐々木家のみなさんは大歓迎してくれました」

「ところが、そのお祭りの最中に、あなたとご主人——池本さんとの運命の出会いがあったというわけですね」

浅見は笑いながら言ったのだが、志保は大きく口を開けて、「まあっ……」と非難めいた声を発した。

4

店先に気配がして、「ずいぶん話がはずんでいるみたいだね」と、池本広一が戻ってきた。志保の打ち解けた様子を喜んでいる。

「すみません、ほったらかしにして。浅見さん、きょうは泊まっていけるのでしょう」

「いえ、そろそろおいとまします」

「なあんだ、そんなことを言わずに泊まっていってくださいよ。明日はウィークデーで、もう店のほうもひまになるし、晩飯に美味《うま》い酒をご馳走《ちそう》します。岐阜県の八百津っていうところに、姉が嫁いでいましてね、そこが造り酒屋でして……」

「ははは、残念ですが、そういうわけにもいきません。きょう中に東京に帰ってないと具合が悪いのです」

時計を見ると四時近い。ほんとうにそろそろ――と腰を上げた。

その瞬間、左目の上辺りで、チカッと光るようなショックを感じた。「あっ」と思わず小さな声が洩れた。

「どうかしましたか？」

広一が心配そうな目を向けた。

「いえ、ちょっと思い出したことがあったものですから……」

さり気なく言ったが、いま浮かんだことの正体に心が奪われそうだった。

まったく、人間の思考のシステムは、どういう仕組みになっているのだろう。椅子から立ち上がるという、ほんのちょっとした動作の刺激で、脳細胞は予想もしていない記憶を呼び覚ますものらしい。

「烏帽子《えぼし》直垂《ひたたれ》の乾板写真」の記憶が、とつぜん意識の表層に浮かんだ。N大学の書庫で見た、芝増上寺での発掘調査記録の中にそれはあった。皇女和宮の柩から発見されたガラス板が、じつは「立烏帽子直垂の男性」の写っている湿板写真だったというものだ。湿板と乾板の相違はあるけれど、烏帽子直垂――というのはそっくりだ。

(なあんだ、そうだったのか――)

正体が分かってみれば、なんということもなさそうだが、浅見はほとんど本能的といえるような、その「発見」にこだわる気持ちが突き上げるのを感じていた。

「そういえば」と、浅見はもういちど腰を下ろして、たったいま思い出したことを説明するような口調で言った。

「京都の牟田部さんは、ご養子さんなのだそうですね」

「ああ、そうですよ。ははは、やっぱりそうでしょう、浅見さんにも、尻《しり》に敷かれているのが分かったでしょう」

広一は呑気《のんき》そうに笑った。

「いえ、そんなことはありません。優秀な方なのでしょう？　一流銀行にお勤めだし、たしか、お父さんは大学の先生だとか聞きましたが」

「そうF大の助教授だったかな。牟田部の義兄《あに》はF大付属高校から京都のK大に入ったのですが、父親のコネで大学に入ったと言われるのがいやで、そうしたそうですよ。まあ、私なんかは二流大学にやっとこ入ったクチだから、たしかに義兄は優秀だったのでしょうなあ。牟田部の志保のおやじさんはK大教授だもんで、志保が私と結婚するのには猛反対だったみたいですけどね」

広一は「なあ」と、妻に同意を求めた。志保のほうも「ええ」と、苦笑している。

「牟田部さんの高校時代というと、何年前になりますかね」

「私より五つ年長だから、三十六、七年むかしということになるんじゃないですか」

「じゃあ、僕が生まれる前ですか……」

浅見は天井を向いて、計算した。三十六、七年前といえば、まさに増上寺での発掘調査が行われた頃である。意味のない、単なる偶然の符合なのかもしれないが、心臓の鼓動が、池本夫妻に聞こえはしまいかと気になるほど、高まった。

「牟田部さんのご主人の旧姓はなんておっしゃるのですか？」

「えーと、なんだっけ？」

広一は志保に救いを求めた。

「柏木さんですよ」

「ああ、そうそう柏木だった。もっとも、親父さんの柏木助教授は、とっくに亡くなっちゃいましたけどね」

「あ、亡くなられたのですか……いつごろのことですか？」

「義兄がK大に入ってまもなくです。そうだよな？」

「ええ、姉夫婦の結婚式には、お母さんとお兄さんだけでした」

「じゃあ、ずいぶん若くして亡くなられたのですね。ご病気ですか？」

「だと思いますよ。いや、はっきりしたことは知らないんです。義兄もあまり話したがらないみたいだしね。その当時、親父さんはまだ四十歳ぐらいだったのだから、たしかに若いです。といっても、事故だとか殺されて死んだというわけじゃないみたいですけどね」

広一は「ははは」と笑ったが、志保に「そういう冗談はやめなさいよ」と叱られた。永昌寺の事件のこともあり、彼女がナーバスな状態なのだから、広一の不用意は責められるべきだが、「殺された」という言葉は、浅見にとっても胸にズキリと突き刺さった。

牟田部克之が父親の死のことを話したがらないというのも、気にかかる。ほんとうの死因はいったい何だったのか？

三十六、七年前の東京。和宮の墓の発掘調査。F大考古学助教授。二人の高校生。そして、消えてしまった烏帽子直垂の写真――。新たな刺激を必要とするまでもなく、浅見の脳の中には次から次へ、亡霊のような怪しい映像が浮かんでくる。

「さあ、行かなくちゃ」

浅見は身内から発した、行動を促すような声にせき立てられて、今度こそは決然として席を立った。

5

馬籠を後にして中津川インターから中央自動車道に入る頃には、日は山の端《は》近くをかすめるほどに傾いていた。

えびす屋で飲んだコーヒーのせいか尿意を催した。浅見は走りだしてすぐの、神坂パーキングエリアに立ち寄った。ついでに眠気ざましのレモン飲料を仕入れた。ドライブインは土産物を買う客で混んでいた。老人会か何かの団体らしく、お年寄りがむやみに多い。瀬戸原名誉教授も長距離ドライブの途中、こんなふうに寄り道したのだろうか――などと連想した。

建物を出て車に戻りながら、なにげなく上げた視線の先に高速バスの停留所の標識があって、「馬籠」と読めた。

（そうか、バス停の名前は神坂ではなく馬籠なんだ――）と思った瞬間、浅見はギョッとして足が停まった。

馬籠を停留所名にするくらいだから、馬籠宿は近いのか――。

急いで車に入り、ドライブマップをひろげた。なるほど、神坂パーキングエリアは岐阜県中津川市神坂にあるが、地図上で見ると長野県との県境まではおよそ五、六百メートル。そのさらに七、八百メートルほど先に馬籠宿があった。中津川方面から来る「中津川南木曽線」と呼ばれる主要地方道は、神坂パーキングエリアの西で中央自動車道と交差して、馬籠方面へ向かい、旧中山道へとつづく。

にわかに心臓の鼓動が高鳴った。

浅見はバス停まで走って、背後の木立を抜け、パーキングエリア外に出た。ずいぶん長いこと高速道路を利用しているにもかかわらず、パーキングエリアから外へ出たのは、これが初めてであった。高速バスが運行されているのだから、そういう出入口があって当然なのだが、なぜかばくぜんと、パーキングエリアは外界とは隔絶された空間――という意識があった。げんに、敷地から外へ出る際、浅見は駅の構内からひそかに抜け出すような後ろめたさを感じた。

パーキングエリアを出て、背後の急な坂を登ると、なだらかな起伏のある台地に出た。人家はまばらで、貧弱そうな畑地が点在している。ここは中津川南木曽線からは少しはずれた場所だ。地図には書かれていないが、ちゃんとアスファルトで舗装された道がある。小型車がやっとすれ違える程度の狭さながら、定期バスも走っているらしい。

近くの畑に中年の女性がいた。レタスを収穫して、段ボール箱に詰め込む作業に熱中している。そばまで行って尋ねると、ここから馬籠宿まではおよそ二キロ足らず。歩けば二十分近くかかるが、車なら三、四分だろうということであった。

浅見はふたたび車に戻って、シートに坐《すわ》ると、エンジンもかけずに、フロントガラスの先のバス停を、じっと見つめた。

（盲点だ――）と思った。

中央自動車道から永昌寺の殺害現場まで行くのに、中津川インターを経由するルート以外の方法があるとは、まったく思いつかなかった。

事件当日、大塚瑞枝が瀬戸原を乗せて中央自動車道を走ったことに、何やら作為的なものを感じはしたが、中津川から馬籠まで片道三十分。犯行時間を考慮すれば往復で一時間以上の時間ロスと、不自然な寄り道をしなければならないという点で、瑞枝の犯行は不可能――と判断したのだった。

しかし、中央自動車道と馬籠が、隣接といっていいほどの近距離だったとなると、状況は一変する。

「トイレ休憩」に立ち寄った神坂パーキングエリアから現場まで、車なら往復でも七、八分の距離だという。大塚瑞枝が弘田裕子を刺し殺し、とって返して何くわぬ顔で車に戻ることは、十分、可能だ。

同乗者である瀬戸原は、瑞枝のトイレが多少長かったとしても、さして疑念を抱かなかっただろう。その瀬戸原が瑞枝のアリバイを証明する役割を果たした。もちろん、そのことも最初から犯行計画の中に組み込まれていたにちがいない。

七月二日——豪雨の中、大塚瑞枝が傘の下に顔を隠すようにして、パーキングエリアを抜け出して行く情景を、浅見はフロントガラスの向こうに思い描いた。

往復に使う車は、坂を上がった道路脇の草地のどこかに用意しておけばいいだろう。問題はその車をいつその場所に置いたか、いつ撤去したか——である。

浅見はもういちどパーキングエリアを出て、坂を上がった。最前の女性は収穫したレタスを段ボール箱に詰めて、軽四輪トラックの荷台に積みおえたところだった。

「さっきはどうも」と、浅見は彼女に近寄った。

「またちょっとお訊《き》きしたいのですが、この辺りに、何日も車を停めっぱなしにしておく人はいるものでしょうか？」

女性は「は？」と怪訝《けげん》そうな顔をした。とつぜん妙なことを訊くやつだ——と思ったにちがいない。

「いや、この道は狭いし、こうして農作業をするのに、邪魔な車があったりすると、迷惑なんじゃないかと思いましてね」

「そらまあ、迷惑ですけど、めったにこんなところに車を停める人はいないですよ」

「めったに――というと、たまには停める人もいるのですか？」

「そうですねえ、いることはいます」

「地元の人の車ですか？」

「いいえ、土地の人のものだったら、そう言って、除《の》けてもらいますけど。いつだったか、どこかよその車がうちの畑の脇に停まっていて、この車が停められなかったことがありました」

「それは七月二日のことですか？」

「さあ、どうでしたか……たぶんその頃だとは思いますけど」

「七月二日というのは大雨の降った日です。ほら、永昌寺さんの境内で女の人が殺されたでしょう」

「ああ、あの日……いえ、あの日は雨で畑仕事は休んだけど……そうそう、車が停まっていたのはその前の日でしたよ」

「というと、そのまま雨の日にも停まっていた可能性はあるわけですね……それで、事件のあった次の日はどうでしたか」

「なかったですよ」

答えてから、女性は急に不安になったらしく、眉《まゆ》をひそめて「あの、そのことは、永昌寺さんのあの事件と何か関係でもあるのですか？」と訊いた。

「いや、そういうわけじゃありません。警察もそんなことは言ってないでしょう？」

「ぜーんぜん」

女性はとんでもない——と言いたげに、目を丸くして、首を横に振った。警察の聞き込み捜査は、この付近までは及んでいないのだろうか。もっとも、たとえ聞き込みに回ってきていたとしても、ここは現場から二キロ近くも離れている。それに、事件当日ならともかく、前の日に放置してあった車が、事件に関係ありとする推定には、思い至らなかったかもしれない。

6

車のナンバーまでは、女性の記憶には残っていなかった。地元の「松本」ナンバーでなかったことだけは確からしいが、浅見が「品川」「足立」「練馬」「多摩」といった東京ナンバーを列挙してみても、そうであったような、なかったような——といった程度のあいまいさだ。

車種についての記憶もおぼろげであった。もともと女性は車の種類には詳しくないという。ただし、彼女の乗っている軽四輪などではなく、それなりの大きさのある普通車だったことだけは確かのようだ。

浅見はドライブインに戻って、福島警察署の大石部長刑事に電話してみた。大石は外出中だった。「急ぎの用なら、いま馬籠の派出所のほうへ行ってますので、電話してみてください」と教えてくれた。

大石は浅見の名前を聞いたとたん、「ああ、おたくですか」と言った、懐かしさと迷惑が混在したような口調であった。

「憶《おぼ》えていてくれたんですね」

「そりゃあんた、忘れませんよ。永昌寺の殺人事件をただの強盗殺人ではないと主張したのは、浅見さんだけだったのだから」

「警察では、いまでもそうなのですか？」

「まあ、そうですな……いや、中にはそれらしいことを言う者もおりますが」

「ほう、そういう人もいるんですか」

「ははは、いるっていっても、そんな変わり者は、自分一人だけですがね」

「そうだったんですか……」

浅見は少し感動した。

「じつは、いま神坂パーキングエリアに来ているのですが、ちょっと……いや、ぜひお耳に入れたいことがあります」

「ふーん、何ですか?」

「お会いして話します」

「分かりました、すぐ行きます」

大石は躊躇《ちゅうちょ》なく応じて、ほんとうにそれからものの五分もしないうちにやって来た。外見はふつうのマイカーだが、車内に通信設備などが備えてあるところをみると、公用車か覆面パトカーかもしれない。

すでに農家の女性は立ち去ったあとだった。浅見は大石の車に乗り込んで、「着想」を説明した。もっとも、話の内容は、犯人があらかじめここに車を用意しておいて、永昌寺の現場へ往復したのではないか——という、犯行の可能性についての単純な思いつきを話すにとどめ、大塚瑞枝の名前など、具体的なことには触れずにおいた。

大石は「ふむふむ」と頷《うなず》きながら聞いていたが、浅見が話しおえると、「うーん……」と唸《うな》り声を発した。白目が出るほどの上目遣いになっている。

「なるほど、ここで車を乗り継いで、現場へ向かったというわけですか。たしかに、計画的な犯行だとすると、そういうことも考えられますなあ……」

そう言ってから、ジロリと浅見を見た。

「だけど、可能性ということなら、いろいろ想定できるわけで、その一つとしていま言われたようなことを思いついたというのは……浅見さん、おたく、何か心当たりがあるんじゃないですか？」

さすがに鋭い。浅見は苦笑して、視線を窓の外に向けた。

「何もなしには、そんなことを思いつくはずがない。ひょっとすると、そういうことをやりそうな人物についても、何か知っているんじゃないんですかなあ。おたく、東京の事件のほうも調べていたんでしょう。そうだ、被害者の実家のほうへ行くって言ってたが、そっちの関連もあるんじゃないの？」

大石は浅見の沈黙に勢いづいて、まるで取調室で被疑者を相手にするように、かさにかかって追及した。

「ぜんぜんないこともないのですが」

浅見は観念したように言った。

「ただ、それを話すには、まだ少し躊躇《ためら》うものがあるのです」

「躊躇う……というと？」

「さっき話したこともほんの思いつきみたいなものですが、僕のような素人が思いつくのと、警察が捜査にかかるというのとでは、疑われた人たちにとっては、天地雲泥の差があるわけでして」

「それはそうです」

大石部長刑事は大きく頷いた。

「もちろん、浅見さんの思いついたことが、それなりに信ずるにたるものと判断した場合には、警察は徹底した捜査を行いますよ。それによって迷惑をこうむる人も出るかもしれない。しかしそれは浅見さん、やむをえんことでしょう。かりにもあんた、殺人事件なんですからな」

「ええ、そのことは僕も分かっているつもりです。だからこそこうして大石さんに相談する気になったのです。ただしそれは、たとえばここに事件前後、不審な車があったことを把握していたかどうかといった、警察の捜査状況を知るというのが、とりあえずの目的でして、もし、事件当日、そんな不審車はなかったとなると、僕の仮説は最初から成立しないのですから、無関係の人たちに迷惑をかけるような真似はできません」

「それを言われると、捜査員の一人としては辛《つら》いなあ。正直なところ、ここに車があったかどうかなんてことは、聞き込み捜査の対象にはなっていなかったです」

大石は痛そうにしかめた頰の辺りを、ごつい掌《てのひら》で撫《な》でた。

「しかし、それはそれとして、目下のところ何の手掛かりもない状態の警察としては、ちょっとでも疑わしいことがあるのなら、いちおう内偵だけでもせにゃならんです。

もしあんたが、事実を知っていながら隠し通すというのであれば、犯人秘匿《ひとく》の容疑で検挙も辞さないですよ」

真顔でごついことを言う。手詰まり状態の捜査当局としては、本気でその程度のことはやりかねない。

（どうしようか——）

浅見は思い悩み、迷った。自分の判断や言動によって、事件に巻き込まれ、迷惑やら不愉快のとばっちりを受ける人々のことを考えなければならない。

えびす屋の池本家の人々、京都の牟田部家の人々、八百津の佐々木家の人々、N大学足達助手、瀬戸原名誉教授から、はては東京の事件の第一発見者である川上夫人とその息子……といった、これまでに関わった人たちの顔々が次々と脳裏をよぎって、とどのつまりは、事件と関わるきっかけを作った張本人・姪《めい》の智美に連想が繋《つな》がった。そうして、彼女の父親であるところの賢兄・陽一郎と烈母・雪江未亡人の顔が稲妻のごとくに閃《ひらめ》いたとたん、浅見の方針は決まった。

「しばらく待っていただけませんか」

女房には内緒の借金の言い訳をする、気の弱い亭主のように、おずおずと言った。

「僕としては、単なる思いつきで無責任な話をして、警察にご迷惑をおかけするわけにもいきませんので」

「いや、そんな遠慮はいらないです。捜査本部には、もっとひどいガセネタが持ち込まれますからね。間違いであってもなんでも、とにかく知ってることはどんどん話してもらいたいですな。隠しているのがいちばん困るのですよ」

「はあ、それはよく分かりますが、しかし、やっぱりもうちょっと考えさせてください。確認したいこともありますし。もちろん逃げも隠れもしません」

「ふーん、どうもそう言われると、ますます怪しい感じだなあ……」

大石は猜疑《さいぎ》心のかたまりのような目で浅見を睨《にら》んだ。それから、おもむろに手帳を取り出し、そこに挟み込んである浅見の名刺を確かめた。

「この住所は間違いないのでしょうな」

「もちろん間違いありませんよ」

「念のため、免許証を見せてもらっていいですか」

浅見が出した免許証を、ひったくるようにして手に取った。むろん、名刺の住所電話番号に偽りなどない。

「よろしい、それじゃ浅見さんを信用しますがね。けど、そう長いことは待てませんよ。一週間……いや、五日間だけ待ちますが、それで連絡がなければ、それなりの対応をします。よろしいですな」

「けっこうです」

頷いたものの、浅見に自信はなかった。

第十章　消えた画像

1

東京へ帰った次の日、浅見は瀬戸原を訪ねた。わざと昼飯前の時刻を選んで、蕎麦《そば》屋に誘った。

「あの蕎麦の味が忘れられなくて、またやって来ました。今度はぜひ、僕にご馳走《ちそう》させてください」

浅見がそう言うと、瀬戸原は好々爺《こうこうや》のように相好をくずして、「そうかね、きみもあの蕎麦が気に入ったかね」と喜んだ。蕎麦屋で「先生にはお酒と、天麩羅《てんぷら》をヌキで、僕には天ザルを大盛りで」と注文すると、いよいよご機嫌であった。

「昭和三十三年の、和宮のお墓を移葬したときの話ですが」

瀬戸原にアルコールが入らないうちにと、浅見はすぐに本題を切り出した。

「そのとき、柩《ひつぎ》に収められていたという、烏帽子直垂《えぼしひたたれ》の湿板写真は、先生もご覧になったのですか？」

「いいや、僕は見てないですよ。その写真を発見したのは他の人間で、僕らが引き揚げたあと、アルバイトの学生と資料室に残って選別作業をしているときに見つけたのです。電話で報告してきた彼の声が、いまだに耳にやきついておりますなあ……」

瀬戸原は懐かしそうな目を、蕎麦屋の黒ずんだ天井に向けた。

「その方はいまはどうしていらっしゃるのでしょうか？」

「ん？　その方？……ああ、いや、彼は亡くなりましたよ。その直後といっていい。つまりその、写真が消えてしまったことに責任を感じたのでしょうかなあ」

「えっ、じゃあ、自殺ですか？」

「いや、自殺というわけではないが、ひどいノイローゼに罹《かか》って、絶食状態がつづいたあげく、極度の栄養失調で死んだそうです。まことに気の毒なことでした」

天麩羅とコップ酒が運ばれてきた。瀬戸原は浅見に軽く会釈して、コップの縁からこぼれそうな液体に口を近づけて、美味《うま》そうに啜《すす》った。

「その方の名前ですが」

浅見は唾《つば》を飲み込んでから、訊《き》いた。

「柏木さんといいませんでしたか」

「ほう、きみは柏木さんを知っているのですか」

瀬戸原は驚いた目を浅見に向けた。

「いえ、もちろん直接は存じ上げませんが、その方の息子さんを知っています」

「そう、息子さんがいたの」

「当時、F大付属高校へ行っていたそうです。たしか、お父さんはF大の助教授だったと思いますが」

「そのとおり、よく知ってますなあ。柏木さんはN大で僕の後輩にあたる男で、真面目で優秀な学徒だった。しかし、世渡りの下手な人間で、F大に招聘《しょうへい》されたあと、なかなか教授に昇格しなかったのですな。和宮のお墓の発掘は、彼にとっては教授昇格のまたとないチャンスでもあったわけだが……」

瀬戸原は亡き柏木の冥福《めいふく》を祈るように、コップを目の上まで捧《ささ》げてから、半分ほどを一気に飲んだ。

浅見は震えるほどの興奮を覚えた。

牟田部克之の父親――柏木F大助教授――が「烏帽子直垂」の写真の発見者であり、画像消失の責任者であるというのは、浅見の勘と推理で予測できたが、その柏木助教授の死が、自殺ともとれる栄養失調死だったことに、予想を越えるショックを感じないわけにいかなかった。

運ばれた蕎麦に手をつけはしたが、味を堪能《たんのう》するほど、気持ちに余裕がない。まぐさのような無味乾燥な味だと思っていると、瀬戸原が呆《あき》れた声で「浅見さん、つゆはつけないのかね」と言った。その声のお蔭《かげ》で、浅見は心ここにあらざる状態から脱出した。

「もしも、その写真が消滅しなければ、柏木さんは教授に昇格していたのでしょうか」

「ああ、それは間違いないでしょうな。だいたい、学者として成功するかいなかは、ほとんどの場合、運に左右されるものでしてな。砂漠を歩いていて、その足元にピラミッドが眠っているのに気づくか気づかないかは、文字通り紙一重の差みたいなもんです。その意味からいって、烏帽子直垂の人物写真というのは、霊廟《れいびょう》の移葬調査における、刮目《かつもく》すべき発見の一つでした。もし柏木さんがその写真に関する論文をまとめていれば、生涯、学者としての地位は安泰だったといっても過言ではない」

「それじゃ、柏木さんが亡くなられたのは、写真を消滅させてしまったことへの責任感というより、むしろチャンスを逸した絶望感によるものだったのかもしれませんね」

「両方でしょうな。重要な資料を逸失させてしまったというのは、それだけで学者としての評価を大きく後退させますからな」

それからしばらく、浅見は天麩羅とザル蕎麦に専念した。というより、その行為のあいだに、いま知ったばかりの事実を咀嚼《そしゃく》することで、頭が一杯であった。瀬戸原も感慨が去来するものがあるのか、コップに残り少なくなった酒を静かに嘗《な》めている。まだ酔うほどではないのだが、昼酒は一杯だけと決めているらしい。

「一つ疑問があるのですが」と、浅見は言った。

「問題の湿板写真ですが、画像が消滅してしまったあとは、たぶんただのガラス板になったのだと思いますが、それはどうしちゃったのでしょうか？」

「さあ、どうなったかな……僕もあとでガラス板は見ましたがね、べつに何の変哲もないものだったから、あれは捨ててしまったのじゃないかな」

瀬戸原は記憶をまさぐるように、しばらく視線を宙に彷徨《さまよ》わせていたが、やがて諦《あきら》めて、首を振った。

蕎麦屋を出て、だらだら坂を瀬戸原家に戻りながら、浅見は訊いた。

「先生と大塚瑞枝さんが名古屋から帰られる途中ですが、大雨が降ったのを憶《おぼ》えていらっしゃいますか」

「ああ、そうでしたな。ひどい雨で、やむまでひとしきり、ドライブインで休んで行こうということになったほどです。もっとも、梅雨の真っ最中だったから、道中ずっと、雨は降っていたような気はするが」

「そのドライブインですが、馬籠近くではありませんでしたか」

「馬籠というと、木曾街道のかね。いや、そんなところは通らなかったですよ。ずっと高速道路だったのだから」

「はあ、いえ、そうではなくてですね……そうです、長いトンネルをくぐる直前ではありませんでしたか」

「うん、そういえばそうでしたかな。えらく長くて暗いトンネルで、大塚君は恵那山の下を通るトンネルだとか言っていた」

浅見は真っ暗なトンネルの奥に小さく見えていた出口が、ぐんぐん大きくなってくるのを感じた。

2

伯母の真紀が「東京の浅見さんから電話」と、部屋までコードレスホンを持ってきてくれたとき、美雪は条件反射のように胸がときめき、顔に血が昇るのを感じた。

「どうもありがとう」と電話を受け取って、伯母がドアを閉めるのを待ってから、保留のボタンを解除した。

「はい、美雪です」と、はずむような声で言ったのに、「このあいだはどうも」と、浅見はそっけなく感じるような挨拶《あいさつ》をした。

「じつは、ちょっと面倒なお願いがあるのです」

「はあ、何でしょうか？」

「あなたの伯父さんがまだ高校生の頃、お父さんの柏木さん——当時、F大学の助教授をしておられた柏木久雄《ひさお》さんが、増上寺の発掘調査に参加しているのです。それにまつわることを聞いて欲しいのです」

「ええ、いいですけど……その、発掘調査って、何なのですか？」

「古い話です。昭和三十三年に、東京の増上寺にある徳川家の霊廟を発掘して、和宮の墓を移葬したことがあるのです」

「えっ、和宮？……」

美雪は一瞬、息が止まった。

「そうです和宮です。それでですね、その発掘調査に、アルバイトの学生が何人か参加しているのですが、その中に伯父さん——牟田部克之さんもいたはずなのです。もちろん、お父さんの仕事の手伝いだから、ボランティアだったでしょうけどね」

「そうだったんですか……」

美雪はため息と一緒に言った。

「分かりました、そのことを確かめればいいんですね」

「それともう一つ、これが問題なのですが、伯父さんと一緒に、友人の佐々木勝巳さんも参加したかどうか」

「えっ、佐々木さんもですか？……」

一瞬、美雪の脳裏に八百津の佐々木家の情景が蘇《よみがえ》った。息子のことを話す老母の悲しげな笑顔も思い浮かんだ。

「佐々木勝巳さんと伯父さんとは、考古学を通じて知り合った友人ですからね、そういう付き合いがあったとしても、不思議はありません」

「ええ、それは分かります。それにたぶん、伯父も佐々木勝巳さんも、その発掘調査に参加しているのは間違いないと思います」

「えっ、どうしてそう思うのですか？　伯父さんから何か聞いたのですか？」

「いいえ、そうじゃないですけど、佐々木さんのところのおばあさんが、妙なことを言ってたんです。息子さんの勝巳さんが亡くなる少し前に、『和宮の祟《たた》りだ』とか、そういうことを口走っていたのだそうです」

電話の向こうで、浅見が「ほうっ……」と絶句した。喋《しゃべ》った当人の美雪も、背筋が凍るような恐怖を感じた。

「私はもちろんですけど、佐々木さんのおばあさんも、それがどういう意味か分からなかったんですけど、いまの浅見さんの話を聞いて、おぼろげに分かってきました。佐々木勝巳さんはきっと、和宮のお墓の発掘のときに、何かがあって、その祟りを恐れていたんですよ」

「そうですね、そのとおりだと思います」

浅見はほとんど断定するように言った。

「でも、佐々木さんがそんなふうに精神状態がおかしくなるほどのことって、いったい何があったのでしょうか。浅見さんは何か知っているんじゃありませんか?」

「僕もはっきり知っているわけではないけれど、ひょっとすると、何か遺品を盗むとか、和宮の墓を冒瀆《ぼうとく》するようなことをしたのかもしれません。じつは、それを裏付けるような悲劇が、ほかにもあるんですよ」

そう言ってから、浅見は急に沈黙した。息づかいさえも絶えて無音になった空間に向けて、美雪は不安そうに「もしもし」と呼びかけた。

「あ、失礼……じつは、あなたはたぶん知らないと思うのだけれど、伯父さんのお父さん——つまり柏木久雄という方は、その発掘調査の直後といっていいときに亡くなられているのです」

「えっ、そうだったんですか……」

これは美雪には初耳だった。

「それって、まさか自殺とか、そういう、つまり、変死みたいな死に方ですか?」

「いや、自殺ではありませんが、ノイローゼ状態で、いわゆる拒食症のようなものだったのではないかと思います」

「じゃあ、佐々木勝巳さんと同じじゃありませんか。栄養失調が死因でしょう?」

言いながら、美雪は「餓死」という言葉を連想した。佐々木勝巳の死を聞いたときには思わなかったのだが、いまはなぜか、佐々木勝巳も伯父の父親も、餓死したのではないか――と思った。和宮の遺骨が横たわる柩《ひつぎ》からの連想かもしれない。

「そうですね、お二人の死に方は似たところがあります。佐々木勝巳さんの場合は、あなたのお母さんへの失恋が直接の原因ですが、死ぬ間際になってまで、和宮を冒瀆したことを気に病んでいたという点も共通しています。やはりあなたが言うとおり、佐々木勝巳さんも発掘調査に関わっていたのは間違いなさそうですね」

「ええ、でも、いちおう確かめてみます」

「そうですね、お願いします。ただし、それはあくまでも発掘調査に参加したかどうかということだけで、いま話したようなことは伯父さんには伏せておいてください。いや、伯父さんだけでなく、このことは当分のあいだ、僕とあなただけの秘密にしておいて欲しいのです。いいですね」

「ええ、それはもちろん……」

美雪は、浅見と自分だけが、秘密を共有するということに、胸が締めつけられるような思いがした。

3

長者丸界隈《かいわい》は都心部の中ではとりわけ緑の多いところである。すぐ隣には植物園もあるし、高級邸宅の敷地内に繁る樹木もかなり大きい。八木沢邸にも、塀の内側に古いシイの木が二本と、ツバキやシャラなどの花木が十本ばかりあって、建物の壁面をほどよく包んでいる。

代々が学者の家にふさわしく、白い漆喰壁《しっくいかべ》で統一された清楚《せいそ》な建物は、さほど贅《ぜい》を凝らしたという印象はない。それでも角地にコンクリート塀を巡らせた広壮な外観には、威圧感のようなものがある。とりわけ正面の檜《ひのき》造りの門はまだ新しく堂々としていて、これで二度目の訪問であるにもかかわらず、浅見は気後れがして、よっぽど、脇の路地に面した勝手口から入ろうかと思った。

お手伝いさんに応接間に案内された。前回は事件がらみの取材だったので、玄関先での応対だったが、今回はあらかじめN大学のほうに電話して、雑誌「旅と歴史」の取材と告げている。

浅見が「皇女和宮の柩のことで、ちょっとお話を聞かせていただきたいのですが」と言ったとき、八木沢は電話の向こうで一瞬、たじろいだような気配を感じさせた。ルポライターの取材目的が、単なる学術的なことにとどまらないという、不吉な予感を抱いたのかもしれない。警戒するような口調で「和宮の柩の何を聞きたいのかね」と言った。

「昭和三十三年に行った、柩の発掘・移葬に関することです。そのとき発掘された副葬品について、興味深い話を小耳に挟んだものですから、それについて、八木沢先生のご意見をお聞かせいただきたいのです」

「ふーん、しかしなんだって私がそれに応《こた》えなければならんのかね」

「それはもちろん、先生がよくご存じの話だと思うからです」

「私が？……私が何を知っていると言うのです？」

「その副葬品の中に、烏《え》帽《ぼ》子《し》直垂《ひたたれ》の男性が写っている、古い写真の湿板があったそうですね」

「ああ、文献にはそのように記録されているが、それがどうかしたのかな」

「その湿板写真が、いま、どこにあるのか、といったことについて、先生も興味を抱いておいでのようですので、ぜひお話をと思っているのですが」

「いや、興味もなにも、その湿板はきみ、長時間放置されたために、画像が消えて、ただのガラス板になってしまったのだよ。瀬戸原先生の論文にはそう書いてある」

「ところがそれがどうも、そうじゃなかったらしいのです。そのことは八木沢先生もご承知のはずですが」

「何を言っているのかね。そんなことを私が知っているはずがないだろう。だいたい、昭和三十三年の発掘当時、私はまだ子供みたいなものだったのだからね」

「はあ、たしか先生は当時、岐阜県の高校の一年生でしたか」

「そう、そのとおりですよ。よく知っているじゃないの」

「その年にお兄さんと一緒に、東京に遊びに来られて、増上寺の発掘作業に関わられたのではありませんか」

「なに……」

八木沢は明らかに動揺した。それに付け入るように、浅見は言った。

「そのときに何があったのかを、お話しいただければありがたいのですが、もしよろしければ、これから大学のほうに伺います」

「いや、それはきみ、ちょっと待ちたまえ。そういう話なら……いや、えーと浅見さんといいましたか。その話はきみ、いったいどこで仕入れたのかね」

「さるところ——とだけしか申し上げられませんが、先生がその湿板に、いたく関心をお持ちであるということも聞きました。それで、もしお望みであるなら、湿板の発見に協力させていただけるのではないかと考えております」

「協力とは、きみ、その湿板の在《あ》り処《か》を知っているとでも言うの？」

「知らないでもありません」

「知らないでも――とは、どういうことなのかな」

「もし実在するならば、在り処については思い当たるところもあるのです。しかし先生がいまおっしゃったように、湿板はすでに画像が消えて、ただのガラス板になったというのが事実だとすると、探しても無駄ということになります」

「ん？……」

八木沢はその矛盾点に気づいて、しばらく沈黙してから、

「いや、画像が消えたというのは、瀬戸原先生が論文でそう書いておられるのであって、事実かどうか、私が確認したわけではない。きみの言うのがどれほど信憑性《しんぴょう》があるか分からないが、まったくのでたらめでないとすれば、一応、確かめてみる価値はありそうですな。とにかく、いちど会って話を聞かせてもらいましょう」

そう言って、次の休日に自宅に来るように指定したのである。

しかし、八木沢は応接間に入って浅見の顔を見た瞬間から、見るからに不機嫌そうな様子になった。お手伝いがお茶を出して引っ込むのを待って、詰《なじ》るような口調で言った。

「きみはたしか、この前、事件の話を聞きに来た記者じゃなかったかな」

「ええそうです……あ、それじゃ、先生はお忘れになっていたのでしたか。そのときもちゃんと浅見と名乗りましたが」

「そんな、名前なんかはいちいち憶《おぼ》えていないよ。しかし、事件を取材しているきみが、今度は和宮のことで私を訪ねて、何を聞こうというのかね」

「ですから、電話でもお話ししたように、消えたはずの湿板写真が現存するという、その件についてです」

「そんなもの……」

八木沢は鼻の先でせせら笑った。

「事件記者みたいなことをしているきみが、学術的な分野の何が分かるというのかね」

「たしかに、学問のことは分かりませんが、消えた湿板写真の行方を探すようなことなら、僕にもできます」

「どこで何を聞いてきたのか知らないが、信憑性のない話を持ち込んでも、ただの時間の無駄でしかないよ」

「そうでしょうか、まったく根拠のない話だとは思えませんが」

「ふん」

八木沢は革張りの椅子にふんぞり返るようにして、使い込んだパイプをくわえた。紺のストライプの入ったワイシャツに臙脂《えんじ》のアスコットタイを締めている。大学教授というよりは、おしゃれで遊び好きな三代目社長といった雰囲気だ。

「どんな根拠があるというの？」

客を下目に見て、軽んじるような言い方をした。

「それはむしろ、先生ご自身がよくご存じのはずですが」

「どういう意味かね」

「たしか、池本志保さんから佐々木さん宛ての手紙が、先生の研究室のほうに届いているのではありませんか？」

「…………」

思いがけない奇襲に出くわして、八木沢はギクリと上体を起こした。

4

いろいろな経緯を省略した浅見の発言は、それだけにいっそう効果的だったろう。馬籠の池本志保がN大学人類学教室の「佐々木」宛てに手紙を出したという事実を、なぜこの男が知っているのか？——。その疑惑と驚きで、八木沢の頭はパニックに陥ったにちがいない。浅見がそこまで辿《たど》ってきた道筋は、当の浅見自身ですら信じられないほどの変化と起伏に富んでいるのだ。

「きみは、どういう……」

どういう人間なのか、なぜ手紙のことを知っているのか、池本志保とはどういう関係なのか、目的は何なのか――といった、さまざまな疑惑が凝縮して、八木沢は喉《のど》の奥で詰まったような声を出した。

「……何者かね、きみは？」

ひとまず気持ちを鎮《しず》めて、そう訊《き》いた。

「自己紹介したとおりの人間です。フリーのルポライターをやっています。主として『旅と歴史』の仕事が多いのですが」

浅見はあらためて名刺を差し出した。八木沢は老眼が進んでいるのか、その名刺を少し遠ざけるようにして眺めた。

「それで、その、あれかね、湿板写真が現存するというのは、何か確信があってのことなのかね」

探るような口ぶりだ。手中の札を隠しておこうとするのと同時に、池本志保の手紙の件については触れずにおこうという意図が表れている。浅見もいまはあえてそのことにこだわる気はなかった。

「じつは、最初、瀬戸原さんの論文を読んだとき、湿板写真の画像が消えてしまったという部分に、ちょっと引っ掛かるものを感じていたのです。いくら湿板写真が不安定だからといって、それに、和宮の柩という暗室の中に保存されていたからといって、八十年以上も消えずにいた画像が、わずかひと晩のうちに、文字どおり影も形もなくなってしまうものだろうか——と思ったのです」

「しかし、論文は調査団員の報告を基にして書かれているのだし、先生が嘘を書かれたとは考えられないだろう」

「もちろん瀬戸原さんは嘘は書いていないと思います。それに、発掘の翌朝になって確認したとき、湿板はただのガラス板になっていたという、担当者の報告自体にも嘘はなかったでしょう」

「だったら、きみ……」

「ただし、そのガラス板が、前日まで烏帽子直垂の人物が写っていた湿板と、同一のものであったかどうかは分かりません。僕の推測では、おそらくすり替えが行われたのではないかと思うのですが」

「……」

八木沢は何か反論しかけたが、それを押し退けるように、浅見は言葉を継いだ。

「そのすり替えが行える人物は、そうざらにはいなかったと思います。だいいちに湿板写真の知識がなければなりませんし、実物と似たようなガラス板を入手できる者でなければなりません。しかも、資料の保管場所に容易に出入りすることが可能でなければなりません。さらにいえば、現場付近をうろついていても、不審を抱かれることがあってはなりません。それらの条件を備えた人物は、ごく限られます」

「ははは、そんな人物が存在するとは思えないがね」

「それが存在したのです」

「ほほう、ずいぶん自信ありげだが、いったい何者です？」

「湿板写真の知識や、ガラス板を入手できる人物はあなたのお兄さん——佐々木勝巳さんですね。それから、資料の保管場所に出入りできたのは、そこの責任者の一人であり、烏帽子直垂の写っている湿板写真を発見した柏木助教授の息子さんの、柏木克之さんです。お兄さんと柏木さんの二人はアルバイトか、いまでいうボランティアで発掘作業に参加していました。そのお二人が組めば、写真板をただのガラス板にすり替えることは容易にできたはずです」

「ふーん、面白い仮説だね。しかしきみ、問題の湿板写真にすり替えると言ったって、塗布されたヨードなどの薬品の痕跡《こんせき》も残っていない、ただのガラス板では、多少なりとも専門知識や鑑識眼のある調査団員に、見破られないはずがないだろう」

「おっしゃるとおりです。おそらくすり替えられたガラス板には、その鑑識眼にもたえる程度の痕跡は施されてあったと思われます。となると、ずぶの素人にはガラス板の入手はおいそれとできません。それだからこそ、すり替え犯人の特定が容易でもあるのです」

「その犯人を私の兄だと言うのかね。するとなにかね、兄はあらかじめガラス板を用意して東京に出て行ったことになるが」

「いいえ、そうとはかぎりません。そのガラス板を持ち込んだのは、八木沢先生、あなたでしょう」

「な、なにをばかなことを」

「もちろん、これは僕の推測でしかありませんから、先生が否定なさるのは自由です。しかし推測することも可能です。それに、お兄さんの勝巳さんが八百津に電話して、佐々木写真館にあるガラス板を持って来るよう、弟さんの先生に命じたとしても、少しもふしぎはないでしょう。新幹線のない当時でも、夜行列車に乗れば、東京に翌日の早朝、到着できます」

「くだらん。くだらんよ、きみ。いいかげんにしてくれないか」

八木沢は顔を朱に染めて、椅子から立ち上がった。

「それを裏付ける事実もあります」

浅見は動じることなく、ソファーに腰を下ろしたまま、言った。

「湿板写真の発見者であり、保管の責任者でもあった柏木助教授は、画像が消えたことに責任を感じてノイローゼになり、栄養失調死を遂げたことになっていますが、ノイローゼの原因はそれだけではなかったのではないかと考えられます。柏木助教授は、湿板消失がご子息の仕業であることを知って、その責任の重大さに耐えられなかったというのが真相ではないでしょうか」

「それも憶測にすぎんね」

「それと、先生のお兄さん――佐々木勝巳さんが亡くなる直前、うわごとで『和宮の祟《たた》りだ』とおっしゃって、ひどく怯《おび》えておられたそうではありませんか。まあしかし、そういったことよりも何よりも、八木沢先生ご自身がその写真の行方を探し求めておられるということが、とりもなおさず写真の存在を証明しているのではありませんか?」

「そのことだがね、きみはしきりにそう言うが、私がそんな物を探しているなどとは、妄想も甚だしいよ」

「しかし先生は、池本志保さんに脅しに近いような電話をかけて、写真の行方を尋ねられたではありませんか」

「ばかなことを言ってもらっちゃ困るね、人聞きが悪い。私がそんな脅迫じみたことをするはずがないだろう」

「そうしますと、池本志保さんからN大研究室の佐々木さん宛てに送られた手紙の意味は何だったのでしょうか?」

「さあね、そんな手紙のようなものは、私は知りませんな。何を証拠にそういう言いがかりをつけるのかね」

「なるほど、証拠ですか……そうおっしゃられると困ります。なにしろ、手紙類を事務処理していた大塚瑞枝さんは、すでに亡くなってしまいましたからね」

浅見は演技でなく、ため息をついた。八木沢は皮肉な目でその様子を見下ろした。

5

「さあ、帰ってもらおうか」

八木沢は居丈高に言った。

「ひょっとすると問題の写真があるのかもしれんと思って、私もついきみの話に乗せられたのだが、考えてみると、発掘からすでに四十年近い歳月が流れて、湿板写真が現存しているはずもないのだ。たとえきみの言うすり替えが事実あったとしても、それこそとっくに画像が消えて、ただのガラス板になってしまっただろうしね」

「そうとは限りません」

浅見は平然として答えた。

「そもそも、発見された写真が湿板写真であったという認識からして、間違っている可能性があります。もともと八十年以上も柩の中で経過しながら、なお画像を残していた写真板を、化学的に不安定な湿板であったとする考え方のほうが、おかしいのではないでしょうか。一夜明けたら画像が消えていたので、湿板写真だったと説明するほかなかった――というのが真相だったと思います。僕は技術的なことはよく分かりませんが、おそらく本来あった写真板は、安定性の高い乾板写真だったにちがいありません。したがって、その後の保存状態さえよければ、いまもきれいな画像を残したまま存在すると信じています。八木沢先生もそうお考えなのではありませんか？　いや、最近になって、その事実をお知りになったと申し上げるべきでしょうか。つまり八百津のご実家に帰られた、今年の春か、その少し前か……亡くなられたお兄さんの遺品の中から、それに関する記録を見つけられたのではありませんか？　それで急に写真の行方を探し始めた。そうでなく、もし以前からご存じであるならば、八木沢先生のような方が、これほど貴重な歴史的発見を放置しておかれるはずがありません。とにかく、それを紛失したことへの責任と絶望感で、柏木助教授がついには死に至ったくらいの価値があるのですからね」

浅見は「先生のような方」と言うときに、よっぽど「権勢欲と名誉欲の権化の――」と修飾語を付け加えたかった。それでいてこのところ、八木沢俊夫教授は特筆できるような研究も論文も発表していない。寧日を十年一日のごとき講義で過ごす、凡庸な教師と堕している。

本人にしたって、先代八木沢教授に較べて、婿どののなんと見劣りすることよ――という、世間の声なき声に追われるような思いがすることだろう。学界というところは、だめな者に対しては仮借なく冷酷な世界なのだ。おまけに、家には驕慢《きょうまん》そのもののような夫人がいる。

八木沢俊夫の経歴や人となりを調べてゆく過程で、彼の焦燥や煩悶《はんもん》が気の毒なほど、浅見には理解できた。

もっとも、それは八木沢が自ら招いたことである。あの瀬戸原の学術書に囲まれたような生活と、この快適そのものの八木沢邸を較べただけで、安閑と過ごした日々の報いがあって当然——という気がする。

浅見が喋《しゃべ》っているあいだ、八木沢は腕組みをして佇《たたず》んだまま、言葉を発しなかった。ポーズは傲然《ごうぜん》として見えるが、表情に浮かんでは消える動揺の色は隠しようがない。

「さて」と浅見は腰を上げた。

「すっかり長居をしてしまいました。先生のお役に立てると思って参ったのですが、どうやらお信じいただけそうにないので、これで失礼することにします」

「まあ、待ちなさい」

八木沢は緩慢な動作で手を上げ、浅見の肩を抑えるようにしてソファーに戻すと、自分も元の椅子に坐《すわ》った。

「きみの言うとおり——とは言わんが、私がその写真板の存在する可能性を考えていることは、必ずしも否定しませんよ。いや、願望としては、ぜひそうあってほしいと思っている。きみにとっては、さして関心のないことかもしれないが、その写真は幕末から維新にかけてのわが国の歴史を分析する上で、きわめて興味深い資料となりうるものです。写真に写っている烏帽子《えぼし》直垂《ひたたれ》の人物が誰かを知れば、皇女和宮のイメージにまた新たな側面が生まれるかもしれないのです」

八木沢の表情に、学者らしい興奮の色が兆していた。

「誰なのですか、その人物は」

「その人物は……いや、私はその写真板の実物を見ていないので、たしかなことは言えないが……」

もったいぶる――というより、自信のなさからくる躊躇《ためら》いを見せて、言った。

「どうやらそれは、有栖川宮熾仁親王《ありすがわのみやたるひとしんのう》だったと思われる」

「えっ、徳川家茂じゃないのですか」

さすがに浅見も驚いた。

いうまでもなく、有栖川宮熾仁親王は和宮が徳川家に降嫁する直前までの婚約者である。結婚を間近に控えた二人が、公武合体を画策する安藤信正らの一派によって、その仲を引き裂かれ、和宮はいわば犠牲となって将軍家茂に嫁《か》した。それが和宮を「悲劇の皇女」と呼ぶ所以《ゆえん》だ。しかし和宮は夫家茂によく仕えた。家茂亡きあと、徳川家存亡の危機に際しては、自ら京都に赴き、朝廷側との交渉に当たるなどして、その功績は大きかったのだが、皮肉なことに、江戸幕府攻撃の官軍を率いる大総督は、かつての婚約者・有栖川宮熾仁親王その人だったのである。

それにしても、和宮の柩《ひつぎ》に遺品として収められている写真は、誰にしたって将軍家茂のもの——と考えるのが、いわば常識といっていい。それが熾仁親王だったとなれば、和宮の悲劇のヒロインとしてのイメージが一転することになる。

浅見がそのことを言うと、八木沢は得意げに「それだからこそ価値がある」と、肩をそびやかした。

「もし写真が発見され、その事実が確認されれば、和宮が死の床まで想いつづけていたのは、将軍家茂ではなく初恋のひと熾仁親王だったことになる。彼女の柩に写真を納めた者が誰かも興味を惹《ひ》くところだが、それも和宮自身の遺志があってのことだろう。そうなると、これまで定説となっていた、和宮の家茂に対する愛情も徳川家に対する節義も疑わしいことになる。大政奉還前後、上臈《じょうろう》や侍女を遣わして大総督との折衝に当たらせているのも、江戸開城後に東京を離れ京都へ行ったのも、その目的がはたして奈辺《なへん》にあったのか。徳川家安泰を朝廷に働きかけるためと、額面どおりには受け取れなくなってくる。事実、和宮は明治二年に京都へ行ったきり、東京や徳川家の混乱をよそに、明治七年までは東京に戻っていない。家茂の七回忌には代参を派遣しているくらいなのだ。その間、いったい京都で何をしていたのか……どうです、こう考えてくると、皇女和宮の評価についてはもとより、維新史そのものに新たな解釈が必要になるとは思わんかね」

屈託してばかりいるように見えた八木沢の顔が紅潮し、どんよりと濁っていた眸《ひとみ》がつややかな輝きを取り戻した。やはり八木沢は本質的には学者なのだ——と、浅見は救われる思いであった。

6

もっとも、浅見には和宮に関して、八木沢が話してくれたような細かい知識はない。まして年代ごとの和宮の行動がどうだったのかとなると、完全にお手上げだ。そういう知識や記憶の確かさは、さすがに学者だと感心させられる。それと同時に、「烏帽子直垂」の写真に対する八木沢の執心のほどが、よく理解できた。

「分かりました、そういうことでしたら、問題の写真を探すにもやり甲斐《がい》があります」

浅見は大きく頷《うなず》いてみせた。

「ほんとかね？　いや、ほんとうにきみは、写真の在り処《あ　か》に心当たりがあるの？」

八木沢はまた精気のない顔に戻った。不安と期待がないまぜになって、この男のもう一つの本質が表れた。

「ええ、たぶんご期待に添えると思います。ただし、それには先生に協力していただかなければなりませんが」

「協力、というと？」

「先生が八百津のご実家で見つけた、お兄さんの勝巳さんの記録です。そこに何が書いてあったのかを教えてください」

とたんに八木沢はスッと身を引いた。浅見から逸《そ》らした視線を天井の一隅に向けて、何かを窺《うかが》うようにしばらく黙った。

「驚いたなあ……きみが兄の日記のことや、それを私が発見したことをどうして知っているのか、まるで見当がつかない。いったい誰に聞いたの？　おふくろ？　それとも弟ですか？」

「いえ、どなたからも聞いていませんよ。さっきも言ったとおり、先生が帰郷された時期と、池本志保さんに脅迫めいた電話を始められた時期が符合するという……」

「ちょっと待ちたまえ。私が脅迫めいた電話をしたなどと、人聞きの悪いことは言ってもらいたくないね。たしかに問い合わせの電話はしたが、脅迫まがいのことをした事実はないと言っただろう」

「先生がそうおっしゃるのは自由ですが、志保さんがそのように受け取ったと言っていることも事実です。それはともかくとして、その時期的な符合から、僕はそのように憶測したことに変わりはありません。そう憶測したのをきっかけに、こうして先生の本心をお聞きすることができたこともお忘れなく」

「ははは、妙な論理だね。しかしいまはそのことは不問にしよう。何をおいても、目的の写真を発見することが先決だ。たしかにきみが憶測したことの一部は当たっている。兄は問題の写真の行方について、重大な事実を書き遺《のこ》していたのです。『牟田部志保にあげた』とね。牟田部とは池本家へ嫁ぐ前の、志保さんの旧姓だが、そのことは当然、きみも先刻承知なのだろうな」

「ええ知っています。柏木克之さんが牟田部家の長女と結婚して、牟田部姓になっていることもです」

「なるほど、よく調べたものだ……」

八木沢は吐息をついた。

「それじゃ、兄と牟田部志保との関係も知っていますか」

「ええ」

「そう……とにかくそういうことが書いてあったので、私は志保さんに問い合わせをしたのだが、彼女は頑強に否定する。兄がでたらめを書くはずもないし、しかも兄は死ぬ間際といっていい時期に、和宮を冒瀆《ぼうとく》するような真似をしたことについて、痛恨の想いを綴《つづ》っているのですよ。そこには、きみが言ったとおり『祟《たた》り』という文字もあった。身の不運の原因を和宮の祟りのせいだと思い込んでいたふしがある。そこまで思いつめた兄が、日記のようなものとはいえ、まるっきりの嘘を書くはずがないでしょう。写真は間違いなく池本志保の手元にある。彼女がそれをひた隠しにするのは、その値打ちを知っているからにちがいない。高く売りつける気か、あるいは誰か知り合いの学者に引き渡すつもりかもしれん」

疑心暗鬼がしだいに気持ちを高ぶらせてくるのだろう。最後のほうは憤然とした語調になった。

「いや、池本志保さんにはそんなつもりはありませんよ。もしそんなことを企《たくら》む人物がいたとしても、僕が阻止します」

「そうかね、そうしてくれればありがたいですなあ」

素朴に笑顔を見せる八木沢に向けて、浅見は「ひとつお聞きしたいことがあるのですが」と言った。

「お兄さんが志保さんに問題の写真を上げたというのが、どうもよく分からないのです。ご自分の写真とか、人気俳優のブロマイドならともかく、得体の知れないような人物が写っている古い写真の乾板など」

「ああ、それがね、兄の悲しくも愚かしいところでしょうなあ」

八木沢は天を仰いで嘆息のように言った。

「当時、八牟田部志保は大学で卒論を書き始める時期だったのですな。その話を聞いて、兄はすぐに例の写真を贈る気になったらしい。大学に行けなかった兄にしてみれば、恋人に捧《ささ》げる最高のプレゼントのつもりだったのでしょう。しかし、学者でもないただの女子大生に、あの写真の価値が理解できるはずがない。まさにネコに小判のたとえだったのじゃないかな。むしろ、わけの分からない貧しい贈り物をばかにされたのがオチかもしれない。結局、兄は失恋し、絶望し、憤死した」

話しているうちに、八木沢は目が凶暴性を感じさせるほどに据わってきた。個人的な怨《うら》みや怒りとなると、またべつの人格が表層に浮かび上がる体質なのかもしれない。浅見は殺気にも似たおぞましい気分に襲われて、思わず腰を上げた。

「ではこれで失礼します」

「あ、そう、そうかね、帰りますか」

玄関先まで送ってきた八木沢に、浅見はもっとも肝腎《かんじん》な質問を投げかけた。

「ところで、例の大塚瑞枝さんの事件は、その後何か進展したのでしょうか？」

とたんに八木沢は猜疑《さいぎ》のこもった目になって、「ん？　いや、どういうことになったのか……きみ、何か聞いてない？」と、うろたえた様子で浅見の表情を窺った。

第十一章　草生《む》す屍《かばね》

1

大崎警察署の捜査本部の張り紙が剝《は》がれかかって、廊下を吹き抜ける秋風にヒラヒラとはためいていた。事件からそろそろ三カ月経とうとしているというのに、マスコミの報道で知るかぎり、捜査は行き詰まったまま推移している。それを象徴するように、捜査本部室にたむろする刑事の様子にも、倦怠《けんたい》ムードが感じられた。

伊藤部長刑事はデスクで日誌をつけていたが、浅見の顔を見ると、いやなことを思い出したように眉《まゆ》をひそめた。浅見が精一杯の愛想笑いを浮かべて近づいたにもかかわらず、つっけんどんに「今日は何の用です？」と訊《き》いた。

「じつは、あれからいろいろ調べまして、興味深い事実もいくつか分かったのです」

「事実って、長者丸の事件のですか？」

「ええ、それと、木曾で起きた殺人事件との関連についてもです」

「木曾——というと、被害者の大塚瑞枝さんの出身地のことですか？　それだったら、うちの捜査員が出向いて、ひととおりのことは調べがついてますが」

「いや、大塚さんは妻籠です。事件が起きたのは馬籠のほうです」

「ふーん、そんな事件があったんですか。しかし、それとこっちのヤマとどういう関係があるっていうんです？」

木曾の福島署の連中は東京から妻籠の大塚家に捜査員が来たことを知っていたが、ここの署では馬籠の殺人事件など、まったく関知していないらしい。

浅見は伊藤のデスクに屈《かが》み込むような恰好《かっこう》で、声をひそめて言った。

「もちろん、これはまだ僕の推理でしかなく、事実関係は警察に確かめていただくしかないのですが。話を聞いていただけますか」

「ん？　ああ、そうねえ、信憑《しんぴょう》性のある話だったら、聞いてもいいですが」

伊藤は胡散臭《うさんくさ》そうに身を反らした。

「いや、これはぜひお聞きになったほうがいいですよ。驚くべき事実が浮かび上がったのですから」

「どんな事実です？」

「ここでお話ししても構いませんか？　ちょっとややこしい話になりますが」

「長くかかるの？」

「かかりますね、一時間……いや、二時間ぐらいは見てください」

「二時間？　冗談じゃない」

伊藤は時計を見ようとして上げかけた腕を、大げさに横に振った。

「まもなく捜査会議があるっていうのに、そんな話の相手をしているひまはないよ」

「それじゃ一時間、いや、三十分に縮めてお話ししましょう」

「だめだめ、そんなバナナの叩《たた》き売りみたいなことを言ったって。こっちは忙しいんだからねえ」

「では、会議の後はどうでしょうか。遅くても構いません、お待ちします」

「いや、あんたは構わなくても、私のほうは早く家に帰る約束なんだ。明日の土曜日は休みなもんでね。とにかくお引き取りください。だいたいあんた、こんなところにヒョコヒョコ入って来てもらっちゃ困るなあ。さあ帰った帰った」

追い払うような手つきをしながら立ち上がって、ついでに大きく伸びをした。周辺にいる仲間を意識して、ことさら邪険を装っていることもあるのかもしれないが、頭からルポライターを信用していない。

（信憑性のないタレコミを餌に、何か情報を探り出そうというハラだろう、下手すると交通費ぐらいせびられかねない——）

そんな気持ちが顔に出ていた。このあたりが、マスコミずれしていない木曽の大石部長刑事と違うところだ。

浅見は伊藤に背中を押されるようにして部屋の外に追い出された。それに、捜査会議というのは嘘でなかった。外回りの捜査員たちがぞくぞく引き上げてきて、物欲しげに廊下に佇《たたず》む浅見をジロリと一瞥《いちべつ》して会議室に吸い込まれてゆく。

仕方なく、浅見はひとまず退散することにした。かといって、いきなり手短に「N大の八木沢教授が怪しい」などと言うわけにもいかない。これまで辿《たど》ってきた筋道を丁寧に話さないかぎり、それこそ信憑性のある推論にはならないだろう。

それと、浅見の側にも弱点がある。すべての推理が文字通り推論でしかなく、物的証拠どころか、八木沢と大塚瑞枝、弘田裕子との関係がどのようなものであったのかを立証する、状況証拠さえ手に入れていないのだ。

翌日、浅見は弘田裕子の兄を千葉県柏市に訪ねた。裕子が独り住まいをしていた頃に、男性の訪問客があったような気がする——と管理人が話していた。その男が何者なのか、裕子の家財道具や遺品の中に、何か手掛かりになるようなものがあるかもしれない。

「驚きましたねえ。妹の事件のことを、まだ追いかけているんですか」

弘田は感心するというより、むしろ呆《あき》れたように言った。

「近頃は警察だってちっとも音沙汰《おとさた》ありませんよ。いったい犯人のめどはついているんですかねえ」

「現地の警察も一生懸命やってはいるようです」

「というと、あなたはまた木曾のほうまで行って来られたのですか」

「ええ、つい先日、行って来ました。木曾路はすっかり秋めいていました」

「それはそうでしょうが……あれからもう三月《みつき》にもなりますからね。しかし熱心なものですねえ。そこまで妹の事件にかかずらってくださっているとなると、なんだか申し訳ないような気がしてきます」

「いえ、僕の場合は単に好きでやっているだけですから」

「それがねえ、どうもよく分からないのです。べつに記事に書くわけではないとおっしゃっていたが、あれは本当なんですなあ」

「本当です。物好きなやつだとお思いでしょうが」

「とんでもない、そんなふうには思いませんよ。ほんとにありがたいことだと思っています。ところで、今日はまた、何か？」

「じつは、前回お邪魔したときに見せていただいた裕子さんの遺品――例の実験道具のようなものですが、あれはまだお捨てになっていないでしょうね」

「ええ、捨てはしません。もっとも、いずれは始末しなければならないとは思っていましたがね」

「それはよかった。あれをしばらくお借りできないかと思って参ったのです」

「えっ、あれをですか？」

「もちろん粗末に扱ったりはしません。借用書も書いて、きちんとお返しします」

「いや、そんなことはいいのですが、ただ、あれはいま、手元にありませんよ」

「えっ、ないのですか？」

「ええ、ひと月かふた月ばかり前でしたかね。そうそう、あなたがうちに見えてしばらく経って、あなたと同じようなことを言って見えた方がいましてね。最初はやっぱり、日記だとか手紙類はないかと言っておられたのだが、ご承知のようにそういうものは何もありません。それで、ちょうどあのヘンテコリンなものがあったので、お見せしたら、ちょっとお借りしたいと言って、そのほかにも一緒にあったガラクタ類はほとんど全部持って行ってしまいました」

「それは、警察の人間ですか？」

「いやいや違いますよ、大学の先生です」

「大学の……というと、N大ですか？」

浅見の脳裏に、一瞬、足達助手の顔が過《よぎ》った。

「いや、N大じゃなかったですね。えーと、たしか女子大だったな。どこかに名刺があるはずだが……」

立ち去りかける弘田の背に向けて、浅見は叫ぶように言った。

「山下氏……S女子大の山下州平氏じゃありませんか」

「ああ、そうですそうです、S女子大です、山下先生です」

弘田は振り返って、「浅見さんは、山下先生とお知り合いですか」と訊いた。

「ええ、こちらに伺った直後、山下氏を訪ねて、裕子さんのことをいろいろ聞かせてもらいました」

「ふーん、そうだったんですか。それでうちに見えたんですかねえ。なんでも、裕子があんなことになったのを知らずにいて、遅まきながらご焼香にいらしてくださったということでした」

「そうですか、山下氏が来ましたか……」

浅見は頭をハンマーで殴られたほどのショックを感じた。

2

浅見が武蔵野のマンションに山下州平を訪問したのは、夏の暑い盛りの頃である。大塚瑞枝と弘田裕子の事件が単なる強盗殺人事件ではないかも――という話をして、最後にその二人がどんな間柄だったかを訊いた。そのとき、山下はなんともいえぬ、意味深長な笑みを洩《も》らした。あれは明らかに、二人のあいだに何らかのトラブルがあったことを思い出した顔にちがいない。だが、その点を浅見が突っ込んで確かめようとすると、あいまいにはぐらかした。

二ヵ月以上も前のことだが、そのことは心の片隅でずっとくすぶっている。

「山下氏は、裕子さんの遺品を借りる理由について、何か言ってませんでしたか？」

「それも浅見さんと同じようなことでした。何か調べてみたいというような」

「調べるとは、何を調べるつもりだったのでしょうか？」

「さあ、詳しいことは聞きませんでしたが、ただ、遺品を扱う手つきがずいぶん注意深い感じでしたから、もしかすると、指紋か何かついていて、それを確かめるのかな――と、ばくぜんとそんな気もしました。浅見さんが今日来たのも、そのおつもりじゃないんですか？」

「おっしゃるとおりです。そのつもりでお邪魔しました。しかし、山下氏がなぜ……」

「それはやっぱり、浅見さんと同様、裕子の事件のことを調べてみようと思われたんじゃないのですかねえ」

「もちろんそうだと思います。思いますが、あの人がそんなことを考える理由というのが分かりません。僕のように、単純に真相を知りたいためばかりだとは、ちょっと考えにくいのです」

「というと、何か不純な目的があってのことなのでしょうか？」

「そうでなければいいのですが」

浅見の不安は弘田にも伝染したらしく、心配そうに浅見の顔を覗《のぞ》き込んだ。

「何が目当てなんですかね？　裕子が何か悪いことに関わっていたとか、そんなことにはならないでしょうね」

「それはありませんよ。裕子さんは被害者なんですから」

そうは言ったものの、浅見にもそう言い切れる自信はないというのが本音だ。

しかし、いまは何よりも山下州平の動きが気にかかる。山下はいったい何を考え、何をしようとしているのだろう——。

弘田家を辞去すると、浅見はその足で武蔵野市の山下宅へ向かった。

マンションの山下家には、あの愛想の悪い夫人だけがいて、上目遣いに客を迎えた。

「山下なら留守ですけど」

低い声でボソボソと言った。

「今日は何時頃お帰りですか」

「いつ帰るか分かりません」

「えっ？」

喧嘩《けんか》を売るつもりか——と、浅見は思わず夫人の顔を見つめた。しかし、喧嘩を売るような迫力はない。緊張と疲労でカサカサに乾ききったような顔であった。

「失礼ですが、ご主人に何かあったのではありませんか？」

「分かりません。とにかく主人は留守ですので、お引き取りください」

夫人はドアを閉めようとした。

「ちょっと待ってくれませんか。ご主人はいつからいらっしゃらなくなったのですか？」

「夏から」

「夏……八月頃からですか？」

「そう」

「それで、どこへ行かれたか、心当たりはあるんですか？」

「ありませんよ、そんなもの」

「それじゃあ失踪《しっそう》じゃないですか。捜索願は出したのですか？」

「警察には言いましたよ」

「それで？」

「それっきり」

浅見は言葉を失いかけた。警察は事件が起きてはじめて行動を起こす。家出人や行方不明者が出たからといって、いちいち真剣に取り合ったりはしない。死体にでもなっていればべつだが……。

「危険ですね」

浅見は精一杯、憂《うれ》いを見せて言った。

山下夫人の眸《ひとみ》の奥で、頑《かたくな》な気持ちがかすかに揺れるのを感じた。

「このまま放って置くのは、危険ですよ。早く見つけ出さないと」

「あの……あなたはどういう？……」

「僕は浅見という者です」

名刺を出した。肩書がないので、夫人の目にまた不信が宿った。

「雑誌のルポライターをやっています。瀬戸原先生のご紹介です」

これは嘘だ。山下のことは足達助手に聞いたのであって、瀬戸原名誉教授に直接紹介されたわけではない。しかし間接的にという意味なら、瀬戸原の名前を借りてもいいか――と思った。

「あ、瀬戸原先生の……そうでしたか、存じませんで」

案の定、夫人の態度は露骨なくらいに豹変《ひょうへん》した。「散らかっておりますけど」と部屋に入れ、お茶まで出してくれた。

「主人が危険といいますと、どういうことなのでしょうか？」

すがりつくような口調だ。これまで、親身になってくれる相談相手に恵まれていなかったことを想像させる。

「その前にお訊《き》きしますが、最近、ご主人に変わった様子はありませんでしたか？」

「変わったことといえば、ときどき、行き先を言わずに出かけることが多くなったぐらいでしょうかしら。ですから、ひょっとしてと思ったりしたんですけど」

「ひょっとして——と言いますと？」

「ですから、つまり……」

勘のにぶい人——と、恨めしい目で睨《にら》んだ。

「ああ、女性関係のことですか。それだったら心配するほどのことではありません」

「そんな、私にとっては心配ですわよ」

「それはそうですが、僕が心配していることに較べれば——という意味です」

「それより心配なことといいますと？」

その質問には、にわかに答えるわけにいかない。

「行く先をおっしゃらないで出かけること以外に、どんな些細《ささい》なことでも結構ですから、ご主人が言ったりしたりしたことで、気になったことはありませんか？」

「そうですね……」

夫人はしばらく思案して、「そういえば、こんな家は早く引っ越そうとか、急にそんなことを言い出したりはしました」

（やはり——）と浅見は最悪の事態を予測した。

「奥さんに何かいままでになかったような、たとえば指輪とか、そういう物をプレゼントなさったことはありませんか」

「まあ、どうしてそれを……ええ、たしかにあの人には珍しく、時計を買ってくれましたけど、でも……」

夫人の表情が、驚愕《きょうがく》から怒りの色に変わった。

「じゃあ、なんですか。あなたは主人が何か、汚職みたいなことでもしたっておっしゃりたいんですの？」

「そうは言ってません」

浅見は悲しげに苦笑した。

3

「率直に申し上げて」と、浅見は腹を決めて言った。

「僕はご主人の身に何か不測の事態が生じたことを心配しているのです」

「不測の事態っていうと、主人が亡くなったとでもおっしゃるんですの？」

山下夫人の顔が曇った。

「あるいは……」

「どうしてそんなことが……もし主人の身に何かがあれば、警察から連絡がありますすでしょう。事故でも何でも……そんな不吉な、脅すようなことをおっしゃらないでくれませんか」

「申し訳ありません。不愉快だとおっしゃるのなら謝ります。しかし冷静になって考えてください。ご主人がこんなに長く消息を絶ってしまうなんてことに、ほかの理由がありえますか?」

「………」

「奥さんだって、万一のことを考えたからこそ、警察に捜索願を出されたのではありませんか?」

「何も、そこまでは、私は……」

「考えていなかったと言い切れますか?」

「それは……そうですわね、あなたのおっしゃるとおりです」

夫人はほとんど捨て鉢といってもいいような言い方になった。

「たしかに、主人はもう、死んでしまっているのかもしれませんわ。あの人はずっと長いこと自棄的な状態になっていましたもの。あなたもご存じかもしれませんけど、山下はS女子大に移る際、すぐにも助教授に昇格できるという条件でしたの。それなのに、ご紹介していただいた八木沢先生がお亡くなりになったこともあって、沙汰《さた》やみになったきり、いまだに講師のままですのよ。こんな安アパートにいつまでも甘んじていなければならないなんて、あの人のプライドからすれば、どれほど屈辱的だったかしれません。口癖のように『いやになった、いやになった』って申しておりましたもの。ですからね、あの人が失踪してしまったとき、私はふっと、不吉な予感がしましたのよ。ええ、あなたと同じようにね」

「僕と同じ──といいますと？」

「ですから、ですから……」

夫人は苛立《いらだ》って、口走った。

「はっきり言って、あなた、山下は自殺したっておっしゃりたいんでしょう？」

「違いますよ、僕はそんなことを言うつもりはありません」

「えっ、そうじゃないって……でもあなた、不測の事態がっておっしゃったじゃありませんの」

「しかし、自殺とは言ってません」

「？……」

「山下さんは自殺ではなく、殺されているのではないかと心配しているのです」

「殺された？　主人が、ですか？……」

掠《かす》れ声で、悲鳴のように言った。

浅見が「八月頃？」と訊いたのに対して、夫人は「そう」と頷《うなず》いたが、山下州平が行方不明になったのは、正確には九月二日のことだそうだ。ひと月ほど前から、ちょくちょくと家を留守にすることが多かった。大学の夏休みがそろそろ終わろうかという時期で、その準備に出歩くのかと思っていたら、ふっと出たきり戻らなかった。

「それっきり、何の連絡もないんですの。みっともないとは思いましたけど、心当たりという心当たりはすべて探しました」

「九月二日の何時頃、家を出られたのですか?」

「夜でした。七時頃でしたかしら。ちょっと人と会いに、井の頭公園まで行って来ると言って……ほら、ちょっと前に井の頭公園でバラバラ事件みたいな変な殺人事件がありましたでしょう。ですからね、私は、あの辺は近頃物騒じゃないの?――って訊いたんですのよ。そしたら、ばか、井の頭公園駅前だって笑って……でも、それが笑い事じゃなかったんですよねえ。やっぱり浅見さんがおっしゃるように、何かの事件に巻き込まれて殺されでもしたんでしょうか」

夫人の不安はいよいよ本物になった。これ以上あまり追い詰めるのは気の毒か――とも思ったが、客観的に見れば、それは正しい判断だとしか思えない。

「ところで、つかぬことを伺いますが」と浅見は訊いた。

「たぶん七月の終わり頃だと思うのですが、山下さんが何か理科の実験に使う道具類とか、ガラクタのような物を持ち帰られたことはありませんでしたか」

「ああ、ありましたわ。ときどき大学の研究室から、出土品の断片だとか頭蓋骨《ずがいこつ》だとか、妙な物を持ち帰って、石膏やら薬品やらでくっつけたりしていることがありましたけど、夏休み中なのに、珍しくお勉強かしらって思いました」

「それ、まだお宅にありますか」

「ええ、ありますよ。主人が絶対に触るなって、きつく言ってましたから、机の上にそのままにしてあります」

夫人の案内で隣の部屋に入った。畳の上にカーペットを敷きつめて、一見洋風にしている六畳間だ。古びたスチールデスクと本棚、書物などで足の踏み場もない。ここが山下の「書斎」だったのだろう。八木沢教授の豪勢な邸宅と較べると、侘《わび》しいばかりだ。山下が「いやになった」と嘆くのも無理はない。

デスクの上に木箱に入った「例の物」が鎮座していた。まさに鎮座というにふさわしいような置き方であった。パソコンと書物と書きかけの原稿などがひしめくデスクの上に、無理やり広げたような空間があり、その真ん中に木箱があった。

接着剤のカンなどに、明らかに指紋を採取した形跡が見られる。人類学の研究者としてはお手のものだろうけれど、指紋採取の方法は旧来の方法を用いている。

「これ、あとで写真を撮らせてください。それから、いままでよりいっそう大切に保管してください。ご主人がおっしゃったように、絶対に触らないように。もちろん、どこかに持ち出したりしてはいけません。いずれ警察が取りに来るはずです」

無意識のうちに怖い顔になっていたにちがいない。夫人は恐ろしげな目で浅見を見て「はい」と頷いた。

4

九月二十八日——群馬県松井田町恩賀の県道九二号「松井田軽井沢線」脇の山林で、男性と見られる腐乱死体が発見された。

松井田軽井沢線はその名のとおり、群馬県松井田町から妙義山の背後の谷を抜け、高岩山の麓《ふもと》を巻くように登りつめ、和美峠付近で軽井沢高原に達する古い道である。

「峠の釜めし」で有名な横川から軽井沢へ登るルートは、旧中山道沿いに作られた碓《う》氷《い》峠越えと自動車専用道路の碓氷バイパスと、この松井田軽井沢線がある。天下の街道である中山道に対して、碓氷川沿いに遡《さかのぼ》ってくるこの道は、裏街道的な意味あいを持っていたと考えられる。碓氷バイパスはその途中から枝分かれして、碓氷峠を一気に越えてゆくのだが、松井田軽井沢線はいかにも秘密の間道というにふさわしく、昼なお暗い、鬱蒼《うっそう》とした森の中をゆく細道だ。

上信越自動車道が長野県内まで延びてきたとき、碓氷軽井沢インターへのアクセス道路が豪雨禍で使用できなかった時期がある。その間、代用されたのがこの松井田軽井沢線でもあった。

　そういう特殊事情でもないかぎり、めったに利用されることのないルートだけに、車の往来は日に数台程度といっていい。

　一週間ほど前に台風の影響で豪雨が降ったとき、斜面の一部が崩落して、一時、道路が閉鎖された。その復旧工事が進められる過程で、作業員の一人が道路から三十メートルほど下の急斜面に、土砂をかぶった死体があるのを発見した。

　最寄りの警察署は軽井沢署だが、この付近は県境をわずかに群馬県側に入ったところである。松井田警察署からパトカーが駆けつけるまで、通報からおよそ一時間かかった。

　死体はすでに白骨化が進行するほどの状態にまで腐乱していた。骨がバラバラになり、一部は周辺に見当たらないところをみると、獣が食い散らかしたと思われる。

「死後一ヵ月から二ヵ月のあいだくらいかな」と、刑事歴の長い捜査係長が言ったが、後の監察結果でも同じ見解が示された。山に囲まれたこの辺りは、冬はかなり気温が下がるのだが、夏はむしろ空気が淀《よど》み、日中は高温多湿状態になる。腐乱が急速に進むことも考えなければならない。

　身元を示すような物は何もない。身長は百七十センチ程度。野犬かサルでも悪戯《いたずら》したのか、着衣はボロボロに引き裂かれていた。洋服かせめてワイシャツでも着ていれば、クリーニング屋のネームが残っている可能性もあるのだが、ごくありふれたポロシャツにズボンという姿だった。

頭骨その他に打撲によって生じたと思える痕跡《こんせき》はあるが、それがはたして人為的に加えられたものかどうかは不明だ。道路から落ちるあいだには立木も多く、あちこちにぶつかってできた傷かもしれない。それ以外の、薬物使用などについても判然としない。むろん、病気など自然死の可能性もあるし、死後転落、あるいは投棄されたものかどうかも分からない。とりあえず、警察は事故、自殺、他殺のすべての面を想定して捜査を進めることになった。

群馬県警——警視庁を通じて、全国の警察に家出人および行方不明者の捜索願が出されている中から、時期的に該当しそうなものを対象にチェックしていった。

その結果は存外、早くに出た。

九月十五日に東京三鷹《みたか》署に出されていた捜索願の「山下州平」という人物が、それに近い条件を備えていた。山下夫人の記憶によれば、九月二日に家を出た際、山下はたしかにポロシャツ姿だったというのである。その直後に死亡していたとすれば、死後経過もだいたい想定したものと符合する。

もちろん、夫人に遺体を見せて身元の確認をしてもらうのは無理なので、着衣を見せたところ、ほぼこれに間違いないという。ズボンのポケットの下端《したば》に補強縫いの跡があるのを見て、夫人のこわばった顔がふいに崩れ、声を上げて泣きだした。

「やっぱり、あの人の言ったとおり、殺されていたんだわ……」

「あの人？……」

身元確認に立ち会ったのは松井田署の若林《わかばやし》部長刑事である。三十五歳の、刑事としては働き盛りといっていい。夫人の片言を聞き逃さなかった。

「誰か、ご主人が殺されていることを予言していたんですか？」

「ええそうなんです。私が自殺でもしたのではって言いましたら、自殺でなく、殺されていると言ってました」

「ほう……それは誰ですか？」

「浅見さんという人です。以前、主人を訪ねてみえた方で、つい最近になってまたいらして、主人のことをいろいろ訊《き》いて行かれました」

それから、若林に問われるまま、山下夫人は浅見という人物のことを話した。七月にいちど訪問して、つい四日前に来たとき、山下の失踪《しっそう》を知って、根掘り葉掘り質問したあげく、それは容易ならざる状況であることや、おそらく死亡——それも殺害されている可能性があると言ったというのだ。

この証言で、がぜん殺人事件のセンが強くなった。とりあえず、浅見なる人物に発言の真意を尋ねるために、若林ともう一人、若い中村《なかむら》刑事が東京へ向かった。

5

群馬県松井田署の刑事が訪ねてきたとき、あいにく須美子は買い物に出掛けていたらしく、雪江が次男坊を呼びに来た。

「光彦、警察ですってよ」

気づかわしそうに眉《まゆ》をひそめる。

「警察というと、大崎署ですか？」

「いいえ、わたくしも目黒の例の事件のことかと思ったのだけれど、そうじゃないみたい。群馬県警だとか言ってますよ。あなた、また何かやらかしたんじゃないの？」

「いや、群馬県には何も憶《おぼ》えがありませんけど」

それは嘘で、群馬県警には高崎市内でネズミ取りに引っかかった苦い記憶がある。

とにかく玄関に出てみると、見たことのない私服が二人佇《たたず》んでいた。

「浅見光彦さんですね、群馬県警松井田署の者です」

二人の刑事はあいついで手帳を示し、年配のほうが名刺を出した。「巡査部長、若林英樹《ひでき》」とある。

「ある事件のことで、ちょっとお訊きしたいことがあるのですが、この場所でよろしいですか？」

「どういうことでしょうか？」

「浅見さんは、山下州平さんという人を知ってますか？」

「えっ、山下さん……じゃあ、やっぱり亡くなってましたか……」

予期していたとはいえ、やはり痛恨の思いはある。山下の死を招いた半分以上の原因は自分にあるのかもしれなかった。

「ほうっ、するとやはり事実でしたか」

若林部長刑事は険しい表情になった。

「山下さんの奥さんの話によると、浅見さんは山下さんがすでに死亡していること――それも殺されていることを、知っていたのだそうですね」

「ええ、知っていたわけではありませんが、予想はしていました。しかし、そうですか、群馬県でしたか……あ、とにかくここではなんですから、お上がりください」

居間のドアの向こうにいる母親を意識して、浅見は二人を応接間に通した。

「それで、遺体が発見されたのはいつですか？　場所は松井田のどの辺りですか？死因は何だったのですか？　死後経過は……」

立てつづけに訊く浅見に、若林は「ちょっと待ってくれませんか」と手を前に突き出して、怒鳴るように言った。

「いろいろ質問したいのはこっちのほうで、あなたは知っていることだけを答えてくれればいいのです」

「しかし、そう言われても僕のほうにも知りたいことが……分かりました、とりあえず、ご質問にお答えしましょう」

「浅見さんは、山下さんが殺害されていることを、なぜ知っていたのですか？」

「それは山下夫人にもお話ししましたが、諸般の状況から見て、その可能性が高いと思ったのです」

「たしかに失踪《しっそう》して一カ月間も音信が途絶えていれば、死亡している可能性も考えなければならないかもしれないが、殺されているとまでは、ふつう考えつかないでしょう。そう考えるについては、何か理由があったんじゃないんですか？」

「そうですね、ないこともないですが」

ドアをノックして、雪江がお茶を持って現れた。「遠いところをご苦労さまですこと」とお茶を配り終えて、自分も椅子の一つに腰を下ろした。話の仲間に加わるつもりだ。

「すみませんが、お母さんは席をはずしていただきたいのですが」

若いほうの刑事が迷惑げに言った。

「おや、さいざますか。何かわたくしでお役に立つことがあればと思いましたのに」

「その必要があれば、いずれそのときにお尋ねします。とにかくいまはご遠慮いただだきたいのですがね」

「はいはい、承知いたしました。それではそのときはそうおっしゃってくださいな。もしわたくしで用が足りなければ、これの兄を頼りになさいませ」

言うだけ言うと、雪江は引き上げた。

「お兄さんがいるんですか？」

若林部長刑事が訊いた。母親の意味ありげな口調が気になっている。

「ええ、一人、おります」

「頼りにしなさいとおっしゃってましたが、どういう意味でしょう？」

「そうですね……いずれ分かることだから言いますが、僕の兄は警察庁の刑事局長をやっているのです」

「えっ……じゃあ、あの、浅見刑事局長どのですか」

二人の刑事はほとんど同時に立ち上がって、直立不動の姿勢を取った。すんでのことに、挙手の礼をしかねない勢いだ。

「それはどうも、知らぬこととはいえ失礼いたしました。そういうことであるならば、われわれもあらためて出直して参ります」

「いや、待ってください、それでは困ります。僕としてもいろいろお話ししたいことや、お聞きしたいことがあります。それに、この事件は一刻も早く解決に向けて作業を進めなければ、どんどん証拠が消えてゆく可能性があるのです」

「それはまあ、おっしゃるとおりではありますが……」

二人の顔には（相手が悪かった――）という気持ちが滲《にじ》み出ている。警察庁刑事局長といえば、全国の刑事を束ねる総元締――まさにピラミッドの頂点だ。その自宅に踏み込んで、いきなり弟を訊問《じんもん》しようとしたのは、かなり不用意といわなければならない。署に戻って、どう報告すればいいのか――と気もそぞろといったところだろう。

その二人にとにかく坐《すわ》り直してもらって、浅見は山下州平の事件に関する事実関係を聞き出した。

山下は九月二日の夜、井の頭公園駅前へ行く――と言って家を出たのを最後に消息を絶ち、九月二十八日に松井田町恩賀の山中で死体となって発見された。おそらく失踪したその日に死亡したものと思われる。死因ははっきりしないが、状況から見て、殺人・死体遺棄の疑いが濃厚である――というのが、現時点までの警察の見解だ。

「松井田軽井沢線ですか……」

地図の上で現場の位置を確かめて、浅見は「犯人」の行動が目に浮かぶような気がしていた。あのルートは上信越自動車道碓氷軽井沢インターから軽井沢へのアクセス道路が未完成の頃、何度か通ったことがあるけれど、暗く陰気な道だった。現場はそれよりさらに谷に下がったところのようだから、斜面も急で樹木も藪《やぶ》も濃密だろう。

道路からは死角になっているだろうし、死体を隠蔽《いんぺい》する場所としては、申し分ない。その場所を熟知していることはもちろん、とっさの場合にあのルートへ死体を運ぶことを思いつく条件が「犯人」にはあったにちがいない。

深夜、物の怪《もののけ》の出そうな谷間の森である。車のトランクから死体を引き出し、漆黒の闇の底に投げ捨てる度胸は、とてものこと、浅見にはない。いや、誰にしたって、そんな作業を平然とやってのける精神力は持ち合わせていないのがふつうだ。浅見の脳裏には、N大の収納庫で見た何千という数の、箱詰めになった白骨の群が浮かぶ。そういう風景を見慣れた「彼」にとっては、死体の処理作業など、さほどの問題ではなかったのだろう。

生きている山下州平は、「彼」と対等の、あるいはそれ以上に巨大な全宇宙に匹敵するような脅威だが、死ねばただの無機的物体でしかない。さらに白骨化してしまえば、もはや刑場跡から発掘された晒《さら》し首となにほどの差もない存在である。

そうやって割り切れば、「彼」の取るべき方途は決まったようなものだ。あとは定めた手順どおりに、事務的に物理的に行動するのみ。そうして「彼」は、自分にとって、もっとも都合のいいスケジュールにのっとり、山下州平を殺害した。

6

「犯人は分かっているのです」

刑事の説明を聞きおえると、浅見はいきなり言った。躊躇《ちゅうちょ》してはいられない。何よりもことは急を要すると思った。

「えっ、ほんとうですか？」

若林は驚いた。相手が刑事局長の弟であっても、こればっかりは、にわかに受け入れられない——という顔である。

「ええ分かっています。むろん動機も分かってます」

「いったい何者です？」

「そうですね……それより、とにかく捜査本部にご一緒して、皆さんにご説明したほうがいいでしょう」

すぐに腰を上げかける浅見を、若林は慌てて制した。

「ちょ、ちょっと待ってください。いちおう署のほうに連絡してみますので」

訪問した先が刑事局長宅であり、被疑者に想定していた相手がその実弟だったことは、捜査本部の連中や若林の上司にとって青天の霹靂《へきれき》だったろう。しかもその弟が事件の核心を摑《つか》んでいるとあっては、対応に苦慮しているにちがいない。電話で小声で喋《しゃべ》る若林の口ぶりから、幹部連中の慌てている様子が、ありありと伝わってくる。

「それでは、お忙しいところご面倒をおかけしますが、松井田署のほうにお越しいただきたいとのことであります」

若林は受話器を置いて言った。すったもんだのあげくに出た、それが結論であった。

若林の車で――と勧められたが、浅見は自分のソアラを運転して行くことにした。

「多少、スピードオーバーをしますので、ちゃんとついてきてください」

万一、覆面パトカーに捕まっても、刑事と一緒なら安全というわけだ。とはいっても、さすがに若林は、関越自動車道で百二十キロ以上は出さなかった。

松井田妙義インターを出て国道一八号を少し戻った、松井田町の市街地に入る辺りに松井田署はある。若林が無線で到着を伝えたのか、駐車場に入ると、署長自らが先頭に立って、五、六人の署員が出迎えた。

「いやあ、浅見さんのご高名はかねがねうかがっておりますよ。名探偵として、数々の事件を解決されておられるそうですなあ」

署長はそう言ったが、ほんとうのところは分からない。もしそんなに「ご高名」であるのなら、刑事を浅見家に向ける前に正体を承知しているはずである。

しかし、浅見を迎える準備のほうは整っていた。ただちに捜査会議室に案内されたが、そこにはすでに二十人を超える捜査員が集まっている。「名探偵」はともかく、後ろにある刑事局長の存在は動かしがたいということなのだろう。

浅見は正面の白ボードを背にするテーブルに坐らされた。まさに主役の椅子である。署長が浅見をかんたんに紹介し、そのあとを刑事課長に引き継いだ。笹沢という四十歳前後の警部で、のっぺりした顔の大男だ。

「聞くところによりますと、浅見さんはすでに本事件の犯人をご存じだそうで、早速、そのへんのことを聞かせていただけますか」

「はい、犯人はN大学人類学教授の八木沢俊夫氏です」

一瞬、波の引くような静寂が漂って、それから隣同士で囁《ささや》き交わすざわめきが起きた。いきなり個人名が出てくるとは思わなかったのか、あるいは出てきた名前の肩書に驚いたのかもしれない。質問者である当の笹沢警部も、署長と（どうしたものか――）という顔を見合わせて、当惑げに言った。

「かりにもN大学の教授先生に容疑を向けるからには、それなりの証拠があってのことなのでしょうか？」

「証拠は、ありません」

浅見はあっさり言った。

「ということですと、軽々しく個人名を出して犯人呼ばわりをしないほうがよろしいのではありませんか」

「しかし、それでは事件捜査の進展はかなり遅れてしまうでしょう。かりに何もない白紙の状態から捜査がスタートしたとすれば、容疑者を特定するまでも、おそらく何カ月かはかかるにちがいありません。その間に、現在残っていると思われる物的証拠も、失われる可能性があります。僕があえてこの段階で犯人名を挙げたのは、そのためです」

「そう言われてもですねえ……」

素人は困ったものだ——と、笹沢刑事課長は苦笑しながら言った。

「あなたがそう考えたからといって、それだけで、何も証拠がないのに、警察が行動を起こすわけにはいかないのですがねえ」

「いや、もちろん状況証拠ということならたくさんあるし、これからご説明するつもりです。僕が言いたいのは、現実に犯行を裏付ける物的証拠だけは、一刻も早く押さえておくべきだということです。たとえば、死体を運んだ車には、まだ被害者の遺留品——指紋や髪の毛などが残っているかもしれません。しかし事件からすでに一カ月、車内清掃をしてしまった可能性もあるし、ひょっとすると車の買い換え時期がきているかもしれない。そうなったら手遅れです。だから何をおいてもまず、そういった証拠の確保を急いでいただきたいのです。それだけ物的証拠の乏しい事件だと認識してください」

浅見はこの男にしては珍しく、焦りの色をあらわにして、いくぶん声高な口調になって言った。冗談でなく、もし八木沢が車を処分してしまうようなことになれば、直接犯行を立証できるほどの物証はないかもしれないのである。大塚瑞枝殺害にしても、理論的には犯行の動機も方法もトリックも証明できるけれど、はたして物的証拠があるかどうか自信が持てない。逆にいえば、八木沢が山下を殺害した犯行は、捜査する側に唯一の突破口を与えた結果になったとも思える。この千載一遇のチャンスを見逃せば、永久に事件解明への道は閉ざされかねない。

「分かりました」

笹沢は浅見の熱気に押されたように、大きく頷《うなず》いた。

「証拠を確保するという、その点に関してはもちろん異論はありません。もし、その八木沢教授の犯行であるとする浅見さんのご説明が、納得できるものであれば、警察としては即刻、しかるべき手続きを取って、証拠の保全に努めることにします。ともかく、いったい何があったのか、その話をしていただけませんか」

「山下州平氏殺害の動機は、山下氏による恐喝行為が原因です」

浅見の切り返すような、しかも断定的な言い方に、刑事たちはあぜんとしている。

浅見は立ち上がって、背後の白ボードに青いフェルトペンで縦に「山下州平」と書き、その左に少し離して「八木沢俊夫」と並べて書いた。

「山下さんはかつて八木沢と同じN大学にいて、八木沢の父親——といっても八木沢は旧姓が佐々木といい、八木沢家に婿養子として入ったものですから、義父にあたるわけですが——N大名誉教授の八木沢昭尚氏の助手を務めていました。六年ほど前、山下さんはこの八木沢氏の紹介でS女子大に講師として勤め、やがては助教授の椅子も約束されていました。ところが、昭尚名誉教授の死後、その約束は反故《ほご》にされたままになっています。このことが、今回の事件に多少なりとも影響をもたらしている可能性は否定できません。

ところで、八木沢俊夫には十一、二年前ごろから、特別な関係にある女性が存在しました。もちろん、用心深い八木沢はひた隠しにしていたために、その事実を知る者はほとんどなかったはずです。その女性の名前は弘田裕子さんといいます」

浅見は八木沢俊夫の名前の左脇下にずらして「弘田裕子」の名前を書いて、その二つの名前を線で結んだ。

「弘田さんは当時、N大人類学教室に物品を納入する会社に勤めていて、時折、大学を訪れ、雑用などの手伝いをするうちに八木沢と親しくなったものと思われます。婿養子である八木沢にとって、頭の上がらない妻よりも弘田裕子さんのような若くて、自分を尊敬してくれる女性がどれほど愛《いと》しかったかは、想像にかたくありません。研究室でし残した標本づくりのような仕事を、弘田さんのマンションに持ち込んだりしていますし、妻には研究のためと称して、弘田さんとのドライブ旅行を楽しんだことも多いのではないでしょうか。しかし、大学でしばしば顔を合わせていれば、いずれ誰かが気づくときがあるだろうと考え、八木沢は弘田さんに勤め先を変えさせました。二人の関係は長く続いてきましたが、八木沢の前に新たな女性が現れるのです。その女性の名は大塚瑞枝……」

浅見は弘田裕子の名前の隣に「大塚瑞枝」と書き、八木沢の名前と結んだ。

「大塚瑞枝はN大学人類学科の瀬戸原教授の教え子でしたが、卒業後は研究室で事務の職員として勤めるようになったものです。瀬戸原教授に可愛がられ、瀬戸原氏が退官したあとも、時折、自宅を訪れては、ほとんど私設助手のように身の回りの世話などを焼いていました。勉学一筋で生きてきた、真面目な女性だったようです。

その大塚瑞枝が、どういう経緯があったのかは分かりませんが、一途《いちず》に八木沢教授に想いを寄せるようになった。八木沢教授というのは、女性の目から見ると、たしかに魅力的な男性かもしれません。ことに三十歳を過ぎるまで、勉強一筋の世界しか知らなかった大塚瑞枝にとって、文字どおり最初で最後の男性ということになるのです。

いっぽう、弘田裕子さんは八木沢の態度が少しずつ冷たくなってゆくことに気づきます。これは憶測でしかありませんが、彼女の場合は愛情もさることながら、打算も大きかったと考えられます。ことによると、八木沢は彼女と結婚の約束をほのめかしていたのかもしれません。そうして弘田さんはついに大塚瑞枝の存在を知り、当然のことながら八木沢の不実を詰《なじ》ったでしょう。学者生命はおろか、N大学教授の地位をも脅かしかねない脅迫を突きつけたと思われます。すでに弘田裕子さんへの気持ちが冷めきっている八木沢にとって、彼女は疎ましいどころか、恐怖の対象でしかなくなってきました。このまま躊躇《ちゅうちょ》していれば、弘田さんが二人の関係を第三者に洩《も》らす危険性がある。ことは急を要したのです。

そして、七月二日、弘田裕子さんは長野県の馬籠で殺害されました。馬籠は八木沢と彼女が蜜月《みつげつ》時代に訪れた旅先の一つです。そのことと、あとでご説明するいくつかの理由で、馬籠が犯行の現場として選ばれました」

「ちょっと待ってくれませんか……」

それまで、浅見の熱弁を聞くばかりで、シーンと静まり返っていた室内の空気を打ち破るように、笹沢刑事課長が両手を上げて怒鳴った。ほうっと吐息を漏らす者、硬直した体をほぐすように肩を揺らす者、煙草に火をつける者……彼らの誰にしたって、こんな奇妙な捜査会議ははじめての体験だろう。

「いま浅見さんが言われた長野県馬籠の事件というのは、自分は初耳でしたが、そっちの事件もやっぱり八木沢教授の犯行だということですか?」

「ええ、そうです」

「ほんとですか?」

「ほんとです」

「しかし、だとしたら、長野県警は当然、八木沢を逮捕していなきゃおかしいじゃないですか」

「いや、警察はまだこの事実を知らないのですよ」

「知らないって、だけど浅見さん、あなたがそこまで知っているのに、警察が知らないはずはないでしょう」

「そうでしょうか。そうおっしゃいますが、今度の山下さんの事件でも、僕は八木沢の犯行であると知っていましたが、警察はまだそれをご存じなかったではありませんか」

「それは、しかし、八木沢という人物の存在すら、たったいまわれわれが知ったばかりのところで、しかも事実関係を順次、浅見さんに教えてもらっているところですからねえ」

「同じことです。たとえ僕がいくら八木沢が犯人であることを力説したところで、その事実関係というやつが立証されない以上、警察は動こうとはしないでしょう。せいぜい通り一遍の事情聴取を行うか、アリバイを確認する程度。しかも、今回のケースとちがって、弘田裕子さんの事件では、アリバイは完璧《かんぺき》だし、物証にいたってはまったくない。おまけに二人の関係を知る者がいないという状態では、動機すらも見えてこなかったのですから」

「それじゃ、浅見さんはどうして八木沢の犯行であることを知っているのですか？」

「知っている……あ、そうそう、誤解があるといけないので、お断りしておきますが、いままで僕は、知っていることとしてお話ししてきましたが、厳密にいえばそのほとんどは事実かどうかを立証することができません。だいいち、僕は弘田裕子さんにも大塚瑞枝にも会ったことがないし、どういう経歴や性格の持ち主なのか、詳しく知っているわけでもないのです」

「えーっ、じゃあ、浅見さんの話は嘘なんですか？」

「嘘ではありません。事実かどうかは立証できない――と言っているのです」

「そんないいかげんなことを……」

「いいかげんではありませんよ」

浅見はムッとしたように応じた。

「その証拠に、僕の推論どおりに、今度は山下州平さんまでが殺されたじゃないですか。警察が事実関係を立証しなければ、容易に結論を下せないのと異なり、僕のような素人は推論だけで事件ストーリーを描くことができます。そしてそれが整合性を持つと判断すれば、その時点で『事実』として認識するのです。こういう状態を『知っている』という言い方をして、これまでお話ししてきたわけですね。ですから、警察の認識からすれば、なかなか受け入れがたいものがあるのかもしれません」

「そうですなあ、にわかには信じがたいものがありますなあ」

「それをクリアにしなければ、この先に進めないというのであれば、僕の話はこれでやめます。それによって捜査のタイミングを逸することになったとしても、僕の責任ではありません」

「まあまあ……」

署長が脇から宥《なだ》め役に乗り出した。

「事実関係については、さっき笹沢課長も言ったように、今後の捜査によって裏付けることとしてですな、いまはとにかく、浅見さんの推論をすべて聞かせていただくことにしましょう。笹沢君、それでどうかね」

「はあ、自分としては異存ありません」

笹沢刑事課長は浮かぬ顔で頷《うなず》いた。

8

「さて……」と、浅見は中断した話のつづきを模索した。

「とにかくそういうわけで、弘田裕子さんは殺害されたのです。しかし、捜査に当たっている長野県警では、この事件は盗み目的の行きずりの犯行と見ています。東京ではほとんど話題にも上らず、弘田さんの身内でさえ、強盗殺人事件の被害に遭ったものとして受け止めています。もしこのまま何もなく推移していたとしたら、この事件は完全に迷宮入りしてしまったでしょうね。

ところが、そのころ僕は、東京の品川区で起きた殺人事件を調べている過程で、この馬籠の殺人事件に遭遇しました。じつは、驚くべきことなのですが、品川の殺人事件の被害者というのが、八木沢俊夫の第二の女性――大塚瑞枝だったのです」

居並ぶ面々が、いっせいに「えーっ」という声を発した。それを代表するように、笹沢が「それはまた、どういうことですか？」と言った。

「ええ、この事件についても、おいおいご説明してゆくつもりですが、とにかくこの二つの事件に遭遇したことをきっかけにして、弘田裕子さんは謀殺された可能性のある疑いが濃厚になってきました。問題は動機ですが、その動機に繋《つな》がるような事実を、山下さんが摑《つか》んでいたらしい。つまり、八木沢と弘田さんの不倫関係です。

僕が山下さんと会ったのは七月の末、暑い盛りでした。弘田裕子さんや大塚瑞枝の話を聞きにお訪ねしたのですが、いま思うと、それが今度の事件のきっかけになったことになります。実際、僕が訪問するまで、山下さんは二人のことなど、すっかり忘れていたらしい。N大学を離れてからすでに六年も経過していましたから、それがふつうかもしれません。ところが、僕に言われて、山下さんはそのことを思い出した。しかも、そのときの僕には想像もつかなかったが、八木沢と弘田さんと大塚瑞枝の三角関係についても、うすうす察しがついたのじゃないかと思います。

さっきも言ったとおり、山下さんは、現在の不遇状態に失望し、大学や社会に対してかなり憤懣《ふんまん》を抱いていました。結果として自分をこういう目に遭わせた八木沢昭尚氏をも恨んでいたと思います。その八木沢氏の婿で、能力もないくせにN大の教授としてのさばっている八木沢に対しては、おそらく憎悪に近いものを感じていたのではないでしょうか。そこへ持ち込まれたスキャンダルネタです。しかも殺人事件というビッグなおまけまでついている。これはすごい金づるを摑んだ——と思ったことでしょう。

僕に会った直後、山下さんは弘田裕子さんの兄さんのところへ行って、八木沢俊夫との関係を証明する品がないか探っています。弘田さんの遺品の中に、事件との関わりを示すような日記、手紙のたぐいがないことは、すでに警察の調べで明らかになっていましたが、警察の気づかなかった証拠が一つだけ残っていました。それはさっき言った、八木沢が研究室でし残した標本作りを、弘田さんのマンションでやっていた道具や材料です。これを山下さんは自宅に持ちかえって、指紋を採取し、八木沢への恐喝の道具として活用したのです。

これまで、弘田裕子さんとの接点を立証するものは何もない――と、まったくの安全地帯にいるつもりだった八木沢にとって、思いがけない災難のようなものだったかもしれません。しかも山下さんは、大塚瑞枝の名前もチラつかせ、彼女が殺された事件との関わりを匂わせたと思います。唯一の救いは、山下さんにはどうやら警察へ通報する気はないらしいという点です。共存共栄でいこう――というのが山下さんの当初からの目的でしたから。しかし、八木沢にとってはそれもまた、蛇の生殺しのようで、辛《つら》いものがあったでしょう。彼は所詮《しょせん》、婿養子です。自分で自由にできる金には限界がある。山下さんの際限のない要求に、どこまで耐えきれるか、先は見えていたでしょう。

八木沢は山下さんに金を渡しながら、じっくりと状況を分析していたにちがいありません。山下さんがどこまで事実を知っているのか。背後に別の人物が存在しないか。何よりも、山下さんという情報源そのものを消してしまえば、禍根は絶てるのかどうかを確認したと思います。そうして結論を得て、八木沢はついに山下さんをおびき出し、殺害したのです。山下さんには油断があったでしょう。およそ一ヵ月にわたって思いのまま操っていた八木沢を、自家薬籠中《じかやくろうちゅう》のものと甘く見すぎたのかもしれません。

しかし、八木沢俊夫という男は、小心だが狡猾《こうかつ》で、何よりも人間の弱点を見抜く能力に長《た》けた男なのです」

プツンと話を終えたので、しばらくはそれと気づかず、満場静まり返ったままであった。その中から、浅見はふたたび口を開いた。

「以上が僕の描いた事件ストーリーの概略です。しかし、これはあくまでも概略でしかなく、弘田裕子さんや大塚瑞枝が殺された事件の詳細等については省略しました。先程来、申し上げているように、今後は一刻も早く証拠の保全に努めるとともに、それぞれの事件の捜査本部と連動して作業を進めていただきたいと思います」

ペコリと頭を下げ、腰を下ろした。それでもまだしばらくは誰も物を言わず、笹沢刑事課長も署長と顔を見合わせたまま、対処の仕方を思い悩んでいる様子であった。

第十二章　埋葬された真実

1

浅見光彦の提言に対して、警察はその日のうちに、まず松井田署と群馬県警から反応して、警視庁・大崎警察署、長野県警・福島警察署と、それぞれの捜査本部間で連絡を取り合い、協力して捜査に当たることになった。もっとも、熱心だったのは群馬県警だけで、警視庁も長野県警も当初の対応は鈍かった。飛び離れた場所での事件が「連続殺人事件」であるという実感を、なかなか抱きにくかったせいばかりでなく、どこかに縄張り主義がはたらいたこともあるのだろう。

それでもなんとかその翌日、合同捜査会議が開かれることになった。むろん、群馬県警から警視庁と長野県警に対して、情報源が警察庁刑事局長の弟であることが伝えられた結果だ。松井田署の推薦で、浅見が「講師」として登場することについても、異論を唱える者はなかった。

大崎署の会議室には各捜査本部から七、八名ずつの捜査員が参加した。上は警視から下は部長刑事までさまざまだが、いずれも捜査経験の豊富なベテランばかりである。ほとんどの者が半信半疑以下、警察庁のエライさんの身内だから、仕方なく集まったが、まったく、このくそ忙しいときに――といった程度の気分である。

そのあまり熱心とはいえない聴衆を前にして、浅見はさすがに気後れを感じた。それと同時に、これだけの巨大組織を誇る警察といえども、きちんと機能しチャンスを得なければ、浅見という個人の働きに遠く及ばないこともあるのだ――と思った。そう悟ったときに、胸の支《つか》えのようなものが取れた。

浅見はまず、弘田裕子、大塚瑞枝、山下州平、八木沢俊夫、瀬戸原道造その他、事件の「登場人物」に関する基礎的なデータを図解した刷り物を配った。弘田裕子が八木沢の第一の「愛人」であり、それに大塚瑞枝が取って代わったこと。山下州平が八木沢の義父の斡旋《あっせん》でS女子大へ移った経緯など、怨念《おんねん》が育つ温床のようなものを解説するのに、ずいぶん手間がかかった。

「以上が、三つの殺人事件を引き起こす背景となったものです。それでは個々の事件について順次ご説明しますが、ただし、いずれのケースに関しても、物的証拠があるわけではなく、あくまでも状況証拠に基づく推論であることを、あらかじめご了解いただかなければなりません」

そう前置きして、語りだした。

「第一の事件——弘田裕子さん殺害については、大塚瑞枝の犯行であります。ただし実行犯は大塚ですが、殺害計画を練り、大塚に犯行を教唆《きょうさ》し、かつ弘田さんを殺害現場である木曾の馬籠までおびき出したのは八木沢俊夫であると考えられます。八木沢はかつて弘田さんと馬籠を訪れたことがあり、島崎藤村の墓に詣《もう》でたと思われます。ひょっとすると、弘田さんにとってはそこでの八木沢との密《ひそ》かなデートが、忘れがたい思い出になっていたのかもしれません。八木沢の指示どおりに、あの時刻、独りで現場を訪れたのは、八木沢の誠意に最後の期待を抱いたからではないでしょうか。しかし、そこに現れたのは八木沢ではなく、三角関係のライバルである大塚瑞枝でありました。

その日、大塚はＮ大学の瀬戸原名誉教授とともに、名古屋から東京へ向けて車で帰る途中でした。大塚は帰路を東名ではなく、なぜか中央道経由に取りました。その理由はまさに八木沢の犯行計画を完遂するためであったのです。大塚は神坂パーキングエリアでトイレ休憩と称して、車内に瀬戸原氏を置いたまま、自分はパーキングエリアを出ました。そしてそこにあらかじめ八木沢が用意して駐《と》めておいた車に乗り、馬籠の現場へ急ぎ、驚く弘田さんを刺し殺し、パーキングエリアに引き返したのです。福島署の大石さんが実験した結果では、所要時間およそ十分程度で可能だったそうです」

浅見は出席者の一人である大石に「そうですね」と確かめた。大石は「間違いありません、所要時間は九分三十五秒でありました」と律儀に答えた。

「犯行に用いた車は、その翌日にでも八木沢が取りに行ったのでしょう。いずれにしても犯行当日のアリバイは完璧なものが用意されていたにちがいありません。かりに捜査が八木沢と弘田さんとの関係を追及するところまでいったとしても、八木沢と事件とを結びつけることは不可能だったと思います。ところで大塚瑞枝がなぜ恐ろしい殺人を引き受けたのかは、本人が死亡したいまとなっては、八木沢から事情を聞くか、あるいは想像するしかありませんが、やはりそれもまた八木沢の愛情を独り占めしたいという、浅はかな心理から出たものと思われます」

「しかし」と、大崎署の伊藤部長刑事が疑問を投げかけた。

「それだけのことで、大塚瑞枝が殺人を引き受けるもんですかなあ。われわれの調べたかぎりでは、大塚はごくふつうの社会生活を営む女性であるように思えましたが」

「ええ、僕もその点は分かりません。いずれにしても、細かい事情や動機については、警察のほうで調べていただくとして、いまは事件の概略をお話ししたいと思いますが、いかがでしょうか」

伊藤が不満そうな顔で頷《うなず》くのを待って、浅見は言葉をつづけた。

「その大塚瑞枝は七月五日の夜、品川区上大崎で殺害されました。これは完全な八木沢による単独犯行でした。その夜、八木沢家では瀬戸原氏の喜寿を祝う会が催されています。大塚は宴たけなわの午後九時少し前頃に八木沢家を出て、路上で何者かに襲われたものと考えられているのですが、じつはそうでなく、いったん八木沢家を出たあと、密かに脇の勝手口から邸内に戻ったのです」

「えっ、ほんとですか？……」という声が、いくつか上がった。浅見は苦笑して、

「もちろん、これも推測ですが」と断った。

「その日は八木沢家の家族は夫人以下、お手伝いにいたるまで、八木沢を除く全員が軽井沢に行って留守でした。八木沢と大塚のあいだで、そういう段取りができていたとしても不思議ではありません。ただし、これもまた八木沢の仕組んだ計画で、大塚は邸内に戻った後、八木沢に絞殺されたのです」

またしてもどよめきが起きたが、浅見はそれを無視して話をつづけた。

「八木沢は接待のために台所と宴席を頻繁に往復していたでしょうから、しばらく席を外したとしても、誰も怪しむ者はいなかったと思います。そして八木沢は客が帰ったあと、大塚の死体を車で現場まで運び、遺棄しました。客たちが引き上げたのは午後十一時頃だったそうですから、時刻は早くても午後十一時以降——おそらく午前零時を過ぎていたと思われます。現場周辺は深夜の歩行者は皆無といっていいくらいに寂しいところですが、付近の家が寝静まるまで待ったと考えていいでしょう」

「ちょっと待ってくれませんか」

ふたたび伊藤が異議を唱えた。

「事件当日の夜は、午後十時頃から雨が降りだしたのですがね。そのことは、会の参加者が確認しています。しかし、死体の下の部分はほとんど濡《ぬ》れていませんでした。死体遺棄は午後十時以前に行われていなければ、理屈が合いませんよ」

「それは、この事件が計画的犯行であることを思えば、何も問題はないと思います。当日の天気予報は夜更けてから雨が降りだすというものでした。天気図の梅雨前線の状況からいって、その確率はほぼ百パーセントに近かったでしょう。時間に多少のずれはあるにしても、午後十時前後に雨が降りだすことは予測できたはずです。

八木沢はあらかじめ死体遺棄を想定した現場に、人型に切ったビニールシートを敷いておいたと考えられます。その作業をいつ行ったかは本人に聞くしかありませんが、宴の最中でも勝手口から外出することは可能だったでしょう。八木沢家から現場までは徒歩で三分ほどです。往復六分程度、席を空けていたとしても、そう怪しまれることはなかったと思います。

また殺害の実行についても、さっきも言ったように、実際の犯行はものの二分もあれば可能です。大塚は奥の寝室に『待機』していたでしょうから、犯行は容易だったでしょうし、たとえ声を発したとしても、賑《にぎ》やかな宴席には届かなかったでしょう」

「そうすると」と伊藤が言った。

「つまりこういうことですか。八木沢は客が帰ったあと、かなり経過してから死体を現場に運び、ビニールシートを取り除いて、そこに死体を置いたというわけですね。しかし、もしその時点で雨が上がっていたらどうするつもりだったのですかなあ。死体がまったく濡れていなくて、しかもその下の地面も濡れていないという、おかしなことになったのではありませんか」

「ええ、じつは僕も伊藤さんとまったく同じことを考えていたのです」

浅見は思わず笑顔になった。

「雨の降りだす時刻に多少のずれがあってもいいけれど、もし早めに雨が上がったらトリックは成立しませんからね。ところが、はじめて八木沢家を訪ねたときに、庭先の植え込みの脇にジョウロが置いてあるのを見て、あっと思いました。そのジョウロのおかげで、トリックに思い当たったといってもいいのです。もしかすると、八木沢もまったく同じ発想をしたのかもしれないと思いました。しかし、現実には雨は降りつづき、ジョウロを使う必要はなかったのですが」

なるほど――と伊藤は沈黙した。

2

八木沢俊夫を松井田署の刑事が訪問したのは、浅見の「レクチャー」があった二日後のことである。その間、警察は山下州平宅の家宅捜索をし、八木沢の周辺を内偵するなど、傍証を固める作業を行っている。しかし、これといった証拠は出てこなかった。弘田裕子のマンションを訪問した男について、マンションの管理人等から八木沢の写真とよく似ているとの証言を得たが、それをそのまま証拠として採用するには無理がある。現時点では浅見が言ったとおり、状況証拠に頼るしかない。山下州平の事件こそが、唯一の突破口であった。

玄関先に現れた八木沢は、クリーム色のスポーツシャツに赤いカーディガンという、ゴルフにでも出かけそうな恰好《かっこう》であった。初めは笑顔さえ浮かべていたが、見かけない顔の男が二人、無愛想に手帳を示すのを見て、一瞬、顔色を失った。

「八木沢俊夫さんですね？」

二人のうち、やや年長の若林部長刑事が型通りに訊《き》いた。

「山下州平さんをご存じですね？」

その名前を聞いた瞬間も、八木沢の表情ははっきり動いた。嘘発見器にかかれば、かんたんにひっかかりそうだ。

「もちろん、山下君なら知ってます。新聞で読んだが、殺されたのだそうですな……というと、そのことで来たのですか？」

「はい、お忙しいところ恐縮ですが、その件に関して、少々お尋ねしたいことがあるのですが、ここでよろしいでしょうか」

「そうですな……」

八木沢は奥の気配に耳を欹《そばだ》てて「それじゃ、応接間にどうぞ」と言った。

玄関を入ってすぐの右手が応接間だった。見るからに高価そうな油絵が三方の壁にかかっている。二人の刑事は物珍しそうに部屋の中を見渡した。

「山下君のどういったことを？」

八木沢は自分は肘《ひじ》掛け椅子に坐《すわ》り、二人の刑事にソファーを勧めて、腰を下ろすのと同時に催促した。不愉快な話はさっさと済ませてしまいたい――という態度が露骨に出ていた。若林は上目遣いに天井を見つめ、舌なめずりをしてから言った。

「じつは、山下さんの事件は単なる物取り目的の犯行ではないと断定しました。つまり怨恨《えんこん》による殺人事件というわけです。そこで、山下さんと関係のある方々、みなさんに事情聴取をして歩いております」

「なるほど、しかし、その事件のことについては、私は何も知りませんよ」

「もちろんそうだとは思いますが、一応の手続きのようなものとお考えください。そこでまず、八木沢先生と山下さんとの関係から聞かせていただきましょうか」

「山下君とは、かつてN大学で一緒だったことがあります。かれこれ十年近く前になりますか。彼が現在のS女子大に移られてからは、まったくといっていいほど、交流はありませんが」

若林はメモを取ったが、そういったデータは先刻承知している。

「では、山下さんと最後に会われたのはいつごろですか?」

「そうですなあ……うちの義父の一周忌に来てくれたが、その後はどうでしたか。学会のパーティなどですれ違ったことはあるかもしれないが、それ以外はたぶん会ってないと思いますよ」

「ここ三年間ぐらいのあいだはいかがですか?」

「いや、会ってませんな」

「事件があったと見られる当日、つまり九月二日はどこにおられましたか?」

「九月二日ですか。えーと……ああそうか、九月二日は夏休み最後の土曜日でしたな。その日は軽井沢の別荘に家内たちを迎えに行きましたよ。一泊して、三日の昼過ぎに戻って来ました」

「お宅を何時に出ましたか?」

「さあ、何時だったか……夜だったことはたしかですがね」

「夜の何時頃ですか」

「だから、そこまでは憶《おぼ》えていませんよ」

「夕食は召し上がったのでしょうか？」

「そりゃ食いますよ」

「お宅で？」

「いや、うちじゃないな。お手伝いも軽井沢に行ったきりですからね」

「というと、外食ですか。どこで何を食べましたか？」

「そんなの忘れましたよ」

「しかし、翌日からはご家族がいらっしゃるのですから、一人だけの最後の夕食だったわけでしょう。どこで何を食べたかぐらい、分かりそうなものですが」

「あんたはそう言うが、忘れたものはしようがないでしょう」

「では、軽井沢に着いたのは何時頃でしたか？」

「憶えていませんな」

「深夜でしょうか？」

「まあ、そうでしょうな」

「山下さんは午後七時頃外出したきり消息を絶ち、おそらくその日のうちに殺害されたのではないかと見られているのですが」

「ふーん、そうですか」

「その時刻、先生はどこで何をしておられましたか？」

「…………」

「死体が発見された現場は、ご存じかもしれませんが、碓氷軽井沢インターチェンジ付近の山林でしてね、先生が深夜に軽井沢の別荘へ行かれたとすると、ちょうどその辺りにおられた頃ではなかったかと思います」

「そうかもしれないが、だからどうだと言うのかね」

「じつはですね」

若林部長刑事は、充分すぎる間を取ってから、言った。

「山下さんが、先生を脅迫していたという情報があるのですよ」

「脅迫？　ばかばかしい。冗談を言ってもらっちゃ困るね。誰です、そんなデマを言いふらすのは」

「個人名は申し上げるわけにいきません。もちろん、嘘の情報である可能性もあります。高名なN大学の先生を、われわれもまさかとは思うのですが、しかし、まったく無視することもできないわけでしてね。じつはすでに山下さんのお宅を捜索したのです。その結果、妙な物を発見しましてね」

「ふーん、何ですか、その妙な物とは」

石膏《せっこう》細工の道具のようなものです。接着剤のビンだとか、いろいろありました。これはじつは、もともと弘田裕子という人物が持っていたものでしてね。つまり遺品ということになります。あ、ご存じですよね、弘田裕子さんのことは」

「さあ、どうだったか……」

八木沢は天井を向いて、視線をウロウロさせた。これではとぼけたつもりが、かえって知っていると語っているようなものだ。

「あれ？　たしか八木沢先生と親しい関係にあったはずですが」

「いや、そういうことはない。たしか、大学の事務室に出入りしていた女性が、弘田という名前だったような記憶があるが」

「そうです、その弘田裕子さんなんですよ、弘田さんが長野県の馬籠で殺害されたこともご存じでしょう？」

「…………」

「新聞やテレビのニュースでも報道されているのですがねえ」

「そういう事件のニュースには、あまり関心がないもんでね」

「まあいいでしょう、とにかくですね、その弘田さんの遺品から、山下さんのものとは違う人間の指紋が採取されました。それがなんと、八木沢先生の指紋と一致したのですよ。いや、いつの間に調べたかとご不快でしょうが、警察というところは、いろいろとやるものなのです」

八木沢は椅子の肘掛けに置いた手の指を、隠すように拳《こぶし》を作った。

「それでですね、山下さんはその石膏細工の道具をデスクの上に置いたまま家を出て、そして殺害されたというわけです。つまり、ひょっとすると、これは何か八木沢先生と関係があるのではないか——と、そう考えられたのです。そこでお願いしたいのですが、先生が当日、軽井沢行きに使われたお車を拝見させていただけませんか」

「車を見てどうするのかね？」

八木沢の拳の握り方に力が入った。震えを抑えるのに、懸命の努力をしている。

「万一、車の中に山下さんの遺留品などがあると問題です」

「そんなもの、あるはずがないでしょう」

「ごもっともです。しかし、ないと知りながらも、一応は調べてみなければならないのが警察の仕事というものでありましてね。それとも、調べられては都合の悪い、何かの事情でもおありですか？」

「そんなものはないが、しかし、そういう容疑者扱いは不愉快ですな」

「いえ、決して容疑者扱いをするわけではありません。あくまでも捜査のひとつの手続きのようなものです。もしどうしても任意には許可できないというのであれば、すでに捜査令状を取得する用意ができております。そうなりますと、家宅捜索まで強制的にさせていただくことになりますが」

　捜査令状と聞いて、八木沢の顔は蒼白《そうはく》になった。

「なにもきみ、そこまで抵抗する気はないですよ。ただ、どうせ何もありはしないと分かっているのに、無駄な作業をすることはないと言っているのです」

「いやいや、無駄な作業にはわれわれは慣れっこです。では車のキーを貸していただきましょうか」

　若林は立ち上がった。八木沢は気圧《けお》されたように刑事を見上げた。

3

　門内の駐車場はプラスチック製の屋根のある簡易ガレージになっている。その屋根の下にトヨタの「セルシオ」という車種の、白い大型の乗用車が置いてある。

　若林は門の外に出て、道路で待機している鑑識の連中を手招いた。三人の鑑識課員はいずれもジャンパー姿で、一見しただけではふつうの作業員と変わらない。ただし、道具類はふだんどおりで、小型の集塵器《しゅうじん》まで用意している。

　若林から車のキーを受け取った鑑識課の連中は、あらゆる角度からカメラのシャッターを切り、まずトランクを開けた。ここにいたって、「調査」が本格的なものであることに気づいて八木沢は顔色を変えた。

「きみらはいったい何を調べる気だ？　車内に遺留品がないかどうかを調べると言っていたのじゃないのかね」

「そのとおりです。われわれが遺留品と呼ぶものの中には、髪の毛や微細な繊維から指紋等も含まれているのでして」

「…………」

八木沢の全身がこわばった。

そのとき、玄関から八木沢夫人が現れた。どこかへ出かける予定でもあるのだろうか、夫の八木沢とは対照的に、センスも仕立てもいい、ダークブルーのスーツ姿だ。縁なしの外国製らしい眼鏡だけが、若林には気に入らない。

夫人は足早に近づきながら「何をしているの、だめですよ」と声高に言った。

「その車、買い換えるつもりはありませんからね。あなた、勝手なことをしないでちょうだい。あれほどいやですって言ったじゃありませんか。どこのディーラーか知りませんけど、私はその車が気に入っているのです。まだ買って二年も経っていないのだし、とにかく当分は買い換えません。お引き取りくださいな」

自動車販売会社の人間が、下取り車の査定をしていると思ったらしい。

「そうしますと奥さん」

若林はまるでセールスマンのように揉《も》み手をしながら、夫人に言った。

「ご主人のほうから、この車を買い換える話が出ていたのですか？」

「そうですよ。でも私は反対したのです。車の名義は主人ですが……」

言いかけて、夫人は男たちの様子がおかしいことに気がついた。

「あなたたち、自動車会社の人じゃないのかしら？」

「ええ、われわれは警察の人間です」

「警察？……警察がどうして？　あなた、何か事故でも起こしたの？」

夫に向けて、きびしく訊いた。

「いや、そうではないが、ちょっと調べたいことがあるのだそうだ。とにかく何も心配することはないから、きみは引っ込んでいてくれないか」

「引っ込んでって……」

夫人は険しい顔になったが、その場のただならぬ雰囲気に押されたように、「あなた、あとで説明してちょうだい」と捨て台詞《ぜりふ》を残して、建物の中に引き上げた。

「どうやら八木沢先生、車の買い換えをお急ぎだったようですねえ」

若林が皮肉な言い方をした。「何か、急がなければならない、特別な事情でもあったのでしょうか？」

「いや、べつにそんなことはないが……」

そう言いながら、八木沢の表情にはこれまで見せたことのない弱気が表れていた。

（落ちるな――）と若林は感じた。インテリや、何かの権力に拠《よ》っている者は、いったん拠り所を失うと、意外なほど脆《もろ》く崩れることを、これまでの経験で知っている。虚勢を張って耐えてはいるものの、八木沢の我慢も限界近くに来ているのだろう。

「では作業を始めます。先生もそこで確認していてください」

一人の鑑識課員がご丁寧にビデオカメラまで持ち出して、その場の一部始終を撮影し始めた。後で証拠能力にケチをつけられないための備えだ。もちろん、八木沢を入れ込んだ画像も撮っている。

指紋を採取し、ルーペでトランクと室内のすみずみまでを調べ、毛髪や細かいゴミのたぐいを拾い、最後に集塵器で繊維や埃《ほこり》を収集する。捜査員がトランク内にもぐり込むような恰好《かっこう》で、「毛髪を発見」と報告し、ピンセットで摘《つま》み上げるたびに、八木沢は悲劇の主人公のように悲痛に顔を歪《ゆが》めた。

「このシミは何ですかね？」

ひととおり「遺留品」の採集を終えた鑑識課員が、トランクルームの床のカーペットを指さして言った。

「油のシミとも違うようだが、まさか血痕《けっこん》ということはないでしょうなあ」

「どうなんですか？」と若林は八木沢を振り返った。

「トランクの中で、誰かが鼻血を出したとかいったことはありませんか？」

「さあ、ないと思うが……」

「一応、ルミノール反応を見てみますか」

鑑識に合図した。

「それより、科警研に持って行ったほうがいいんじゃないですか」

鑑識課員は提案した。

「場合によってはDNA鑑定の必要がありますよ」

「そうだな」

若林はまた八木沢を振り返った。

「そうさせてもらってもよろしいですか？　いや、車ごととは言いません。トランクルームの敷物だけで結構です」

八木沢は黙っていた。目がうつろだ。

「奥さんのほうにも断ったほうがよければ、そうしますが」

「いや……」

物憂《ものう》げに首を横に振って、「もういい」と言った。

「もういいとおっしゃいますと、断らなくてもいいということでしょうか？」

「いいと言っている。その必要はないと言っているのです」

「分かりました、ではカーペットを拝借していってよろしいのですね」

「その必要はないと……何度同じことを言えばいいのかね」

苛立《いらだ》たしそうに、まるで学生を叱りつけるような口調で言った。若林が思わず首をすくめるほどの、強い語気であった。

「山下は私が殺《や》ったのだよ。いまさら何も調べることはない」

あっけない自供であった。気がつくと、八木沢の目から涙が溢《あふ》れ出ていた。

「ちょっと待ってください」

若林のほうがかえって慌てた。ここでいきなり自供を始めるとは考えていなかった。

「とにかく、ここではなんですから、大崎署までご同行願いましょうか。よろしいですか？」

八木沢は黙って頷《うなず》いた。

鑑識課の連中が大急ぎで道具を片付け、八木沢をセルシオに乗せ、運転は若林自身が務めた。おそらく、このまま八木沢を収監することになりそうだと思った。八木沢もそれを感じたのか、門を出るときに後ろを振り返った。彼にとって、栄光と悔恨に明け暮れた三十年間を、凝縮したような瞬間だったのかもしれない。

この思いがけない早い展開には、大崎署も混乱ぎみだった。この分なら大塚瑞枝殺しについての自供も時間の問題か――と思われたのだが、とっかかりが山下州平殺害容疑だったので、とりあえず事情聴取は若林たち松井田署の者が当たり、逮捕状も群馬県警のほうで前橋地裁に請求することにした。逮捕状が大崎署に到着したのは夜に入ってからだ。それまでに八木沢に対する事情聴取は完了していた。山下州平殺害に到る経緯は、浅見が推測したこととほとんど差異はなかった。

山下が最初の電話をかけてきたのは、八月に入って間もなくだったそうだ。家人は全員が軽井沢の別荘に行って、広い邸《やしき》に八木沢が独りでいた。

「山下はよほど金に困っていたのでしょう。電話の最初から恐喝の意志を匂わせていました」と八木沢は供述している。すっかり諦《あきら》めきったという印象で、たんたんとした口調からは、山下に対する憎悪も感じられないほどであった。

山下は八月中のわずか一ヵ月にも満たないあいだに、四度にわたって金をせびったという。総額は百万円弱。考えようでは大した金額でないといっても、「養子」の八木沢にとっては辛《つら》い支出だったろう。五度目の要求を受けたときには、すでに選択の余地がないところまで追い込まれていた。

「やつは、睡眠薬入りの酒を飲んで、自分が殺されたことも知らずに死にましたよ」

そう語ったときだけ、八木沢は愉快そうに笑った。

4

八木沢俊夫の身柄はいったん山下州平殺害事件の捜査本部がある群馬県松井田署に

移された。死体遺棄現場での検証等、所定の手続きで容疑事実の確定作業が進んだ。八木沢は完全に観念した――というより、まるで他人の犯行を語るような口調で、たんたんと事実関係を「解説」した。

ついで身柄はふたたび東京の大崎署に移管され、大塚瑞枝殺害事件の取り調べが行われた。犯行の具体的な方法は浅見光彦が展開した推理と、大筋においては違いがなかった。むしろ問題は動機の部分である。

山下を殺害したことについては、ほとんど確信犯といっていいほど改悛《かいしゅん》の情が見られなかった八木沢が、この事件を語るときには大きな動揺を見せ、しばしば絶句した。

「瑞枝は恐ろしい女でした」

これが八木沢の自供の、最初に口から出た言葉である。

大塚瑞枝がN大学人類学教室に勤務し始めた頃は、八木沢は彼女の存在をほとんど気にも留めなかった。瑞枝はそれほどの美人でもなく、どちらかといえば平凡で控えめで、ごく目立たない女だった。

むしろ八木沢の周囲には、女子学生や民間の研究サークルの会員など、関心以上の積極的な好意を寄せる女性がいくらでもいた。それに、その当時は弘田裕子という特定の――八木沢の言葉によれば「恋人」が存在してもいたのだ。

その瑞枝がことさらに八木沢の関心の対象となったのは、彼女が「皇女和宮の霊《れい》

「柩」の話をしたときである。瑞枝の実家は長野県妻籠で古くから木地師を営んでいて、三代か四代前の江戸末期、そこで「和宮様の柩《ひつぎ》」が作られていたというのだ。

八木沢はその話を聞いたとき、「まさか」と一笑に付した。しかし瑞枝は真剣そのものだった。

瑞枝が祖父から聞いた話によると、「柩」は用材が木曾檜《ひのき》、豪華な彫刻を施したものので、それらの指示はすべて役所から出された。当時、木曾檜を使用するには役所の許可を必要としたことは事実だ。もちろん公に「御為和宮様」とは表現されてはいないものの、和宮が木曾を通過する時期に合わせて貴人用の柩を特注した書きつけを、瑞枝は見たことがあるという。

八木沢はがぜん興味を惹《ひ》かれた。まんざら絵空事とも思えなくなった。有吉佐和子が小説『和宮様御留』で和宮に替え玉がいたことを書いたのは、学者のあいだでは問題にもされていないが、和宮が江戸下りをいやがっていたことは事実だ。もしも本気で徳川家降嫁を拒否するつもりならば、替え玉を作り上げるよりも、死亡したことにしたほうが、はるかに容易ではなかったか。

江戸下りの長旅では、現実に多くの人足たちが消耗のあげく死んだ。あまり丈夫ではない和宮が、途中で急死したとしても不思議ではなかっただろう。和宮自身が自らの死亡を演出するつもりなら、いとも簡単にできたにちがいない。そういうことを、瑞枝はふだんの彼女からは想像すらできない熱のこもった口調で、目を輝かせながら語った。

その柩のゆくえについては、瑞枝は正確には知らないと前置きして、「たしか、馬籠宿の脇本陣に送られたはずだとか聞きました」と語った。

八木沢には「馬籠の脇本陣」という名前にかすかな記憶があった。兄の佐々木勝巳が死ぬ少し前、病院のベッドでうわ言のように、何かそれらしいことを言っていたような気がする。もっとも当時の八木沢は東京の大学で学者への道をひた走っていた頃だ。八百津の実家に帰ることも滅多になく、兄が入院したのをいちど見舞ったきり、ついに死に目にも会えなかったのである。

その記憶の断片が、はっきりした形になったのは、この春、八百津に帰って、兄の遺品の中から日記を発見したときだ。そこには、牟田部志保への切々とした想いが綴《つづ》られていた。そしてその中に、あの乾板写真が志保に贈られたということとともに、ライバルの池本という男が「馬籠の脇本陣の末裔《まつえい》」であることが、憎しみを込めて、書きなぐりに書かれていたのである。

＊

これらのことのすべてが、初期の取り調べ段階で語られたわけではない。取り調べに当たった捜査官は「なぜ」「どこで」「どうした」といった事実関係だけの供述を取ることに専念して、そこに到るまでの長い歴史にはほとんど興味を示さないものなのだ。

それはともかくとして、和宮の霊柩の話を聞いたときから、八木沢の瑞枝に対する見方が様変わりした。何か神秘的なものが彼女の中にあるような気さえしてきた。それまでは恩師である瀬戸原名誉教授に尽くす女性――としか思わなかった瑞枝に「おんな」を感じた。平凡そのもののような彼女が、その名のとおり瑞々《みずみず》しい魅力に溢れているように思えてならなくなった。

すると、なかば囲い者のように、ひそかな「恋人」として、それなりに愛を育《はぐく》んできたつもりの弘田裕子の存在が、にわかに疎《うと》ましいものになった。

それまでは裕子が八木沢の救いであった。品川区上大崎の自宅には、真の意味での安らぎはない。稲城市東長沼の小さなマンションの日当たりの悪い部屋こそが、八木沢にとってはオアシスであった。そこの安物のデスクの上で、発掘作業で出土した土器や人骨の破片を、裕子に手伝わせて成形する作業が、まるで学生時代に戻ったような他愛《たわい》ない歓《よろこ》びを八木沢に与えた。

それが瑞枝の出現とともにあっけなく変わった。旅人が枯渇したオアシスに背を向けるように、八木沢にとって裕子の部屋は遠いものになった。

八木沢の変心は少しずつ、そして急速に裕子の胸にも伝わった。原因や新しい相手が誰なのかは分からないまま、女の直感は八木沢の裏切りを鋭く察知した。

職場を替え人生を変えるほどに献身してきた過去は何だったの――と、裕子は八木沢を詰《なじ》った。大学と奥さんに何もかもバラして、あなたの人生を狂わせてやると迫った。そうなればそうなるほど、八木沢の裕子へのおぞましい思いはつのった。もはや恐怖のみが八木沢と裕子とを繋《つな》ぐ糸でしかなかった。

裕子との絶望的な状況を、八木沢は瑞枝に隠すことはしなかった。いまさら隠しても始まらないほど、瑞枝も裕子と八木沢の関係を熟知していた。八木沢の煩悶《はんもん》を見て、「殺すしかありませんよ」と大塚瑞枝は言った。

むろんそれは、警察での取り調べに対して八木沢自身の口から語られたことだから、信憑性《しんぴょう》がないといえばない。しかしそれ以降、裕子を殺害するに到るまでの瑞枝の決然とした行動をみれば、あるいは――という感想も抱きたくなる。馬籠の島崎藤村の墓を凶行の場所に選んだのは、じつに瑞枝だったのだそうだ。地元の地理や状況について詳しく、神坂パーキングエリアを利用するトリックも瑞枝が考えた。

たしかに、島崎藤村の墓は八木沢と裕子にとって思い出の場所ではあった。十年ほど前、八木沢は裕子を連れて木曾街道を旅して、妻籠から馬籠へと辿《たど》り着いた。日が傾いて人影の絶えた藤村の墓の前に佇《たたず》んだとき、裕子はふいに「破戒を……」と呟《つぶや》いた。しばらくじっとして、それから八木沢の胸に身を預けて、「先生、私を抱いてください」と潤《うる》んだ声で言った。

　まだ裕子が納入業者の社員として人類学教室に出入りしている頃、その「なれそめ」の物語を、裕子は瑞枝に語ったのだそうだ。話すことで、八木沢教授に関する占有権を主張したかったのかもしれない。だが、そのことがやがて瑞枝の「発想」に結びつくとは、思ってもみなかっただろう。

　八木沢がある日、これまでになく優しく、「思い出の藤村の墓の前で待ち合わせよう」と言ったとき、裕子はまるで疑う様子もなかったそうだ。

　それから先はほぼ浅見が推理したとおりの筋書きで、惨劇は行われたのである。目の前に大塚瑞枝が現れ、ナイフが自分の胸を刺す寸前まで、裕子は八木沢との将来を疑いきれなかったのだろう。

　疑わなかったといえば、瑞枝の場合も同じことであった。瀬戸原の誕生会の日、家族全員が軽井沢へ行った留守にひと夜を過ごそうと、八木沢に誘われたとき、瑞枝の胸の内には疑惑のひとかけらも生じなかったのだ。

　しかし現実には、瑞枝の深情けは八木沢にこれ以上はない重荷になっていた。それどころか、寝物語に不用意に漏らした「結婚」の約束を、瑞枝は額面どおりに受け取って、その履行を迫ってきつつあった。

瑞枝にしてみれば、不用意であろうと何であろうと、八木沢の自分に対する愛情がそこまで昇華してくれたことに、それこそ死んでもいいほどの歓びを感じていたにちがいない。その上彼女には、自分は殺人を犯してまでも八木沢への愛情の深さを立証したという自負心があった。驕慢《きょうまん》な八木沢夫人に成り代わって、八木沢を日本一の学者として世に認めさせたいという野心もあったのだ。

その重圧に耐えきれず、瑞枝との関係を清算するには、ああする以外、取るべき方法はなかった――と八木沢は述懐した。

瑞枝は八木沢の指示どおり、九時前にほかの客よりひと足先に引き上げ、密かに勝手口から戻った。八木沢の家で、夫婦のベッドで抱かれるという、これ以上はない八木沢夫人への冒瀆《ぼうとく》を思うと、瑞枝の胸は悪魔的な歓喜ではち切れんばかりだったにちがいない。

奥の書斎で待つ瑞枝のもとに、八木沢は客間のざわめきから逃れるようにやって来た。背後から体を抱きしめてきた八木沢の手が首にかかる瞬間まで、瑞枝は愛されていることを信じきっていたことだろう。

5

八木沢がすべての犯行を自供した翌日、浅見は千駄木の瀬戸原名誉教授を訪ねた。

瀬戸原はダブダブのパジャマ姿で玄関に現れた。口許《くちもと》が落ち窪《くぼ》んで、おそろしく歳をとったように見えた。

「上がりなさい」

口ごもるような切れの悪い声で言った。手にプラスチック製の赤い大きなカップを持っている。

「いま、入れ歯を洗浄しているところです」

カップを揺らすと、中に入っている入れ歯がカチャカチャ鳴った。

浅見は勧められるままに書斎に入り、書物に埋め尽くされ、いくらも空いていない絨毯《じゅうたん》の上に坐《すわ》った。しばらく待たせてから、瀬戸原は着替えをして現れた。顔つきはふだんの威厳を取り戻したが、服装はパジャマ姿とそう大して変わらない。ダブダブのズボンに、生地の分厚い開襟シャツ、黒い毛糸で編んだチョッキといういでたちだ。

「朝早くから、申し訳ありません」

「なんのなんの、早くはないでしょう。もうかれこれ十時を過ぎたかな。僕は六時には起きて原稿を書いていましたよ。年寄りはいつまでも寝ていられない。寝てるうちに死んでしまわないともかぎりませんのでな」

真顔でそう言った。

「えーと、今日は何でしたかな?」

いつもどおりの、茫洋《ぼうよう》とした様子なので、浅見は戸惑った。

「先生は八木沢教授の事件のことはご存じないのでしょうか？」

「はあ？　八木沢君に何かありましたか」

「新聞はご覧になっていませんか」

「ああ見ていません。ちょっと急ぎの調べ物があったもんで……いや、そんなもんがなくても、近頃は新聞もテレビも見ませんな。ん？　事件と言われましたかな」

「ええ、昨日、八木沢さんは殺人の容疑で逮捕されました」

「ほう……」

口を窄《すぼ》めて浅見の顔を見つめた。しかし、さほど驚いた様子もなく、「そうでしたか、それはいけませんな」と言った。いつ、どうして、誰を、どうやって――などと訊《き》き返すつもりはないらしい。世俗のことにまるで無関心なのか、それとも、ひょっとするとこの老人は何もかも知っているのでは？――と、浅見は疑った。

「大塚瑞枝さんを殺害した犯人は、八木沢さんだったのです」

「そう、そういうこともあるでしょうな」

「あまり驚かれませんね」

「それは、人一人殺されたのですからな、誰かが犯人でなければならない。それが八木沢君であろうときみであろうと、驚くほどのことではないでしょう。そうすると、山下君を殺したのも八木沢君でしたか」

「ええ、そのとおりです」

さり気なく言いながら、浅見はひそかに舌を巻いた。老先生の頭脳は少しも衰えていないらしい。

「悲しいことですな」と、しかし瀬戸原はポツリと言った。見ると老人は目を潤ませ、音を立てて鼻水を啜《すす》った。

「いくつになっても……いや歳を取るほど、親しい者が亡くなるのは悲しいものです。人間はいったい、何のために学問をしてきたのでしょうかなあ……」

テーブルの上の原稿に涙が落ちて、ブルーブラックのインクをジワジワと滲《にじ》ませた。

6

大杉からの「これから迎えに行く」という電話を切って、間を置かずにベルが鳴ったので、美雪はてっきり、また大杉からかと思ったが、「東京の浅見です」と、バリトンの声が飛び出した。

「あらっ」と、頰が上気するのを感じた。

「いま京都南インターを出たところですが、これからお邪魔してもいいでしょうか」

「ええ、もちろん」と言ってしまってから、美雪は大杉との約束を思い出した。カペラの新車を買ったので、琵琶湖一周のドライブをしようというのだ。

(いいわ、また今度の機会で——)と勝手に思い捨てた。

「お待ちしてます。今日はみんな家におりますから、喜びます」

それから十分ほどで大杉が到着して、予定変更に不満そうだったが、浅見の来訪とあっては諦《あきら》めないわけにいかない。

浅見が着いたときは、牟田部の伯父伯母に大杉を含めて、賑《にぎ》やかに出迎えた。浅見は玄関先に立ち尽くし、眩《まぶ》しそうな目で全員の顔を見回して、何度も頭を下げていた。

「今日は何のお仕事ですか?」

浅見を居間に案内して、テーブルにティーカップを並べながら、美雪は訊いた。

「いいえ、今回は仕事ではなく、純粋に牟田部さんのお宅にお邪魔することが目的です」

「ほう……」と、美雪より先に伯父の克之が反応した。何か不吉な予感でもしたような、曇りのある表情であった。

「じつは、東京で起きた事件が一段落しましたので、そのご報告をすることも目的の一つなのです。八木沢教授の事件については、こちらでもご存じですね?」

「ああ、それは知ってますが……」

克之はいっそう暗い目になった。

花形大学教授をめぐる二人の女性と、女子大講師が殺害された事件のことは、連日のようにテレビのワイドショー番組で、さまざまに料理され放送されている。もっともそれがなくても、八木沢俊夫が八百津の佐々木勝巳の弟であることを、克之も伯母の真紀も知らないわけがない。

ただし、美雪の母親・志保を八木沢が脅していたことや、若い頃の志保に得体の知れぬ脅迫文が送りつけられていたことなどは、美雪しか知らないはずであった。

その「秘密」を、浅見は語ろうとしているのだろうか——と、美雪はハラハラしたが、浅見がそのことに触れる様子はなかった。

「そういえば、馬籠のなんやらいうお寺で女の人が殺されたのも、その八木沢いう教授の教唆《きょうさ》による犯行やったいう話でしたな」

大杉が言った。

「あの事件では、美雪のお母さんも、警察に調べられたりしとったんやろ？　そしたらもう、心配せんでもええいうことですか」

「そうですよ、何も関係ないことがはっきりしたのです」

浅見は爽《さわ》やかに言った。

しかし美雪には、浅見が事件と母親が無関係であることを告げるために、わざわざ東京からやって来たとは思えなかった。

かといって、自分に何か言いたいことがあるわけでもないらしい。もしそうなら電話で呼び出して、どこかで話をするはずである。どっちにしても、浅見を牟田部の伯父夫婦と長いあいだ付き合わせるのは、危険なような気がしてならない。

「あの浅見さん、スギさんが新車を見せびらかしたいんだそうですけど、ご一緒にドライブ、行きません？」

「あ、それはいいなあ。しかし僕は遠慮しますよ。東京からのロングドライブですからね、乗物はしばらく願い下げにしたいのです。どうぞお二人で行ってらっしゃい。僕はあなたの伯父さんと、哲学の小径《こみち》でも散歩しています」

これで浅見の目的がはっきりした。彼は伯父に話があって来たにちがいない。何を言うつもりなのか気掛かりだけれど、悲劇的な結末になるような話はしないだろう。そう信じるほかはなかった。

「じゃあ、スギさんと二時間ばかりドライブしてきます。浅見さん、必ず待っていてくださいよ。黙って東京へ帰ってしまったらだめですよ。私だっていろいろお話ししたいことがあるんですから」

美雪は縋《すが》りつくような口調で言った。

「もちろんです。目的のもう一つは、あなたのお話を聞くことなんですから」

浅見の優しい眸《ひとみ》を見て、美雪は頷《うなず》いた。

大杉と、それに克之と、二人の男はなんとも不安定な顔をしている。浅見と美雪のあいだに、言葉にする必要のない「盟約」のようなものが交わされた気配を、敏感に感じたのかもしれない。

7

大杉と美雪が出かけたあと、浅見は牟田部克之を誘い出して、ほんとうに哲学の小径を歩いた。紅葉にはまだ早いが、春とならんで秋の京都はもっとも過ごしやすい季節だ。観光客ばかりでなく、小川の畔《ほとり》の静かな小径を散策する人々の数も多い。

「八木沢教授が、美雪さんのお母さん――池本志保さんを脅していたこと、牟田部さんはご存じでしたか？」

雑談の中から、浅見はふいに言った。

「えっ、それは、いや、知りませんでした。ほんとうですか？」

「ええ事実です。八百津の佐々木家に勝巳さんの日記のようなものがあるのを、八木沢は偶然発見したのです。その中に、当時まだ牟田部家のお嬢さんだった志保さんに、ある品をプレゼントしたことが書かれていました。そのある品が何かはご存じでしょう？」

「…………」

牟田部は何か言いかけたが言葉にならず、黙って頷いた。

「そこで八木沢は志保さんにその品——烏帽子直垂《えぼしひたたれ》の男が写っている乾板写真を返してくれるよう、しつこく迫ったのです。ほとんど脅迫といっていいでしょう。そのために志保さんはノイローゼになったほどです」

「そうですか、そんなことがあったのですか……」

「しかし志保さんは、その八木沢の要求に応じなかった。当然のことです。志保さんは乾板写真の存在そのものを知らないのですからね。それなのになぜ八木沢は脅迫をつづけたのか……いや、その前に、佐々木勝巳さんが日記に書いたことは事実なのか。その答えは牟田部さんにお訊きするしかないと、僕は思いました」

「あなたの言われるとおりです」

牟田部は立ち止まって、眼下のせせらぎを見つめた。浅見も傍らに寄り添い、二人の男は棒杭《ぼうくい》のように岸辺に佇《たたず》んだ。

「佐々木勝巳君が志保さんに乾板写真をあげたことは、事実なのです。そして志保さんが乾板のことを知らないのも、また事実です。なぜそんなことになったかというと……」

言い淀《よど》む牟田部に代わって、浅見は静かに言った。

「牟田部さんが、預かった写真を志保さんに渡さなかったからですね」

「ほうっ……」と、牟田部は浅見の顔を振り向いた。

「たぶん、写真を志保さんにプレゼントするよう、佐々木さんに勧めたのも、牟田部さんだったと思っていますが、違いますか？」

「そのとおりです。しかし驚きましたなあ。そんな昔のことを……それに、私が乾板を横取りしたことまで、浅見さんはどうやって調べたのですか？」

「調べたといっても、ほとんどが憶測にすぎません。いろいろなデータを掻《か》き集めて類推したら、そういう結論が出てきたというだけのことです」

「なるほど……それでは、この私をずいぶんひどいやつだとお思いでしょうな」

「いいえ、そうは思いません。いや、志保さんはもちろんですが、佐々木さんにも牟田部さんにも、責められるべき悪意はなかったのだと思っています」

「そうおっしゃっていただくのはありがたいが、しかし私は違う。結果的とはいえ、私は罪を犯したのですよ。いや、乾板を横取りしたことを言っているのではないのです」

「分かってます。結婚前の志保さんに、いやがらせの手紙を送りつけたことをおっしゃっているのですね」

「えっ、どうしてそのことを？……」

牟田部克之は引きつった目で、浅見の横顔を凝視した。

「そのことも僕は責めようとは思いません。牟田部さんが乾板の代償に、志保さんを佐々木勝巳さんと結婚させようと必死に立ち回ったのは、むしろ当然です。しかし、残念ながらその努力は実りませんでした。肝腎《かんじん》のその手紙が、志保さんの手にはほとんど届かなかったのですからね」

「えっ、まさか……ほんとですか？」

「ほんとうです。脅迫の手紙のほとんどすべてを、妹さんの真帆さんが隠してしまったのですよ」

「そうでしたか……」

牟田部は天を仰いだ。降り注ぐ陽光が、かすかに色づきはじめた木々の葉に染まって、空間全体をやわらかな影で包んでいる。

「何もかも浅見さんの言われたとおりです。若気のいたりとはいえ、義理の妹に脅迫状めいたものを送りつづけるとは、愚かなことをしたものだと思っています。しかもそれが何の役にも立たず、佐々木君を絶望させる結果にしかならなかったのですからな」

牟田部は視線を落とし、そのまま俯《うつむ》いた恰好《かっこう》で歩きだした。ただでさえ年齢よりも老けた印象のある男だが、その物憂《ものう》げな後ろ姿はいっそうじじむさく見えた。

二、三歩後れてついて行きながら、「済んでしまったことですよ」と、浅見は慰めを言った。ただ、どうしても確かめておきたいことが一つだけ残っていた。

「問題の乾板写真ですが、現在もまだ牟田部さんのお手元にあるのですか？」

「いや」と、牟田部は立ち止まり、いいようのない寂しげな顔で振り返って、言った。

「あれは私の父の墓に入れてあげました」

「ああ……」と浅見は言葉を失った。

そうだったのか、佐々木勝巳を騙《だま》すようにして、乾板写真を横取りしたのはそのためだったのか。

考えてみれば、それは牟田部の——というより、彼の父親の当然ともいうべき権利だったにちがいない。そうすることが牟田部にとっては、父・柏木助教授に捧《ささ》げる唯一の鎮魂の手段だったのだろう。

そのとき、浅見は牟田部の愚行のすべてを責められないと思った。

それに、乾板写真の終焉《しゅうえん》としては、それがもっとも理想的な決着のつけ方だったのかもしれない。その写真の主が誰であるかなどということは、永遠に世俗の垢《あか》に塗《まみ》れないままであったほうがいいに決まっている。

エピローグ

牟田部家に戻ると、大杉と美雪がもう帰って来ていた。二時間の予定を一時間半で切り上げてきたそうだ。大杉のいらついた様子から察すると、あまり気分のいいドライブにはならなかったらしい。

「浅見さんはいつまでいるんですか？」

そのことのほうが重大だ——と言わんばかりに、美雪が訊《き》いた。

「京都に一泊して、明日の朝、馬籠経由で帰ります。あなたのご両親にご挨拶《あいさつ》して行きたいですから」

「え、馬籠へ行くんですか？　だったら私も連れて行ってください」

「ははは、ずいぶん急ですね。大学はどうするんですか」

「そんなもの、どうでもいいんです」

美雪は慍《おこ》ったように答えた。

「じゃあ、大杉さんも一緒に行きませんか」と浅見は誘った。

「帰りは大杉さんのカペラに乗せてもらえばいいでしょう」

美雪は「そんなの悪いわ」と言ったが、大杉は二つ返事で乗ってきた。

そうして翌朝、二台の車が連なって馬籠へと向かった。木曾路にかかる頃は、行く手の山々は紅葉が進んで、侘《わび》しい秋の気配が立ち込めていた。ほんの百何十年か前、この街道を、和宮の行列がえんえんと並んで行ったのか——と、浅見は感慨を禁じえなかった。

ウィークデーだったが、馬籠の往還は観光客で賑《にぎ》わっていた。えびす屋の店先にも客が溢《あふ》れている。志保は娘や浅見たちに気づいて「あら……」と声をあげたけれど、店の客から手が離せない状態だった。広一も同様に忙しくしている。三人の金にならない客は喫茶室の片隅で、広一の出してくれたコーヒーを飲みながら、店がひと区切りつくまで時間をつぶした。

「お母さんはお元気そうですね」

浅見は心からほっとして、言った。

「ほんと陽気なんでびっくりしました。まったく、あんなに心配させたくせに」

「そんなことを言うもんじゃないですよ」

浅見は真顔で窘《たしな》め、美雪はペロッと舌を出して首をすくめた。

池本夫婦は揃って浅見に礼を言った。何に対して——というのではなく、ばくぜんと頭を下げ、「ありがとうございました」と言った。いろいろな意味がこめられているのを浅見も感じて、ただ慌ててお辞儀を返すことしかできなかった。

　長いドライブの途中のことである。ほんの短い時間だったが、言葉以上にたがいに通い合うものがあった。志保のノイローゼの原因を作った八木沢俊夫が逮捕されて、内憂外患の霧は晴れたとはいえ、すべてが吹っ切れた気分ではなかっただろう。その池本夫婦の胸に澱《よど》んでいたものを、浅見の来訪が一掃させたのを、浅見自身、たしかに感じた。

　浅見が東京へ向かうのを、池本一家と大杉と、全員が坂下まで出て見送った。美雪は窓の中に首を突っ込んで、「また来てくださいね」と言い、ほかの人々に聞こえないように「浅見さんのこと、好きです」と言った。

　京都から馬籠までの二人だけの道中、意外なほど寡黙《かもく》だったのは、きっとこの言葉を言いたくて、そのことだけに想いが集中していたのだろう。

　浅見はふいにいとしさがこみ上げて、このまま美雪をさらってしまいたい衝動に駆られた。

「大学を卒業したら、みんなで東京へいらっしゃい。スギさんも一緒にね」

　口から出たのは、まったくべつの言葉だった。美雪の顔が悲しそうに歪《ゆが》んだ。

＊

平成八年秋、東京芝の増上寺で皇女和宮生誕百五十年と逝去《せいきょ》百二十回忌を記念する「静寛院和宮奉讃法要」が開催された。

浅見は会場の片隅で、法要の模様とそのあとの親睦《しんぼく》パーティを取材した。徳川家第十八代の当主をはじめ来賓の挨拶は、まるで共通の姉か母親を追憶するように、和宮への敬慕に満ちていた。

自作解説

内田　康夫

本書『皇女の霊柩《れいきゅう》』の創作については、特筆すべき点がいくつかあります。その第一はタイトルが最初にあったということ。この作品は「小説新潮」に十二回にわたって連載されたものですから、第一回分の執筆の時点でタイトルが決まっていなければならないのは当然ですが、それよりかなり以前に『皇女の霊柩』というタイトルが頭の中にはあったと思います。言い換えれば、『皇女の霊柩』そのものがモチーフだったのです。

『皇女の霊柩』は一九九七年に刊行した作品ですが、その四年前に書いた作品に『斎王の葬列』（角川文庫）というのがあります。これは天皇の息女が伊勢《いせ》神宮の斎宮として伊勢へ赴《おもむ》く行列に材を取った作品で、『皇女の霊柩』は『斎王の葬列』と対《つい》の関係にあるものといってもいいかもしれません。神聖である斎宮に対して「葬列」＝「死」はもっともタブーとすべきところですが、「皇女」という冒すべからざる存在に対して「霊柩」とつづけたのも、相当に礼を失したものです。半世紀少し前なら「不敬罪」でしょっぴかれかねない話でしょう。

不敬といえば、ヒロインの池本美雪が和宮に抱いていた「悲劇の皇女」というイメージを、嫁入り行列が二万六千人だったことや、行列の華やかさの陰に、人足の過労死など、街道筋のなみなみならぬ犠牲があったことを知って、「なーんだ、ちっとも悲劇なんかじゃないわ……」と思ってしまうのも、きわめて率直な感想とはいえ、和宮崇拝者にとっては、あまり愉快ではなかったにちがいありません。

それはともかく、この「ミスマッチ」といっていいような魅力的（?）なタイトルを発想したところから、『皇女の霊柩』は誕生しました。

もっとも、書き始めた時点では、例によってストーリーの構想が纏《まと》まっていたわけでなく、とりあえずの見切り発車でした。タイトルを思いついた背景には、漠然と（東下りの際に和宮の柩《ひつぎ》が用意されていたのでは——）という、突拍子もない疑問がありました。有吉佐和子氏の『和宮様御留』の「替え玉」の話があるくらいなら、それほど頑健とは思えない和宮のことだから、道中、病を得て、急死するといった異変があっても不思議はあるまいと考えたのです。少なくとも、不慮の死を予測して、それなりの対策は立ててあったはずです。それなら当然、柩も用意されていただろう——というわけです。幸い（?）中山道《なかせんどう》の妻籠《つまご》・馬籠《まごめ》付近には、現在も繁栄する木地《きじ》師《し》の里があります。かてて加えて木曾檜《きそひのき》という用材にも恵まれている。皇女にふさわしい柩を作るなら、ここ以外にない——といった具合で、物語の主たる舞台は馬籠・妻籠に決定しました。

もっとも、和宮のために用意された（かもしれない）柩のほうは、ほとんど作品中には登場しませんでした。その代わりといっては語弊がありますが、和宮を埋葬した東京・芝増上寺の、本物の柩のほうは、この作品上では重要な役割を果たすことになりました。じつをいうと、こっちの本物のほうは、本来は想像上の柩のイメージを固めるための資料として、研究した対象でしかなかったのです。ところが、「研究」の過程で、いろいろと興味深い事実が浮かび上がってきた。その中の一つに「消えた画像」の湿板《しつぱん》がありました。といっても、それが何なのかはここでバラすわけにはいきません。読者の中には最初に、あるいは途中で、解説から読むという人が少なくないそうですから。

その「研究」は、連載中に東京大学の人類学研究室を訪ね、「足達」助手の指導を受けながら行ったものです。人類学研究室の状況、例えば、学生六人に対して教授等の職員が五名もいるといったエピソードは、すべて事実に基づいたものです。取材の過程や「足達」助手との雑談の合間に、学生や出入り業者の動きといった、研究室の日常をかいま見《み》ることができて、ストーリーの展開に重要な示唆《しさ》を与える収穫にもなりました。

もちろん、この時の「研究」の主題は和宮の柩にまつわるもろもろで、とりわけ鈴木尚名誉教授の論文は物語を成立させる、最大の要因でした。この論文との出会いこそが、創作を可能にしたといってもいいでしょう。増上寺で行われた四十数年前の移葬の際、和宮の柩から発見された「湿板写真」のこともその論文の中にありました。この事実からも分かるとおり、「消えた画像」事件（？）がストーリーに重大な役割を果たすことになったのは、じつは連載が始まってかなり経過した時点でのことで、執筆当初にその知識があったわけでも、それを「動機」として用いる予定があったわけでもないのです。

僕としてはむしろ「足達」助手に案内して見せてもらった資料室のガイコツのほうが、よほど興味深かった。何しろ、広大な資料室にズラーッと並んだ収納ケースに、膨大な数のガイコツが納まっているのですから、臆病者《おくびょうもの》の軽井沢のセンセとしては、ショッキングな眺めではありました。小塚原《こづかっぱら》刑場跡から掘り出されたものや、鎌倉海岸の古戦場で発見されたもの等、さまざまな経歴の持ち主で、古戦場にあったガイコツには、刀傷が刻まれていたりする。しばらく眺めているうちに、柩の中にあった和宮の遺骨を連想して、移葬に携わった人々の思いを疑似体験できたような気分でした。

余談ですが、その時のガイコツの記憶が、後に『不知火海《しらぬいかい》』（講談社）の創作に大いに参考になったものです。

『皇女の霊柩』を書いた一九九七年は、単行本としては、本書を挟んで『崇徳《すとく》伝説殺人事件』と『遺骨』のわずか三作しか上梓《じょうし》していません。この年の七月、『皇女の霊柩』が刊行された直後に、僕は帯状疱疹《ほうしん》という厄介な病を得て、雑誌連載の一部を二カ月休載するほどの痛みに悩まされました。前記三作はいずれも発病以前に脱稿、上梓されたものばかりです。ひょっとすると和宮の怨霊《おんりょう》が祟《たた》っているのか、それから三年半経過する現在もなお、その後遺症が続いています。いや、冗談でなく、和宮の祟りでは——と思えるような恐ろしい出来事はそれ以外にもあるのです。それがどのようなものかは、残念ながらお教えするわけにいきませんが、迷信どころか、これっぽっちの信心も持ち合わせていない僕でも、ちょっと気になるような、いわば後日談といったような話です。これだけでは、思わせぶりだと抗議されそうなので、作品の中で書かれたようなことが、現実に起きてしまった——とだけ申し添えておきましょう。

『皇女の霊柩』を連載した「小説新潮」は、かなり昔に短編を一つ書いただけで、なかなか付き合うチャンスに恵まれなかった。したがって、長編連載の注文を受けた時には、それなりに意気込みもあり、先方にもある程度の期待はあったと思います。『皇女の霊柩』はその期待に沿う作品になったと信じています。少なくとも僕は、本書がしっかりした本格推理小説に仕上がっていることに満足しています。東京、岐阜、京都、長野、そして群馬と、事件の舞台が転々として、一応、旅情ミステリー的な要素もあり、人間関係の複雑さも、ミステリー・ファンを十分、惹《ひ》きつけるのではないでしょうか。とくに、動機の設定が重層していて、「消えた画像」にからむ謎《なぞ》に至っては、書いている当人がその面白さにわくわくしたものでした。

二〇〇〇年十一月

〈参考文献〉

『増上寺徳川将軍墓とその遺品・遺体』（鈴木尚・矢島恭介・山辺知行編　東京大学出版会刊）
『ネアンデルタールの復活』（東京大学総合研究資料館編・刊）
『骨は語る徳川将軍・大名家の人びと』（鈴木尚著　東京大学出版会刊）
『木曾路文献の旅―「夜明け前」探究―』（北小路健著　芸艸堂刊）

作品に登場する個人、団体等はすべてフィクションであり、実在するものとはまったく関係がありません。また、風景、建造物など、実際の状況と多少異なる点があることをご了承ください。

本書は、二〇〇一年二月に新潮文庫として刊行されました。

皇女《こうじょ》の霊柩《れいきゅう》

内《うち》田《だ》康《やす》夫《お》

平成16年 2月25日　初版発行
令和6年 12月10日　14版発行

発行者●山下直久

発行●株式会社KADOKAWA
〒102-8177　東京都千代田区富士見2-13-3
電話　0570-002-301（ナビダイヤル）

角川文庫 13244

印刷所●株式会社KADOKAWA
製本所●株式会社KADOKAWA

表紙画●和田三造

●お問い合わせ
https://www.kadokawa.co.jp/（「お問い合わせ」へお進みください）
※内容によっては、お答えできない場合があります。
※サポートは日本国内のみとさせていただきます。
※Japanese text only

ISBN978-4-04-160760-2　C0193

角川文庫発刊に際して

角川源義

第二次世界大戦の敗北は、軍事力の敗北であった以上に、私たちの若い文化力の敗退であった。私たちの文化が戦争に対して如何に無力であり、単なるあだ花に過ぎなかったかを、私たちは身を以て体験し痛感した。西洋近代文化の摂取にとって、明治以後八十年の歳月は決して短かすぎたとは言えない。にもかかわらず、近代文化の伝統を確立し、自由な批判と柔軟な良識に富む文化層として自らを形成することに私たちは失敗して来た。そしてこれは、各層への文化の普及滲透を任務とする出版人の責任でもあった。

一九四五年以来、私たちは再び振出しに戻り、第一歩から踏み出すことを余儀なくされた。これは大きな不幸ではあるが、反面、これまでの混沌・未熟・歪曲の中にあった我が国の文化に秩序と確たる基礎を齎らすためには絶好の機会でもある。角川書店は、このような祖国の文化的危機にあたり、微力をも顧みず再建の礎石たるべき抱負と決意とをもって出発したが、ここに創立以来の念願を果すべく角川文庫を発刊する。これまで刊行されたあらゆる全集叢書文庫類の長所と短所とを検討し、古今東西の不朽の典籍を、良心的編集のもとに、廉価に、そして書架にふさわしい美本として、多くのひとびとに提供しようとする。しかし私たちは徒らに百科全書的な知識のジレッタントを作ることを目的とせず、あくまで祖国の文化に秩序と再建への道を示し、この文庫を角川書店の栄ある事業として、今後永久に継続発展せしめ、学芸と教養との殿堂として大成せんことを期したい。多くの読書子の愛情ある忠言と支持とによって、この希望と抱負とを完遂せしめられんことを願う。

一九四九年五月三日

角川文庫ベストセラー

明日香の皇子　内田康夫

巨大企業エイブルックにまつわる黒い噂。謎の連続殺人。恋人・恵津子の出生の秘密。事件を解く鍵は一枚の絵に秘められていた！　東京、奈良、飛鳥を舞台に、古代と現代をロマンの糸で結ぶ伝奇ミステリ。

佐渡伝説殺人事件　内田康夫

佐渡の願という地名に由来する奇妙な連続殺人。「願の少女」の正体は？　事件の根は三十数年前に佐渡で起こった出来事にあった！　名探偵・浅見光彦が大活躍する本格伝奇ミステリ。

高千穂伝説殺人事件　内田康夫

美貌のヴァイオリニスト・千恵子の父が謎のことばを残し、突然失踪した。千恵子は私立探偵・浅見の助けを借り、神話と伝説の国・高千穂へと向かう。そこに隠された巨大な秘密とは。サスペンス・ミステリ。

杜の都殺人事件　内田康夫

青葉繁る杜の都、仙台。妻と一緒に写っていた謎の男の死に、妻の過去に疑問を持つ夫。父の事故死に不審を抱く美人カメラマン池野真理子。二つの事件が一つに重なった時……トラベルミステリの傑作。

琥珀の道《アンバー・ロード》殺人事件　内田康夫

古代日本で、琥珀が岩手県久慈から奈良の都まで運ばれていた。その〈琥珀の道〉をたどったキャラバン隊のメンバーの相次ぐ変死。古代の琥珀の知られざる秘密とは？　名探偵浅見光彦の推理が冴える。

角川文庫ベストセラー

恐山殺人事件　内田康夫

博之は北から来る何かによって殺される……恐山のイタコである祖母サキの予言通り、東京のマンションで変死体で発見された。真相究明の依頼を受けた浅見光彦は呼び寄せられるように北への旅に出る。

鏡の女　内田康夫

めったに贈り物など受けとったことのないルポライター浅見光彦に、初恋の女性から姫鏡台が届いた。浅見は彼女の嫁いだ豪邸を訪ねるが……さまざまな鏡をめぐり、浅見が名推理を披露する表題作ほか2編を収録。

軽井沢殺人事件　内田康夫

金売買のインチキ商法で世間を騒がせた会社幹部が交通事故死した。「ホトケのオデコ」という妙な言葉と名刺を残して……霧の軽井沢を舞台に、信濃のコロンボ竹村警部と名探偵浅見が初めて競演した記念作。

隠岐伝説殺人事件（上）（下）　内田康夫

後鳥羽上皇遺跡発掘のルポのため、隠岐中之島を訪れた浅見光彦は地元老人と調査隊の教授が次々と怪死を遂げるのに遭遇する。源氏物語絵巻の行方と、後鳥羽上皇の伝説の謎に浅見光彦が挑む本格長編ミステリ。

王将たちの謝肉祭　内田康夫

美少女棋士、今井香子は新幹線の中で、見知らぬ男から一通の封書を預かった。その男が死体となって発見され、香子も何者かに襲われた。そして第二の殺人が起こる。感動を呼ぶ異色サスペンス。

角川文庫ベストセラー

追分殺人事件　内田康夫

信濃追分と、かつて本郷追分といわれた東京本郷での男の変死体。この二つの〈追分〉の事件に、信濃のコロンボこと竹村警部と警視庁の切れ者・岡部警部の二人が挑む！　謎の解明のため二人は北海道へ……。

三州吉良殺人事件　内田康夫

浅見光彦は、母雪江の三州への旅のお供を命じられた。道中〈殉国の七士の墓〉に立ち寄った時に出会った愛国老人が蒲郡の海岸で発見される。誰がどこで殺したのか？　嫌疑をかけられた浅見母子が活躍する異色作。

薔薇の殺人　内田康夫

浅見光彦の遠縁の大学生、緒方聡が女子高生誘拐の嫌疑をかけられた。人気俳優と〈宝塚〉出身の女優との秘めやかな愛の結晶だった彼女は、遺体で発見される。浅見は悲劇の真相を追い、乙女の都・宝塚へ。

日蓮伝説殺人事件(上)(下)　内田康夫

美人宝石デザイナー殺人事件に絡む日蓮聖人生誕の謎とは⁉　日蓮聖人のルポを依頼され、山梨県を訪れていた浅見光彦はこの怪事件に深く関わることに……伝説シリーズ一の超大作！

軽井沢の霧の中で　内田康夫

父親の死をきっかけに、絵里は軽井沢でペンションを始めた。地元の経理士と恋仲になり、逢瀬を終えた夜、彼が殺害された。(アリスの騎士) 四人の女性が避暑地で体験する危険なロマネスク・ミステリ。